Anne i Charlotte —
od najszczęśliwszego faceta na świecie

Podziękowania

Autor pragnie podziękować następującym osobom:
Jamesowi Bradbeerowi Juniorowi i Lawrence'owi Vitale'owi —
przyjaciołom i kumplom z akademika;
Davidowi Pepe'owi z agencji Pro Agents Inc.;
Peterowi Roismanowi z Advantage International;
mojemu redaktorowi i przyjacielowi Jacobowi Hoye'owi;
doktor Natalie Ayars;
E. W. Count;
Klubowi Autorów AOL;
i oczywiście Dave'owi Boltowi.

1

— Cesar Romero — powiedział Myron.

— Chyba żartujesz. — Win spojrzał na przyjaciela.

— Zaczynam od najłatwiejszego.

Na korcie zawodnicy właśnie zmieniali boiska. Klient Myrona, Duane Richwood, roznosił na strzępy uważanego za piętnastą rakietę na świecie Iwana Cośtam-owa, prowadząc 5:0 w trzecim secie, po wygraniu dwóch pierwszych 6:0 i 6:2. Wspaniały debiut w turnieju US Open dla początkującego, dwudziestojednoletniego zawodnika, który (dosłownie) wystartował z nowojorskiej ulicy.

— Cesar Romero — powtórzył Myron. — Chyba że nie wiesz.

Win westchnął.

— Dżoker.

— Frank Gorshin.

— Człowiek Zagadka.

Dziewięćdziesięciosekundowa przerwa na reklamy. Myron i Win byli zajęci pasjonującą grą w sto pytań, której tematem byli przestępcy występujący w *Batmanie*. W tym prawdziwym, telewizyjnym *Batmanie*. Tym, w którym występował Adam West, Burt Ward oraz cała reszta.

— Kto grał drugiego? — zapytał Myron.

— Drugiego Człowieka Zagadkę?

Myron kiwnął głową.

Z drugiej strony kortu Duane Richwood posłał im łobuzerski uśmiech. Miał na nosie modne okulary przeciwsłoneczne w jaskrawozielonych oprawkach. Najnowszy model firmy Ray--Ban. Duane nigdy się z nimi nie rozstawał. Stały się nie tylko jego znakiem rozpoznawczym, ale i stylem bycia. Firma Ray-Ban była zadowolona.

Myron i Win siedzieli w jednej z lóż zarezerwowanych dla znakomitości i członków świt zawodników. Podczas większości meczów wszystkie miejsca w lożach były zajęte. Kiedy poprzedniego wieczoru grał Agassi, loża pękała w szwach od jego krewnych, przyjaciół, pieczeniarzy, panienek, gwiazdek filmowych o politycznie poprawnym pochodzeniu i ekstrawaganckich fryzurach — jak na imprezie po koncercie zespołu Aerosmith. Grę Duane'a obserwowały z loży tylko trzy osoby: Myron, który był jego agentem, Win będący doradcą finansowym oraz trener, Henry Hobman. Wanda, miłość życia Duane'a, za bardzo się denerwowała i wolała zostać w domu.

— John Astin — odparł Win.

Myron kiwnął głową.

— A Shelley Winters?

— Ma Parker.

— Milton Berle.

— Louie Bez.

— Liberace?

— Wielki Chandell.

— I?

Win zrobił zdumioną minę.

— I co?

— Jakiego jeszcze przestępcę grał Liberace?

— O czym ty mówisz? Liberace pojawił się tylko w tym jednym odcinku.

Myron oparł się wygodnie i rzekł z uśmiechem:

— Jesteś pewien?

Siedząc na krześle obok sędziego, Duane z zadowoloną miną ściskał butelkę wody Evian. Trzymał ją tak, żeby kamery telewizyjne zarejestrowały nazwę sponsora. Sprytny dzieciak. Wiedział, jak sprawić przyjemność sponsorom. Dzięki Myronowi Duane niedawno zawarł umowę z potentatem na rynku wód mineralnych: podczas turnieju US Open będzie pił wodę z firmowych butelek Evian. W zamian firma zapłaci mu dziesięć kawałków. Tyle za wodę. Myron jeszcze negocjował kontrakt na napoje odświeżające z Pepsi i na elektrolity z Gatorade.

Ach, tenis to cudowny sport.

— Liberace pojawił się tylko w tym jednym odcinku — oznajmił Win.

— Czy to twoja ostateczna odpowiedź?

— Tak. Liberace pojawił się tylko w tym jednym odcinku.

Henry Hobman nadal patrzył na kort, wodząc wzrokiem tam i z powrotem w głębokim skupieniu. Szkoda, że nikt akurat nie grał.

— Henry, a ty jak uważasz?

Trener ich zignorował. Nic nowego.

— Liberace pojawił się tylko w tym jednym odcinku — powtórzył Win, zadzierając nosa.

Myron wydał dźwięk imitujący elektroniczny brzęczyk.

— Przykro mi, ale to nieprawidłowa odpowiedź. Co mamy dla naszego zawodnika, Don? No cóż, Myronie, Windsor otrzymuje planszową wersję naszego teleturnieju oraz roczny zapas pasty Turtle Wax. Dziękujemy za udział w naszej grze!

Win nie poddawał się.

— Liberace pojawił się tylko w tym jednym odcinku.

— Czy to twoja nowa mantra?

— Jeśli nie udowodnisz, że się mylę.

Win, czyli Windsor Horne Lockwood Trzeci, splótł palce ze starannie wymanikiurowanymi paznokciami. Często to robił. Splatanie palców do niego pasowało. Wygląd również pasował do jego nazwiska. Wzorcowy WASP. Wprost emanował arogancją, elitaryzmem, wzmiankami w rubrykach towarzyskich,

11

debiutantkami w sweterkach z monogramami, naszyjnikami z pereł oraz takimi imionami jak Babs, wytrawnymi martini w klubach oraz stertami forsy, z tymi swoimi blond włosami, chłopięcą buzią patrycjusza, białą jak lilia cerą i snobistycznym akcentem z Exeter. Tylko że w przypadku Wina jakiś defekt chromosomów przetrwał wiele starannie dobranych genetycznie pokoleń. Pod pewnymi względami Win był dokładnie tym, na kogo wyglądał. Jednak pod wieloma innymi — i czasem przerażającymi — był kimś zupełnie innym.

— Czekam — przypomniał.

— Pamiętasz, że Liberace grał Wielkiego Chandella? — zapytał Myron.

— Oczywiście.

— Jednak zapomniałeś, że Liberace grał także jego złego brata bliźniaka, Harry'ego. W tym samym odcinku.

Win skrzywił się.

— Chyba żartujesz.

— Co takiego?

— To się nie liczy. Źli bliźniacy.

— A gdzie masz przepis, który o tym mówi?

Win z uporem wysunął szczękę.

Wilgotność powietrza była tak duża, że wydawało się lepić do ciała, szczególnie na osłoniętym od wiatru stadionie w dzielnicy Flushing Meadows. Stadion, nazwany nie wiedzieć czemu imieniem Louisa Armstronga, był właściwie jedną wielką tablicą reklamową, pośrodku której przypadkiem znalazł się kort tenisowy. Znak IBM wisiał nad prędkościomierzem mierzącym serw każdego zawodnika. Zegary Citizena podawały czas rzeczywisty oraz względny czas trwania meczu. Na obu końcach boiska reklamowała się Visa. Znaki firmowe Reeboka, Infiniti, Fuji Film i Clairol naklejono na każdym skrawku wolnej przestrzeni. Tak samo jak logo Heinekena.

Piwo Heineken — jedyne sprzedawane podczas US Open.

Tłumnie zgromadzeni widzowie tworzyli barwną mieszaninę. Na samym dole — na najlepszych miejscach — siedzieli ci, którzy mieli pieniądze. Jednak nawet ich ubiór cechowała całkowita swoboda. Jedni nosili garnitury i krawaty (jak Win), inni nieco swobodniejsze stroje rozpowszechnione w republikach bananowych, jeszcze inni dżinsy lub szorty. Myronowi najbardziej podobali się ci, którzy przyszli w strojach do tenisa: koszulkach, szortach, podkolanówkach, tenisówkach, blezerkach, opaskach na głowach i z rakietami do tenisa. Z rakietami! Jákby mieli zamiar zagrać. Jakby Sampras, Steffi lub ktoś inny miał nagle wskazać palcem na trybuny i powiedzieć: „Hej ty, z rakietą! Potrzebuję partnera do debla".

Teraz była kolej Wina.

— Roddy McDowall — zaczął.

— Mól Książkowy.

— Vincent Price.

— Jajogłowy.

— Joan Collins.

Myron zawahał się.

— Joan Collins? Ta z *Dynastii*?

— Nie zamierzam ci podpowiadać.

Myron przebiegł w myślach kolejne odcinki serialu. Na korcie sędzia oznajmił:

— Czas minął.

Dziewięćdziesięciosekundowa przerwa dobiegła końca. Zawodnicy wstali. Myron nie mógłby przysiąc, ale miał wrażenie, że Henry do niego mrugnął.

— Poddajesz się? — zapytał Win.

— Cii. Zaraz zaczną grać.

— I ty nazywasz siebie fanem Batmana.

Zawodnicy zajęli miejsca. Oni też byli tablicami reklamowymi, tylko w miniaturze. Duane nosił buty i ubranie firmy Nike. Grał rakietą tenisową marki Head. Rękawy miał ozdobione znakami firmowymi McDonalda i Sony. Jego przeciwnik nosił reeboki, a na ubraniu znaki Sharp i Bic. Hm, Bic. Producent długopisów i jednorazowych ostrzy do golenia. Jakby ktoś z oglądających ten mecz miał zamiar kupić długopis.

Myron nachylił się do Wina.

— Dobra, poddaję się — szepnął. — Kogo w tym serialu grała Joan Collins?

Win wzruszył ramionami.

— Nie pamiętam.

— Co?

— Wiem, że wystąpiła w jednym odcinku, ale nie pamiętam, jak nazywała się ta postać.

— Tak nie można.

Win uśmiechnął się, pokazując idealnie białe zęby.

— A gdzie jest tak napisane?

— Musisz znać odpowiedź!

— Dlaczego? — skontrował Win. — Czy Pat Sajak musi znać rozwiązanie każdej zagadki w *Kole Fortuny*? Czy Alex Trebeck musi znać odpowiedź ma każde pytanie *Ryzykownej gry*?

Po chwili milczenia Myron rzekł:

— Ładne porównanie, Win. Naprawdę.

— Dziękuję.

Nagle usłyszeli czyjś głos mówiący:

— Syrenę.

Myron i Win rozejrzeli się wokół. Te dźwięki najwidoczniej wydobyły się z ust Henry'ego.

— Mówiłeś coś?

— Syrenę — powtórzył Henry, niemal nie poruszając wargami i wciąż wpatrując się w kort. — Joan Collins grała Syrenę w *Batmanie*.

Myron i Win popatrzyli po sobie.

— Nikt nie lubi przemądrzalców.

Niewykluczone, że wargi Henry'ego poruszyły się nieznacznie. Może nawet się uśmiechnął.

Na korcie Duane rozpoczął grę bombowym serwem, który o mało nie wybił dziury w chłopcu od podawania piłek. Prędkościomierz IBM pokazał dwieście cztery kilometry na godzinę. Myron z niedowierzaniem pokręcił głową. To samo zrobił Iwan

Jak-mu-tam. Duane szykował się do zdobycia następnego punktu, kiedy zadzwonił telefon komórkowy i Myron pośpiesznie chwycił aparat. Nie byłby jedynym widzem na trybunach, rozmawiającym przez telefon komórkowy, ale nie robił tego nikt z siedzących w pierwszym rzędzie. Myron już miał wyłączyć komórkę, kiedy uświadomił sobie, że to może dzwonić Jessica. Na samą myśl o Jessice serce zabiło mu szybciej.

— Halo.

— To nie Jessica — powiedziała Esperanza, jego współpracownica.

— Wcale tak nie myślałem.

— Pewnie — przytaknęła. — Zawsze się tak łasisz, kiedy odbierasz telefon.

Myron kurczowo ścisnął słuchawkę. Mecz trwał dalej, lecz widzowie zaczęli gniewnie rozglądać się wokół, szukając właściciela komórki.

— Czego chcesz? — szepnął. — Jestem na stadionie.

— Wiem. Założę się, że wyglądasz na pretensjonalnego dupka, rozmawiając przez komórkę podczas meczu.

Skoro o tym mowa...

Skrzywione twarze przeszywały go gniewnymi spojrzeniami. W ich oczach Myron popełnił niewybaczalny grzech. Jakby molestował nieletniego. Albo użył sałatkowego widelca do głównego dania.

— Czego chcesz?

— Właśnie pokazują cię w telewizji. O Jezu, to prawda.

— Co?

— To, że telewizja pogrubia.

— Czego chcesz?

— Nic szczególnego. Pomyślałam, że chciałbyś wiedzieć o tym, że umówiłam cię na spotkanie z Eddiem Crane'em.

— Żartujesz.

Eddie Crane, jeden z najbardziej obiecujących juniorów w kraju. Rozmawiał tylko z największymi agencjami. Z ICM, TruPro, Advantage International, ProServ.

— Nie żartuję. Spotkasz się z nim i jego rodzicami przed kortem, o szesnastej, po meczu Duane'a.

— Kocham cię, wiesz?

— To daj mi podwyżkę.

Duane precyzyjnym forhendem zdobył kolejny punkt. Ogrywał przeciwnika do zera.

— Jeszcze coś? — zapytał Myron.

— Nic ważnego. Valerie Simpson dzwoniła trzy razy.

— W jakiej sprawie?

— Nie chciała mi powiedzieć. Jednak Królowa Lodu sprawiała wrażenie wzburzonej.

— Nie nazywaj jej tak.

— Skoro tak sobie życzysz...

Myron rozłączył się.

— Jakiś problem? — spytał Win.

Valerie Simpson. Dziwna i przykra sprawa. Ta była wschodząca gwiazda tenisa odwiedziła dwa dni wcześniej biuro Myrona, szukając kogoś — kogokolwiek — kto by ją reprezentował.

— Nie sądzę.

Duane był bliski wygrania trzeciego seta. I meczu.

Bud Collins, dziennikarz sportowy i znawca tenisa, już czekał w przejściu między trybunami na wywiad ze zwycięzcą. Spodnie Buda, zawsze stanowiące zagrożenie dla oczu, tego dnia miały szczególnie obrzydliwy kolor.

Duane wziął dwie piłki od chłopca i podszedł do końcowej linii boiska. Był rzadkim zjawiskiem w tenisie. Czarnoskóry, nie z Indii, Afryki czy choćby z Francji. Duane pochodził z Nowego Jorku. I w przeciwieństwie do niemal wszystkich innych uczestników tego turnieju, nie przygotowywał się do tego wydarzenia przez całe swoje życie. Nie popychali go do tego ambitni, nadziani rodzice. Nie ćwiczył z najlepszymi trenerami na świecie na kortach Florydy czy Kalifornii, od kiedy był dostatecznie duży, żeby unieść rakietę. Duane był przeciwieństwem tego rodzaju zawodników. W wieku piętnastu lat uciekł z domu i jakoś zdołał przetrwać na ulicy. Gry w tenisa uczył się na publicznych kortach, na których kręcił się po całych dniach, wyzywając każdego, kto mógł utrzymać w ręku rakietę.

Był bardzo bliski swego pierwszego zwycięstwa w Wielkim Szlemie, kiedy padł strzał.

Stłumiony dźwięk dobiegł gdzieś spoza stadionu. Większość ludzi nie przejęła się tym, zakładając, że to huk petardy lub zatykającego się gaźnika. Jednak Myron i Win zbyt często słyszeli takie dźwięki. Wstali i opuścili trybunę, zanim usłyszeli krzyki. Zgromadzony na stadionie tłum zaczął mruczeć. Znów rozległy się okrzyki. Głośne i histeryczne. Sędzia turnieju w swej nieskończonej mądrości ze zniecierpliwieniem zawołał do mikrofonu: „Proszę o ciszę!".

Myron i Win pędzili po metalowych schodach. Przeskoczyli przez białe krzesło, ustawione przez porządkowych, żeby nikt nie mógł wejść ani wyjść, zanim zostanie ogłoszona przerwa. Wybiegli na zewnątrz. Mały tłumek zaczynał się gromadzić przed tym, co na wyrost nazwano „restauracją". Przy sporym nakładzie pracy i cierpliwości ten przybytek mógł pewnego dnia osiągnąć gastronomiczny poziom kafejki w supermarkecie.

Przecisnęli się przez tłum. Kilka osób rzeczywiście wpadło w histerię, ale inni nie okazali zbytniego zainteresowania. W końcu to Nowy Jork. Kolejki po napoje były długie. Nikt nie chciał stracić swojego miejsca.

Dziewczyna leżała twarzą do ziemi przed stoiskiem sprzedającym szampana Moët po siedem i pół dolara za kieliszek. Myron natychmiast ją poznał, zanim jeszcze pochylił się i odwrócił ją na wznak. Kiedy jednak ujrzał jej twarz i te zimne jak lód oczy zasnute mgiełką śmierci, poczuł nagłe ściskanie w dołku. Popatrzył na Wina. Ten, jak zawsze, miał nieprzeniknioną minę.

— To tyle — zauważył — jeśli chodzi o jej powrót.

2

— Może powinieneś po prostu zostawić to w spokoju — rzekł Win.

Zjechał jaguarem na autostradę, kierując się na południe. Radio było nastawione na rozgłośnię WMXV, nadającą w pasmie 105.1 FM. Puszczali coś, co nazywali „miękkim rockiem". Śpiewał Michael Bolton. Własną aranżację klasycznego przeboju Four Tops. Okropne. Jak Bea Arthur jako Marilyn Monroe.

Może miękki rock to eufemistyczny synonim paskudnego rocka.

— Masz coś przeciwko temu, że puszczę kasetę? — zapytał Myron.

— Proszę.

Win gwałtownie zmienił pas ruchu. Jego sposób prowadzenia samochodu najłagodniej można by nazwać twórczym. Myron starał się nie patrzeć przed siebie. Wepchnął do odtwarzacza kasetę z oryginalną ścieżką dźwiękową *Jak bez trudu odnieść sukces w interesach*. Tak samo jak Myron, Win miał bogatą kolekcję starych musicali z Broadwayu. Robert Morse śpiewał o dziewczynie imieniem Rosemary. Jednak Myron wciąż rozmyślał o niejakiej Valerie Simpson.

Valerie nie żyła. Ktoś wpakował jej kulę w pierś. Zastrzelono ją przed knajpką na stadionie United States Tennis Association, podczas inauguracyjnej rundy jedynego turnieju Wielkiego Szlema, jaki odbywa się w Ameryce. I nikt niczego nie widział. A przynajmniej nikt nie przyznawał się, że coś zauważył.

— Znowu masz tę minę — rzekł Win.

— Jaką minę?

— Tę pod tytułem „chcę pomóc światu" — odparł Win. — Ona nie była twoją klientką.

— Chciała nią być.

— To wielka różnica. Jej los nic cię nie obchodzi.

— Dziś dzwoniła do mnie trzy razy — podkreślił Myron. — Kiedy nie zdołała się ze mną skontaktować, przyszła na stadion. I wtedy została zastrzelona.

— To smutna historia — mruknął Win. — Jednak to nie twoja sprawa.

Strzałka prędkościomierza zastygła przy stu dwudziestu ośmiu kilometrach na godzinę.

— Wiesz co, Win?

— No?

— Lewa strona drogi. Jest przeznaczona dla jadących z przeciwka.

Win zakręcił kierownicą, przeciął dwa pasy i zjechał z drogi szybkiego ruchu. Kilka minut później jaguar zaparkował przy Pięćdziesiątej Drugiej Ulicy. Oddali klucze Mariowi, strażnikowi parkingu. Manhattan był rozgrzany. Wielkomiejski skwar. Chodnik parzył w stopy przez podeszwy butów. Spaliny wisiały gęstą warstwą w wilgotnym powietrzu, niczym owoc na drzewie. Trudno było oddychać. Łatwo było się spocić. Sztuka polegała na tym, żeby chodząc, pocić się jak najmniej i mieć nadzieję, że klimatyzacja wysuszy ci ubranie, nie powodując zapalenia płuc.

Myron i Win poszli Park Avenue na południe, w kierunku wieżowca Lock-Horne Investments & Securities. Budynek należał do rodziny Wina. Winda zatrzymała się na jedenastym piętrze. Myron wysiadł. Win został w kabinie. Jego biuro znajdowało się dwa piętra wyżej.

Zanim drzwi windy zdążyły się zamknąć, Win się odezwał:

— Znałem ją.

— Kogo?

— Valerie Simpson. To ja ją do ciebie przysłałem.

— Dlaczego nic mi nie powiedziałeś?

— Nie było powodu.

— Dobrze ją znałeś?

— To zależy od punktu widzenia. Pochodziła ze starej filadelfijskiej rodziny. Równie szacownej jak moja. Należeliśmy do tych samych klubów, stowarzyszeń charytatywnych i tym podobnych instytucji. Kiedy byliśmy mali, nasze rodziny czasem wspólnie spędzały wakacje. Jednak przez całe lata nie miałem z nią kontaktu.

— I pojawiła się nagle, jak grom z jasnego nieba?

— Można tak powiedzieć.

— A jak ty byś powiedział?

— Czy to przesłuchanie?

— Nie. Czy masz jakieś podejrzenia co do tego, kto mógł ją zabić?

Win stał zupełnie nieruchomo.

— Pogadamy później — odparł. — Mam kilka pilnych spraw, którymi najpierw muszę się zająć.

Drzwi windy zasunęły się. Myron zaczekał chwilę, jakby się spodziewał, że znów się otworzą. Potem przeszedł korytarzem i nacisnął klamkę drzwi z napisem MB SportsReps Inc.

Esperanza zerknęła na niego znad biurka.

— Jezu, koszmarnie wyglądasz.

— Słyszałaś o Valerie?

Skinęła głową. Jeśli miała jakieś wyrzuty sumienia z powodu tego, że na moment przed morderstwem nazwała ją Królową Lodu, to niczego nie było po niej widać.

— Masz krew na marynarce.

— Wiem.

— Ned Tunwell z firmy Nike jest w sali konferencyjnej.

— Chyba pójdę z nim porozmawiać — rzekł Myron. — Nie ma sensu chować głowy w piasek.

20

Esperanza popatrzyła na niego beznamiętnie.

— Nie złość się — dodał. — Nic mi nie jest.

— Ja tylko udaję wstrząśniętą — odrzekła.

Uosobienie współczucia.

Kiedy Myron otworzył drzwi sali konferencyjnej, Ned Tunwell rzucił się na niego jak rozradowany psiak. Uśmiechnął się promiennie, uścisnął mu dłoń i klepnął w plecy. Myron miał wrażenie, że facet zaraz wskoczy mu na kolana i poliże po twarzy.

Ned Tunwell wyglądał na trzydziestokilkulatka, mniej więcej w wieku Myrona. Był zawsze podekscytowany, jak naćpany wyznawca Hare Kriszna albo gorzej — jak uczestnik turnieju *Rodzinna waśń*. Miał na sobie niebieski blezer, białą koszulę, spodnie koloru khaki, krzykliwy krawat i — oczywiście — sportowe buty Nike. Nowa linia reklamowana przez Duane'a Richwooda. Miał włosy koloru słomy i wąsy barwy pożółkłych plam od mleka.

W końcu uspokoił się na tyle, aby pokazać wideokasetę.

— Zaczekaj, aż to zobaczysz! — entuzjazmował się. — Myronie, to ci się spodoba. Jest fantastyczne.

— Zatem obejrzyjmy.

— Mówię ci, Myronie, to fantastyczne. Po prostu fantastyczne. Niewiarygodne. Wyszło lepiej, niż się spodziewałem. Zakasowało to, co robiliśmy z Courierem i Agassim. Spodoba ci się. Mówię ci.

Najwidoczniej dziś kluczowym słowem było „fantastyczne".

Tunwell włączył telewizor i włożył kasetę do magnetowidu. Myron usiadł i próbował odepchnąć od siebie natrętnie stojący mu przed oczami obraz zwłok Valerie Simpson. Powinien się skupić. Reklama telewizyjna, w której występował Duane, miała być pierwszą o zasięgu ogólnokrajowym, tak więc była bardzo ważna. Takie reklamy tworzą wizerunek sportowca w większym stopniu niż jakiekolwiek inne czynniki, włącznie z jego umiejętnościami i obrazem przekazywanym przez media. Widzowie identyfikują zawodnika przez reklamy. Wszyscy znają Michaela

Jordana jako Air Jordana. Większość fanów nie ma pojęcia, że Larry Johnson grał w Charlotte Hornets, ale doskonale znają reklamę z jego babcią. Właściwa kampania reklamowa czyni cuda. Chybiona może zniszczyć sportowca.

— Kiedy to puszczą? — zapytał Myron.

— Podczas ćwierćfinałów. Podbijemy wszystkie stacje telewizyjne.

Taśma skończyła się przewijać. Duane był bliski tego, aby zostać jednym z najlepiej zarabiających tenisistów na świecie. Nie w wyniku zwycięstw w turniejach, chociaż i tych mu nie brakowało. Dzięki tantiemom. Sławni zawodnicy większości dyscyplin dostają więcej pieniędzy od sponsorów niż od swoich klubów. W przypadku tenisa o wiele więcej. A nawet cholernie dużo. Wpływy z wygranych zawodników należących do pierwszej dziesiątki to najwyżej piętnaście procent. Reszta to subwencje, tantiemy i honoraria — płacone, na przykład, za sam udział sławnego zawodnika w turnieju, niezależnie od zajętego miejsca.

Tenis potrzebował świeżej krwi, a Duane Richwood był najbardziej ożywczą transfuzją, jaką ten sport otrzymał od wielu lat. Courier i Sampras byli mniej więcej tak ekscytujący jak sucha karma dla psów. Szwedzkich tenisistów zawsze uważano za sztywniaków. Maniery Agassiego już się opatrzyły. McEnroe i Connors przeszli już do historii.

Nadszedł czas Duane'a Richwooda. Barwnej i zabawnej postaci, nieco kontrowersyjnej, ale jeszcze nie znienawidzonej. Wprawdzie był czarny i wychował się na ulicy, ale uważano go za „porządnego" ulicznika i Murzyna, z rodzaju tych, których popierają nawet rasiści, aby udowodnić, że nie są rasistami.

— Po prostu popatrz na to, Myronie. Ten spot, o którym mówię, jest... jest po prostu...

Tunwell zmarszczył brwi, jakby szukał odpowiedniego słowa.

— Fantastyczny? — zaryzykował Myron.

Ned pstryknął palcami i kiwnął głową.

— Poczekaj, aż to zobaczysz. Oglądając tę reklamę, dostałem erekcji. Cholera, staje mi na samą myśl o niej. Przysięgam na Boga, że jest taka dobra.

Nacisnął klawisz z napisem „play".

Dwa dni wcześniej Valerie Simpson siedziała w tym samym pokoju, gdzie przyszedł zaraz po spotkaniu z Duane'em Richwoodem. Kontrast między nimi był zdumiewający. Oboje byli dwudziestokilkulatkami, lecz podczas gdy on znajdował się u szczytu kariery, ona najlepsze dni dawno miała za sobą. Dwudziestoczteroletnią Valerie dawno uznano za „niedoszłą" i „byłą". Jej zachowanie cechował chłód i arogancja (stąd epitet Esperanzy „Królowa Lodu"), być może wywołane po prostu obojętnością i apatią. Trudno orzec. Owszem, Valerie była młoda, ale nie dałoby się o niej powiedzieć — aczkolwiek zabrzmi to trochę ponuro — że jest pełna życia. Teraz ta uwaga wydawała się trochę niesmaczna, lecz jej oczy chyba miały w sobie więcej życia po śmierci, zastygłe i szkliste, niż kiedy siedziała naprzeciw niego właśnie w tym pokoju.

Myron zastanawiał się, dlaczego ktoś postanowił zabić Valerie Simpson. Z jakiego powodu tak rozpaczliwie usiłowała się z nim skontaktować? Po co przyszła na korty? Popatrzeć na turniej? A może go szukała?

— Spójrz, Myronie — powtórzył Tunwell. — To jest takie fantastyczne, że dostałem orgazmu. Naprawdę, jak Boga kocham. Miałem mokro w gaciach.

— Szkoda, że tego nie widziałem — mruknął Myron.

Ned ślinił się z radości.

W końcu zaczęła się reklama i na ekranie pojawił się Duane w okularach przeciwsłonecznych, biegający tam i z powrotem po korcie. Mnóstwo krótkich ujęć, szczególnie pokazujących jego buty. Mnóstwo jasnych kolorów. Bicie serca, zmiksowane z odgłosem odbijanej piłki tenisowej. W stylu MTV. Równie dobrze mógłby to być wideoklip. Nagle z kadru popłynął głos Duane'a: „Chodź do mnie...". Jeszcze kilka mocnych uderzeń i szybkich cięć. Potem wszystko nagle zastygło. Duane zniknął. Obraz stał się czarno-biały. Cisza. Zmiana scenerii. Posępny sędzia w todze gniewnie spoglądał ze swej ławy. Z kadru znów rozległ się głos Duane'a: „A od niego trzymaj się z daleka". Znów zaczęła grać kapela rockowa. Kolory powróciły. Na ekranie pojawił się odbijający piłkę Duane, spocony, lecz uśmiechnięty. Słońce odbijało się od jego okularów. Potem zastąpił go znak firmowy Nike, a pod nim napis „Chodź do Duane'a".

Ekran zgasł.

Ned Tunwell jęknął — dosłownie jęknął — z zadowolenia.

— Chcesz papierosa? — zapytał Myron.

Tunwell rozpromienił się jeszcze bardziej.

— A co ci mówiłem, Myronie? Co? Fantastyczne, no nie?

Myron kiwnął głową. Reklama była dobra. Bardzo dobra. Celna, dobrze zrobiona, z pozytywnym wydźwiękiem, ale bez zadęcia.

— Podoba mi się — powiedział.

— Mówiłem ci. Bo mówiłem ci, prawda? Znowu mi staje. Jak Bozię kocham, tak mi się podoba. Może znów dostanę orgazmu. Tu i teraz. Kiedy z tobą rozmawiam.

— Dobrze wiedzieć.

Tunwell ryknął gromkim śmiechem. Klepnął Myrona w ramię.

— Ned?

Śmiech Tunwella powoli ucichł, niczym odtwarzana płyta. Otarł łzy z oczu.

— Wykończysz mnie, Myronie. Już nie mogę się śmiać. Naprawdę mnie wykończysz.

— Tak, jestem niemożliwy. Czy słyszałeś o zamordowaniu Valerie Simpson?

— Jasne. Podali wiadomość przez radio. Jak wiesz, była moją klientką.

Wciąż się uśmiechał. Oczy miał szeroko otwarte i bystre.

— Reklamowała Nike'a? — spytał Myron.

— Taa. I pozwól, że ci powiem, iż sporo nas kosztowała. Wydawała się pewniakiem. Kiedy podpisaliśmy z nią kontrakt,

24

miała dopiero szesnaście lat, a już wtedy doszła do finału French Open. Ponadto była ładną dziewczyną, typową Amerykanką i tak dalej. I już była rozwinięta, jeśli rozumiesz, o czym mówię. Nie była cudownym dzieckiem, które nagle może podrosnąć i zamienić się w potwora. Tak jak Capriatti. Valerie była słodka.

— No to co się stało?

Ned Tunwell wzruszył ramionami.

— Przeszła załamanie nerwowe. Cholera, to wszystko było w gazetach.

— Z jakiego powodu?

— Niech mnie diabli, jeśli wiem. Krążyło mnóstwo plotek.

— Na przykład?

Otworzył usta, ale zaraz je zamknął.

— Nie pamiętam.

— Nie pamiętasz?

— Posłuchaj, Myronie, większość ludzi uważała, że było tego za dużo, rozumiesz? Za dużo presji. Valerie nie mogła tego znieść. Większość tych dzieciaków nie daje rady. No wiesz, są na szczycie, a potem nagle wszystko diabli biorą. Nie możesz sobie wyobrazić, jak to jest, stracić w ten sposób wszystko jak... hm... — Ned zacukał się. Pochylił głowę. — Do cholery.

Myron nie odzywał się.

— Sam nie wierzę, że to powiedziałem, Myronie. I to akurat tobie.

— Nie ma sprawy.

— Jest. Nie mogę udawać, że nie palnąłem jak łysy o...

Myron zbył to machnięciem ręki.

— Kontuzja kolana to nie załamanie nerwowe, Ned.

— Tak, wiem, a mimo to... — Znowu zamilkł, a potem dodał: — Kiedy zwerbowali cię Celtics, miałeś kontrakt z firmą Nike?

— Nie. Z Converse.

— Zerwali kontrakt? Wycofali się zaraz potem?

— Nie skarżę się.

Esperanza bez pukania otworzyła drzwi. Nic nowego. Nigdy nie pukała. Na usta Neda Tunwella natychmiast powrócił uśmiech. Ten facet był niezmordowany. Popatrzył na Esperanzę z uznaniem. Jak większość mężczyzn.

— Mogę z tobą zamienić kilka słów, Myronie?

Ned pomachał do niej ręką.

— Cześć, Esperanza.

Odwróciła się i udała, że go nie dostrzega. Jeden z jej licznych talentów.

Myron przeprosił gościa i wyszedł za nią z salki. Na biurku Esperanzy stały tylko dwie fotografie. Jedna przedstawiała jej psa, śliczną kudłatą suczkę imieniem Chloe, zajmującą pierwsze miejsce na jakimś psim konkursie. Esperanza była zagorzałą miłośniczką takich wystaw i choć to hobby jest niezbyt rozpowszechnione u mieszkających w śródmieściu Latynosów, radziła sobie całkiem nieźle. Na drugim zdjęciu Esperanza walczyła z jakąś kobietą. Pojedynek zapaśniczy w stylu wolnym. Śliczna i gibka Esperanza występowała kiedyś zawodowo pod pseudonimem Mała Pocahontas — Indiańska Księżniczka. Przez trzy lata Mała Pocahontas była uwielbianą przez tłumy kibiców przedstawicielką organizacji Piękno i Uroda Zapaśnictwa, powszechnie znanej jako PIUZ (ktoś zaproponował kiedyś, żeby zmienić tę nazwę na Piękno i Chwała Zapaśnictwa, ale mediom nie podobał się skrót). Mała Pocahontas w wydaniu Esperanzy była skąpo odzianą (najczęściej w zamszowe bikini) boginią seksu, oklaskiwaną i pożądaną przez fanów, gdy co tydzień walczyła ze złem, niezmiennie je zwyciężając. Nieco zmodyfikowany wariant klasycznego pojedynku Dobra ze Złem. Zdaniem Myrona te cotygodniowe pojedynki bardziej przypominały walki kobiet w tych filmach, których akcja toczy się w więzieniu. Esperanza w roli pięknej i niewinnej więźniarki, osadzonej na oddziale dla szczególnie groźnych przestępczyń. Jej przeciwniczką była Olga, sadystyczna strażniczka więzienna.

— Dzwoni Duane — powiedziała Esperanza.

Myron odebrał telefon przy jej biurku.

26

— Cześć, Duane. Co się stało?

Tamten rzucił pośpiesznie:

— Przyjedź tu, człowieku. Jak najszybciej.

— O co chodzi?

— Gliny siedzą mi na karku. Zadają mi mnóstwo gównianych pytań.

— O co pytają?

— O tę dziewczynę, którą dziś ktoś zastrzelił. Myślą, że miałem z tym coś wspólnego.

3

— Daj mi któregoś z nich do telefonu — powiedział Myron Duane'owi.

Po chwili w słuchawce odezwał się inny głos.

— Tu detektyw Roland Dimonte z wydziału zabójstw. — Mówił zniecierpliwionym tonem jak typowy gliniarz. — Z kim mówię, do diabła?

— Mówi Myron Bolitar. Adwokat pana Richwooda.

— Adwokat, tak? Myślałem, że jest pan jego agentem.

— Jestem jednym i drugim — rzekł Myron.

— Naprawdę?

— Tak.

— Ma pan dyplom prawnika?

— Wisi na ścianie mojego gabinetu. Mogę go przynieść, jeśli pan chce.

Dimonte wydał z siebie dziwny dźwięk. Mogło to być prychnięcie.

— Były zawodnik. Były federalny. A teraz mówi mi pan, że jest również cholernym prawnikiem?

— Można mnie nazwać człowiekiem renesansu — zapewnił Myron.

— Ach tak? Powiedz mi pan, Bolitar, która uczelnia przyjęła kogoś takiego jak pan?

28

— Harvard — odparł Myron.

— O, to robi wrażenie.

— Sam pan zapytał.

— Cóż, masz pół godziny, żeby tu dotrzeć. Potem zawlokę twojego chłopaka na komisariat. Kapujesz?

— Naprawdę miło się z tobą gawędziło, Rolly.

— Zostało ci dwadzieścia dziewięć minut. I nie nazywaj mnie Rolly.

— Nie próbujcie przesłuchiwać mojego klienta pod moją nieobecność. Zrozumiano?

Roland Dimonte nie odpowiedział.

— Zrozumiano? — powtórzył Myron.

Po chwili usłyszał:

— Chyba są jakieś zakłócenia na linii, panie Bolitar.

Dimonte rozłączył się.

Miły facet.

Myron oddał słuchawkę Esperanzy.

— Mogłabyś mnie wyręczyć i spławić Neda?

— Jasne.

Myron zjechał windą na parter i pobiegł w kierunku parkingu. Ktoś krzyknął za nim: „Zmykaj, O.J.!". W Nowym Jorku roi się od dowcipnisiów. Mario rzucił Myronowi kluczyki, nie odrywając oczu od gazety.

Samochód stał niedaleko wyjazdu z piętrowego parkingu. W przeciwieństwie do Wina, Myron nie był kimś, kogo można by nazwać fanem motoryzacji. Samochód był dla niego środkiem transportu, niczym więcej. Jeździł fordem taurusem. Szarym fordem taurusem. Kiedy wyruszał do miasta, panienki nie zbiegały się chmarami.

Przejechał prawie dwadzieścia przecznic, zanim zauważył szaroniebieskiego cadillaca z kanarkowo żółtym dachem. Widząc ten samochód, Myron poczuł lekki niepokój, być może wywołany przedziwnym zestawieniem kolorów. Szaroniebieski z żółtym dachem? Na Manhattanie? Pasowałby do Boca Raton, dzielnicy emerytów, gdzie mógłby nim jeździć dziadek imieniem Sid, który zawsze zostawia włączony lewy migacz. Tam można zobaczyć taki wóz, ale nie na Manhattanie. Co więcej, Myron przypomniał sobie, że przebiegł obok takiego samego samochodu, kiedy pędził do garażu.

Czyżby był śledzony?

To możliwe, chociaż mało prawdopodobne. Myron znajdował się w centrum Manhattanu i jechał w kierunku Siódmej Alei. Mniej więcej milion innych pojazdów robiło to samo. To mógł być przypadek. Zapewne był. Myron zanotował ten fakt w pamięci i pojechał dalej.

Duane niedawno wynajął mieszkanie na rogu Dwunastej Ulicy i Szóstej Alei. W John Adams Building, na obrzeżu Greenwich Village. Myron nieprzepisowo zaparkował na Szóstej Alei, przed chińską restauracją, minął odźwiernego i pojechał windą do apartamentu 7 G.

Drzwi otworzył mu mężczyzna, który zapewne był detektywem Rolandem Dimonte'em. Nosił dżinsy, zieloną wełnianą koszulę i czarną skórzaną kamizelkę. Miał również parę najpaskudniejszych butów z wężowej skóry, jakie Myron widział w swoim życiu: śnieżnobiałe w czerwone cętki. I tłuste włosy. Kilka kosmyków przylgnęło mu do czoła, niczym paski lepu na muchy. Z ust sterczała mu wykałaczka — wykałaczka! W nalanej twarzy tkwiła para głęboko osadzonych oczu, wyglądających jak dwa wepchnięte w ostatniej chwili, brązowe kamyki.

Myron uśmiechnął się.

— Cześć, Rolly.

— Wyjaśnijmy coś sobie, Bolitar. Wiem o tobie wszystko. Wiem o twoich dniach chwały w agencji. Wiem, że wciąż lubisz udawać gliniarza. Tylko że mnie gówno to obchodzi. I gówno mnie obchodzi, że twój klient jest znaną postacią. Mam robotę do wykonania. Słyszysz, co mówię?

Myron przyłożył dłoń do ucha.

— Chyba są jakieś zakłócenia na linii.

Roland Dimonte skrzyżował ramiona na piersi i obrzucił go swoim najgroźniejszym spojrzeniem. Buty z wężowej skóry miały podwyższone obcasy, które dodawały mu kilka centymetrów, tak że miał prawie metr osiemdziesiąt, a mimo to Myron był od niego wyższy. Minęła minuta. Roland wciąż mierzył przybyłego gniewnym wzrokiem. Upłynęła kolejna. Detektyw żuł wykałaczkę, nawet nie mrugnąwszy okiem.

— W środku — wyznał Myron — cały trzęsę się ze strachu.

— Pieprz się, Bolitar.

— Żucie wykałaczki to niezły chwyt. Może trochę oklepany, ale do ciebie pasuje.

— Uważaj, spryciarzu.

— Pozwolisz, że wejdę — rzekł Myron — zanim posikam się ze strachu?

Dimonte odsunął się na bok. Powoli. Mordercze spojrzenie nadal miał włączone na automatyczne sterowanie.

Myron zastał Duane'a siedzącego na kanapie. Chłopak wciąż miał na nosie przeciwsłoneczne okulary, w czym nie było niczego niezwykłego. Lewą ręką gładził krótko przystrzyżoną bródkę. Wanda, jego dziewczyna, stała przy drzwiach do kuchni. Była wysoka, ponad metr siedemdziesiąt. Miała ciało z rodzaju tych, które częściej nazywa się jędrnym niż muskularnym, i olśniewającą urodę. Rzucała wokół niespokojne spojrzenia, jak przestraszone ptaki przeskakujące z gałęzi na gałąź.

Apartament był nieduży i umeblowany jak typowe nowojorskie mieszkanie do wynajęcia. Duane i Wanda wprowadzili się tu zaledwie kilka tygodni wcześniej. Byli lokatorami, a nie właścicielami. Nie zamierzali zmieniać wystroju. Teraz, kiedy Duane zaczął zarabiać duże pieniądze, niebawem będą mogli kupić sobie własny dom, gdzie tylko zechcą.

— Powiedziałeś im coś? — zapytał Myron.

Duane pokręcił głową.

— Jeszcze nie.

— Powiesz mi, co się dzieje?

Duane znów potrząsnął głową.

— Nie mam pojęcia.

W pokoju był jeszcze jeden policjant. Młodszy. Znacznie

31

młodszy. Wyglądał na jakieś dwanaście lat. Zapewne dopiero co dostał odznakę detektywa. Trzymał w pogotowiu notes i długopis.

Myron odwrócił się do Rolanda Dimonte'a. Ten stał, podparłszy się pod boki, każdym porem swojej skóry emanując poczucie własnego znaczenia.

— O co wam chodzi? — zapytał Myron.

— Chcemy tylko zadać pańskiemu klientowi kilka pytań.

— Na jaki temat?

— Morderstwa Valerie Simpson.

Myron spojrzał na Duane'a.

— Nic o tym nie wiem — rzekł Duane.

Dimonte usiadł, robiąc z tego wielki spektakl. Niczym król Lear.

— Zatem chętnie odpowie pan na kilka naszych pytań?

— Owszem — odparł Duane, ale nie zabrzmiało to przekonująco.

— Gdzie pan był, kiedy padł strzał?

Duane zerknął na Myrona. Ten skinął głową.

— Byłem na korcie.

— Co pan tam robił?

— Grałem w tenisa.

— Kim był pański przeciwnik?

Myron pokiwał głową.

— Niezły jesteś, Rolly.

— Zamknij się, do cholery, Bolitar.

— Iwan Restowicz — powiedział Duane.

— Czy po tym, jak padł strzał, mecz trwał dalej?

— Tak. Chociaż właśnie się kończył.

— Słyszał pan strzał?

— Taak.

— I co pan zrobił?

— Zrobił?

— Kiedy usłyszał pan strzał?

Duane wzruszył ramionami.

— Nic. Po prostu stałem i czekałem, aż sędzia każe nam grać dalej.

— Nie opuścił pan kortu?

— Nie.

Młody policjant zawzięcie pisał coś w notesie, nie podnosząc głowy.

— A co pan zrobił potem? — zapytał Dimonte.

— Po czym?

— Po meczu.

— Udzieliłem wywiadu.

— Komu?

— Budowi Collinsowi i Timowi Mayotte'owi.

Młody policjant na moment oderwał wzrok od notatnika, wyraźnie zmieszany.

— Mayotte — powiedział Myron. — M-A-Y-O-T-T-E.

Tamten skinął głową i znów zaczął pisać.

— O czym rozmawialiście? — spytał Roland.

— Hm?

— Podczas wywiadu. O co pana pytali?

Dimonte wyzywająco spojrzał na Myrona. Ten odpowiedział życzliwym skinieniem głowy i entuzjastycznie podniósł kciuk.

— Nie będę ci powtarzał, Bolitar. Skończ z tymi wygłupami.

— Ja tylko podziwiam twoją technikę.

— Zaraz będziesz ją podziwiał z wnętrza celi.

— O rany!

Roland Dimonte przeszył go kolejnym morderczym spojrzeniem, po czym znów zajął się Duane'em.

— Zna pan Valerie Simpson?

— Osobiście?

— Tak.

Duane przecząco pokręcił głową.

— Nie.

— Ale spotkaliście się?

— Nie.

— Wcale jej pan nie zna?

— Właśnie.

— I nigdy się pan z nią nie kontaktował?

— Nigdy.

Roland Dimonte założył nogę na nogę, opierając but o kolano. Palcami pogładził — naprawdę pogładził — biało-czerwoną skórę węża. Jak ukochanego pieska.

— A pani?

Wanda wyglądała na zaskoczoną.

— Słucham?

— Czy znała pani Valerie Simpson?

— Nie — odparła prawie bezgłośnie.

Dimonte znowu zwrócił się do Duane'a.

— Czy przed dzisiejszym dniem słyszał pan kiedyś o Valerie Simpson?

Myron wzniósł oczy ku niebu. Jednak tym razem siedział cicho. Nie chciał posuwać się za daleko. Dimonte nie był takim durniem, na jakiego wyglądał. Nikt nie jest aż tak głupi. Próbował uśpić czujność Duane'a, zanim zada mu decydujący cios. Myron starał się wyprowadzić go z równowagi kilkoma celnymi uwagami. Jednak niezbyt częstymi.

Myron Bolitar, mistrz balansowania na linie.

— Owszem, słyszałem o niej — rzekł Duane, wzruszając ramionami.

— Na przykład co?

— Kiedyś należała do czołówki. Zdaje się, że kilka lat temu.

— Czołówki tenisistów?

— Nie, striptizerek — przerwał mu Myron. — Tańczyła dla Anthony'ego Newleya w Vegas.

To tyle, jeśli mowa o powściągliwości. Dimonte znów posłał mu gniewne spojrzenie.

— Bolitar, zaczynasz naprawdę mnie wkurzać.

— Przejdziesz w końcu do rzeczy?

— Nie śpieszę się podczas przesłuchań. Nie lubię pośpiechu.

— Dobra zasada — przytaknął Myron. — Powinieneś pamiętać o niej, kupując obuwie.

Dimonte poczerwieniał. Wciąż przeszywając go wzrokiem, zapytał:

— Panie Richwood, od jak dawna pan zalicza się do czołówki?

— Od sześciu miesięcy.

— I w ciągu tych sześciu miesięcy nigdy nie widział pan Valerie Simpson?

— Zgadza się.

— Świetnie. Sprawdźmy, czy dobrze pana zrozumiałem. Kiedy padł strzał, pan grał na korcie. Wygrał pan. Uścisnął dłoń przeciwnikowi. Zakładam, że ściska pan dłonie przeciwników?

Duane skinął głową.

— Potem udzielił pan wywiadu.

— Właśnie.

— Wziął pan przedtem prysznic?

Myron podniósł rękę.

— Dobrze, wystarczy tego.

— Masz jakiś problem, Bolitar?

— Tak. Te pytania to szczyt idiotyzmu. Radzę mojemu klientowi, żeby przestał na nie odpowiadać.

— Dlaczego? Czyżby twój klient miał coś do ukrycia?

— Taak, Rolly, jesteś dla nas za sprytny. To Duane ją zabił. Kilka milionów ludzi widziało go w telewizji, kiedy padł strzał. Kilka tysięcy innych oglądało go osobiście. Jednak to nie on grał. W rzeczywistości to był jego brat bliźniak, zaginiony zaraz po narodzinach. Jesteś dla nas zbyt sprytny, Rolly. Przyznajemy się.

— Nie wykluczyłem takiej możliwości — skontrował Dimonte.

— Jakiej?

— Tego „my". Może miałeś z tym coś wspólnego. Ty i ten psychotyczny yuppie, twój kumpel.

Miał na myśli Wina. Wielu gliniarzy znało Wina. Żaden go nie lubił. Ta niechęć była w pełni odwzajemniona.

— W chwili gdy padł strzał, obaj znajdowaliśmy się na trybunach — rzekł Myron. — Tuzin świadków może to potwierdzić. A gdybyś naprawdę znał Wina, wiedziałbyś, że nie strzelałby z tak bliskiej odległości.

To dało Dimonte'owi do myślenia. Kiwnął głową. Chociaż tym razem nie próbował się spierać.

— Skończyliście przesłuchiwać pana Richwooda? — zapytał Myron.

Dimonte nagle uśmiechnął się. Wesołym, pełnym wyczekiwania uśmiechem uczniaka, siedzącego w zimowy dzień przy radiu. Myronowi nie spodobał się ten uśmiech.

— Jeśli będziecie tak mili i wytrzymacie jeszcze chwilkę — powiedział z fałszywą słodyczą. Wstał i podszedł do swojego partnera, Notesika. Ten wciąż coś gryzmolił. — Twój klient twierdzi, że nie znał Valerie Simpson?

— I co?

Notesik w końcu oderwał wzrok od kartki. Obrzucił ich obojętnym spojrzeniem sądowego stenografa. Dimonte wyciągnął rękę. Notesik podał mu mały notatnik w skórzanej okładce i plastikowym etui.

— To kalendarzyk Valerie — oznajmił Dimonte. — Ostatnią notatkę zapisała w nim wczoraj.

Uśmiechnął się jeszcze szerzej. Dumnie uniósł głowę. Nadął się jak kogut, który zaraz wskoczy na kurę.

— W porządku, pokerowe oblicze — rzekł Myron. — I co głosi ta notatka?

Dimonte podał mu kserokopię. Notatka była krótka. Przez całą szerokość kartki biegł napis:

D.R. 555-8705. Zadzwonić!

555-8705. Numer telefonu. D.R. Duane Richwood. Dimonte uśmiechał się z satysfakcją.

— Chcę porozmawiać z moim klientem — powiedział Myron. — W cztery oczy.

— Nie.

— Słucham?

— Przyparłem cię do muru i nie pozwolę ci się wymknąć.

— Jestem jego adwokatem i...

— Guzik mnie to obchodzi, nawet gdybyś był przewodniczącym Sądu Najwyższego. Jeśli spróbujesz go stąd zabrać, to zawiozę go skutego na posterunek.

— Niczego nie macie — przypomniał Myron. — Jego numer telefonu jest w jej notesie. To nic nie znaczy.

Dimonte kiwnął głową.

— Owszem, ale jak by to wyglądało? Na przykład w oczach dziennikarzy. Albo wielbicieli. Duane Richwood, nowa gwiazda tenisa, w kajdankach zawieziony na komisariat. Założę się, że trudno byłoby wytłumaczyć to sponsorom.

— Czyżbyś nam groził?

Dimonte przyłożył dłoń do piersi.

— Wielkie nieba, skądże! Czy ja mógłbym zrobić coś takiego, Krinsky?

Notesik nie podniósł głowy.

— Nigdy.

— Sami słyszycie.

— Zaskarżę cię o bezpodstawne aresztowanie — powiedział Myron.

— I może nawet wygrasz, Bolitar. Za kilka lat, kiedy sprawa znajdzie się na wokandzie. Dużo wam z tego przyjdzie.

Dimonte nie wyglądał już teraz na takiego głupka.

Duane wstał i przeszedł przez pokój. Zerwał z nosa okulary, ale zaraz rozmyślił się i założył je z powrotem.

— Słuchaj, człowieku, nie mam pojęcia, dlaczego mój numer jest w jej kalendarzyku. Nie znam jej. Nigdy nie rozmawiałem z nią przez telefon.

— Numeru pańskiego telefonu nie ma w książce telefonicznej. Zgadza się, panie Richwood?

— Taak.

— Niedawno się pan tu wprowadził. Telefon podłączono... kiedy, dwa tygodnie temu?

— Trzy — powiedziała Wanda. Teraz obejmowała się ramionami, jakby było jej zimno.

— Trzy — powtórzył Roland Dimonte. — Więc skąd Valerie miała pański numer, Duane? Jak to się stało, że nieznana panu kobieta miała w swoim kalendarzyku pański nowiutki, zastrzeżony numer telefonu?

— Nie mam pojęcia.

Roland zmienił minę ze sceptycznej na pełną niedowierzania. Przez następną godzinę przyciskał Duane'a, lecz ten trzymał się swojej wersji. Twierdził, że nigdy jej nie spotkał. Wcale jej nie znał. Nigdy z nią nie rozmawiał. Nie miał pojęcia, w jaki sposób zdobyła numer jego telefonu. Myron obserwował go w milczeniu. Okulary nie pozwalały nic wyczytać z oczu Duane'a, lecz zdradzała go mowa ciała. Wandę również.

W końcu Roland Dimonte wstał z gniewnym westchnieniem.

— Krinsky?

Notesik podniósł głowę.

— Zabieramy się stąd w cholerę.

Notesik zamknął notatnik i dołączył do partnera.

— Jeszcze tu wrócę — warknął Dimonte. Potem rzucił w przestrzeń: — Słyszysz mnie, Bolitar?

— Jeszcze tu wrócisz — powiedział Myron.

— Możesz być tego pewien, dupku.

— Nie zamierzasz nas ostrzec, żebyśmy nie opuszczali miasta? Uwielbiam, kiedy gliniarze to robią.

Dimonte wycelował w niego wskazujący palec. Nacisnął wyimaginowany spust. Potem razem z Notesikiem zniknęli za drzwiami.

Przez kilka minut nikt się nie odzywał. Myron miał już przerwać milczenie, gdy Duane zaczął się śmiać.

— Naprawdę mu pokazałeś, Myron. Zrobiłeś z niego kompletnego dupka.

— Duane, musimy...

— Jestem zmęczony, Myron. — Udał, że ziewa. — Naprawdę muszę się trochę przespać.

— Musimy o tym porozmawiać.

— O czym?

Myron tylko na niego spojrzał.

— Przedziwny zbieg okoliczności, no nie? — zauważył Duane.

Myron spojrzał na Wandę. Odwróciła wzrok, wciąż obejmując się ramionami.

— Duane, jeśli masz jakieś kłopoty...

— Hej, opowiedz mi o reklamie — przerwał mu chłopak. — Jak wyszła?

— Dobrze.

Duane uśmiechnął się.

— Jak wyglądałem?

— Zbyt przystojny. Będę musiał odganiać producentów filmowych.

Duane roześmiał się. O wiele za głośno. Wanda się nie śmiała. Myron też nie. Duane znowu udał, że ziewa, przeciągnął się i wstał.

— Naprawdę muszę się przespać — powiedział. — Jutro mam ważny mecz. Nie mogę się dekoncentrować.

Odprowadził Myrona do drzwi. Wanda nie ruszyła się ze swojego miejsca przy wejściu do kuchni. W końcu napotkała spojrzenie Myrona.

— Do widzenia — powiedziała.

Myron zjechał windą na dół i podszedł do swojego samochodu. Mandat tkwił między szybą a wycieraczką. Wyjął go i ruszył.

Trzy przecznice dalej zauważył tego samego szaroniebieskiego cadillaca z kanarkowo żółtym dachem.

4

Yuppieville.

Czternaste piętro budynku Lock-Horne Investements & Securities kojarzyło się Myronowi ze średniowieczną fortecą. Rozległa przestrzeń w środku, otoczona grubym murem biur, w których mieściły się przedstawicielstwa wielkich firm. Na otwartej przestrzeni kłębiły się setki ludzi, głównie młodych mężczyzn, żołnierzy, których łatwo można poświęcić i zastąpić. Ich pozornie bezkresne, niespokojne morze zdawało się zlewać z jednolicie szarymi wykładzinami, identycznymi biurkami i obrotowymi fotelami, terminalami komputerowymi, telefonami i faksami. Tak jak żołnierze, oni również nosili uniformy: białe koszule zapinane na guziki, szelki, jaskrawe krawaty ściskające tętnice szyjne, marynarki zawieszane na oparciach jednakowych foteli na kółkach. Słychać było głośne okrzyki, wrzaski, dzwonki, a nawet coś w rodzaju rzężenia. Wszyscy byli w ruchu. Jakby rozpierzchali się w panice pod nieustannym atakiem wroga.

Była to jedna z ostatnich fortec prawdziwych yuppies, w której człowiek mógł do woli praktykować religię lat osiemdziesiątych, wielbiąc zysk, zysk za wszelką cenę, bez żadnych zahamowań. I bez hipokryzji. Doradcy inwestycyjni nie mają pomagać światu. Nie służą ludzkości i nie robią tego, co jest dobre dla wszystkich. Ich zadanie jest jasne, proste i wyraźnie określone. Mają robić pieniądze. Kropka.

Win zajmował spore narożne biuro z widokiem na park i Pięćdziesiątą Drugą Ulicę. Najlepszy widok dla najlepszego pracownika firmy. Myron zapukał.

— Wejść! — zawołał Win.

Siedział na podłodze, w pozycji lotosu, z uduchowioną miną, ułożywszy równe kółka z kciuków i wskazujących palców obu dłoni. Medytował. Robił to codziennie. Zazwyczaj kilka razy w ciągu dnia.

Jednak tak samo jak wszystko, co dotyczyło Wina, również te chwile jego kontemplacji były odrobinę niekonwencjonalne. Po pierwsze, medytując, miał otwarte oczy, podczas gdy większość ludzi zamyka je podczas ćwiczeń. Po drugie, nie wyobrażał sobie idyllicznych obrazów wodospadów czy jelonków w lesie. Wolał oglądać przy tym własnoręcznie nakręcone filmy wideo, ukazujące Wina oraz całą armię jego przyjaciółek w szponach namiętności.

Myron skrzywił się.

— Mógłbyś to wyłączyć?

— Lisa Goldstein — powiedział Win, wskazując na wzgórek podskakującego na ekranie ciała.

— Z pewnością czarująca.

— Nie sądzę, żebyś ją znał.

— Trudno powiedzieć — rzekł Myron. — Nawet nie jestem pewien, gdzie właściwie jest jej twarz.

— Śliczna dziewczyna. Żydówka, wiesz?

— Lisa Goldstein? Żartujesz.

Win uśmiechnął się. Jednym płynnym ruchem rozprostował nogi i wstał. Zgasił telewizor, nacisnął przycisk „eject" i wepchnął kasetę z powrotem do pudełka z napisem L.G. Schował kasetę do dębowej szafy, na półkę z literą „G". W szafce było już wiele takich kaset.

— Chyba zdajesz sobie sprawę z tego — rzekł Myron — że jesteś kompletnie porąbany.

Win zamknął szafkę na klucz. Uosobienie dyskrecji.

— Każdy mężczyzna powinien mieć jakieś zainteresowania.

— Jesteś zamiłowanym golfiarzem. Mistrzem sztuk walki. Oto zainteresowania. A to jest zboczenie. Hobby a zboczenie. Nie widzisz różnicy?

— Prawimy morały — zauważył Win. — Jak miło.

Myron nie zareagował. Rozmawiali już o tym wiele razy, od kiedy razem rozpoczęli studia w Duke. Ta rozmowa nigdy do niczego nie prowadziła.

Gabinet Wina był klasyczną siedzibą typowego WASP-a. Obrazy, przedstawiające polowanie na lisa, wisiały na wykładanych drewnianą boazerią ścianach. Ciemny burgund skórzanych obić foteli doskonale harmonizował z głęboką zielenią dywanu. Zabytkowy drewniany globus stał obok dębowego biurka, które mogłoby pełnić rolę boiska do squasha. Całość dawała efekt — bynajmniej nie subtelny — który można było podsumować dwoma słowami: gruba forsa.

Myron usiadł w obitym skórą fotelu.

— Masz trochę czasu?

— Oczywiście.

Win otworzył drzwiczki stojącego za biurkiem barku, ukazując niewielką zamrażarkę. Wyjął zimny napój Yoo-Hoo i rzucił go Myronowi. Ten zgodnie z instrukcją („Wstrząśnij! Jest świetny!") potrząsnął kartonem, podczas gdy Win mieszał dla siebie wytrawne martini.

Myron najpierw opowiedział Winowi o wizycie policji w mieszkaniu Duane'a Richwooda. Przyjaciel wysłuchał go z nieprzeniknioną miną, pozwalając sobie na przelotny uśmieszek tylko wtedy, gdy usłyszał, że Dimonte nazwał go „psychotycznym yuppie". Potem Myron powiedział mu o szaroniebieskim cadillacu. Win wyprostował się i splótł palce. Słuchał, nie przerywając. Kiedy Myron skończył, Win wstał z fotela i wziął kij do golfa.

— A więc nasz przyjaciel pan Richwood coś ukrywa.

— Tego nie wiemy.

Win sceptycznie uniósł brew.

— Czy potrafisz wyjaśnić, w jaki sposób Duane Richwood może być powiązany z Valerie Simpson?

— Nie. Miałem nadzieję, że ty możesz to zrobić.

— *Moi?*

— Znałeś ją — przypomniał Myron.

— Przelotnie.

— Jednak coś ci chodzi po głowie.

— W związku z nią i Duane'em Richwoodem? Nie.

— No to w czym rzecz?

Win pomaszerował w kąt pokoju. Tam czekał na niego tuzin piłek golfowych. Zaczął przymierzać się do uderzenia.

— Naprawdę zamierzasz się tym zająć? Mówię o morderstwie Valerie.

— Taa.

— Może nie powinieneś się do tego mieszać.

— Być może — przytaknął Myron.

— Ponieważ możesz odkryć jakieś nieprzyjemne fakty. Coś, czego wolałbyś nie wiedzieć.

— To bardzo prawdopodobne.

Win skinął głową i sprawdził, czy dywan gładko leży.

— Nie byłby to pierwszy raz.

— Owszem. Nie pierwszy. Wchodzisz w to?

— Nic nam to nie da — mruknął Win.

— Możliwe — przyznał Myron.

— Żadnych finansowych korzyści.

— Żadnych.

— Prawdę mówiąc, twoje krucjaty nigdy nie przynoszą zysków.

Myron czekał. Win przymierzył się do następnej piłki.

— Nie rób takiej miny. Wchodzę w to.

— To dobrze. A teraz powiedz mi, co o tym wiesz.

— Właściwie nic. Tak po prostu pomyślałem...

— Słucham.

— Oczywiście wiesz, że Valerie przeszła załamanie nerwowe.

— Tak.

— To było sześć lat temu. Miała dopiero osiemnaście lat. Według oficjalnej wersji nie wytrzymała napięcia.

— Oficjalnej wersji?

— Może tak było naprawdę. Rzeczywiście, znajdowała się pod straszliwą presją. Wzbiła się na szczyt jak meteor — lecz nie tak wysoko, jak od niej oczekiwano. Jej późniejszy upadek, przynajmniej dopóki nie przeszła załamania nerwowego, był powolny i bolesny. Nie tak jak w twoim przypadku. Twój upadek, jeśli pozwolisz mi użyć tego słowa, nastąpił o wiele szybciej. Jak ostrze gilotyny. W jednej chwili byłeś czołowym zawodnikiem drużyny Celtics. W następnej byłeś skończony. Definitywnie. Jednak w przeciwieństwie do Valerie, doznałeś kontuzji i nikt nie mógł cię obwiniać. Przeciwnie. Żałowano cię. Byłeś postacią budzącą współczucie. W przypadku Valerie uważano, że sama jest sobie winna. Była przegrana, ośmieszona, a przecież była jeszcze dzieckiem. Świat uważał, że karierę Myrona Bolitara zakończył złośliwy kaprys losu. Natomiast Valerie Simpson sama się do tego przyczyniła. Zdaniem opinii publicznej nie wykazała należytego hartu ducha. Jej upadek był równie dotkliwy, ale powolny i męczący.

— A co to ma wspólnego z morderstwem?

— Może nic. Jednak zawsze uważałem, że okoliczności związane z załamaniem nerwowym Valerie były trochę niepokojące.

— Dlaczego?

— Grała gorzej, to prawda. Jej trener, ten sławny jegomość, który grał z wszystkimi znakomitościami...

— Pavel Menansi.

— Niech będzie. Wciąż wierzył, że Valerie może wrócić i znów wygrywać. Wciąż to powtarzał.

— W ten sposób wywierając na nią jeszcze większą presję.

Win zastanowił się.

— Możliwe — rzekł powoli. — Jest jednak jeszcze coś. Pamiętasz morderstwo Alexandra Crossa?

— Syna senatora?

— Z Pensylwanii — dorzucił Win.

— Został zabity przez włamywaczy w swoim klubie. Pięć lub sześć lat temu.

— Przed sześcioma laty. W klubie tenisowym.

— Znałeś go?

— Oczywiście — odparł Win. — Horne'owie znają każdego liczącego się w Pensylwanii polityka od czasów Williama Penna. Byliśmy równolatkami. Chodziliśmy razem do Exeter.

— A co to ma wspólnego z Valerie Simpson?

— Alexander i Valerie byli... można by rzec, że coś ich łączyło.

— Coś poważnego?

— Dosyć. Mieli ogłosić zaręczyny, kiedy Alexander został zamordowany. Nawiasem mówiąc, właśnie tamtego wieczoru.

Myron pośpiesznie policzył w myślach. Sześć lat temu. Valerie miała osiemnaście lat.

— Niech zgadnę. Załamanie nerwowe Valerie nastąpiło zaraz po jego śmierci.

— Właśnie.

— Czegoś jednak nie rozumiem. Morderstwo Crossa przez wiele tygodni nie schodziło z pierwszych stron gazet. Jak to się stało, że nigdy nie wymieniono jej nazwiska?

— Właśnie dlatego — odparł Win, uderzając w następną piłkę — uważam te okoliczności za niepokojące.

Zamilkli.

— Powinniśmy porozmawiać z rodziną Valerie — powiedział Myron. — Może z senatorem też.

— Owszem.

— To twój świat. Jesteś jednym z nich. Z tobą chętniej będą rozmawiali.

Win pokręcił głową.

— W żadnym razie. Jako „jeden z nich", jak to ujmujesz, jestem na z góry przegranej pozycji. Przy mnie będą mieć się na baczności. Natomiast rozmawiając z tobą, nie będą tak dbać

45

o pozory. Uznają cię za kogoś, kto się nie liczy, kogoś gorszego i niżej stojącego od nich. Za zero.

— O rany, to mi pochlebia.

Win uśmiechnął się.

— Taki już jest ten świat, przyjacielu. Wiele rzeczy się zmienia, lecz ci ludzie wciąż uważają się za jedynych prawdziwych Amerykanów. Ty i tacy jak ty są tylko służbą, przysłaną z Rosji, Europy Wschodniej czy też innego getta lub gułagu.

— Mam nadzieję, że nie zranią moich uczuć — zauważył Myron.

— Umówię cię na spotkanie z matką Valerie.

— Myślisz, że zechce się ze mną spotkać?

— Jeśli o to poproszę, owszem.

— Świetnie.

— Istotnie. — Win przymierzył się do uderzenia. — A co twoim zdaniem powinniśmy zrobić, zanim z nią porozmawiasz?

Myron spojrzał na zegarek.

— Mniej więcej za godzinę na korcie zagra jeden z protegowanych Pavela Menansiego. Pomyślałem, że mógłbym złożyć mu wizytę.

— A *pour moi*?

— Valerie przez ostatni tydzień mieszkała w hotelu Plaza — powiedział Myron. — Chciałbym, żebyś rozejrzał się tam i dowiedział, czy ktoś zapamiętał coś niezwykłego. Sprawdź jej rozmowy telefoniczne.

— Na przykład, czy naprawdę dzwoniła do Duane'a Richwooda?

— Właśnie.

— A jeśli tak?

— Wtedy tym również będziemy musieli się zająć — odparł Myron.

5

Nowy obiekt, na którym odbywają się międzynarodowe mistrzostwa USA w tenisic, umieszczono pomiędzy największymi atrakcjami dzielnicy Queens: stadionem Shea (gdzie grają New York Mets), Flushing Meadows Park (gdzie w latach 1964–1965 odbywała się wystawa światowa) oraz lotniskiem La Guardia (gdzie samoloty z reguły mają planowe spóźnienia).

Zawodnicy narzekali na przelatujące nad kortami samoloty, których ryk upodabniał stadion do kosmodromu podczas startu rakiety Apollo. Były burmistrz David Dinkins, znany ze swojej wrażliwości na tego rodzaju wołającą o pomstę do nieba krzywdę, natychmiast podjął odpowiednie działania. Wykorzystując swoje wpływy polityczne, dawny burmistrz Nowego Jorku — który w wyniku fascynującego i przedziwnego zbiegu okoliczności był również zagorzałym miłośnikiem tenisa — doprowadził do zamknięcia pasów startowych La Guardii na czas trwania turnieju. Tenisowi milionerzy byli mu bardzo wdzięczni. Wyrażając swój głęboki szacunek i podziw, burmistrz David Dinkins odwzajemnił ich wdzięczność, pokazując się na trybunach codziennie podczas trwającego dwa tygodnie turnieju, chyba że — w wyniku kolejnego przedziwnego zbiegu okoliczności — był to akurat rok kolejnych wyborów.

Wieczorne mecze odbywały się na dwóch kortach: Stadium

Court i przylegającym do niego Grandstand Court. Myron uważał, że rozgrywki w dzień są o wiele bardziej interesujące. Odbywało się jednocześnie piętnaście lub szesnaście meczów. Można było kręcić się wokół kortów, natrafić na piękny pięciosetowy pojedynek na którymś z bocznych boisk, odkryć wschodzącą gwiazdę, oglądać w blasku słońca pojedynki w grze pojedynczej, w deblu i par mieszanych. Tymczasem wieczorem siedziało się prawie cały czas w jednym miejscu i oglądało mecz przy sztucznym świetle. Podczas pierwszych paru dni turnieju Open zwykle był to mecz, w którym któryś z czołowych zawodników roznosił w pył pretendenta.

Myron zostawił samochód na parkingu przed stadionem Shea i przeszedł po kładce dla pieszych nad torami. Ktoś rozstawił stoisko z pistoletem radarowym, za pomocą którego kibice mogli mierzyć prędkość swoich serwów. Interes kwitł. Koniki również miały pełne ręce roboty. Tak samo jak faceci sprzedający tanie podkoszulki z napisem „US Open". Te tandetne podkoszulki sprzedawali po pięć dolarów, podczas gdy podobne na stadionie szły po dwadzieścia pięć. Pozornie prawdziwa okazja. Oczywiście, po pierwszym praniu taki podkoszulek mogła włożyć tylko lalka Barbie, ale co tam...

Pavel Menansi siedział w jednej z lóż zawodników, tej samej, którą kilka godzin wcześniej zajmowali Myron i Win. Była 18:45. Ostatni dzienny mecz właśnie się skończył. Pierwszy wieczorny, w którym miała wystąpić najnowsza protegowana Pavela, czternastoletnia Janet Koffman, miał rozpocząć się dopiero o 19:15. Ludzie kręcili się wokół, wykorzystując przerwę, żeby rozprostować nogi. Myron zauważył sędziego dziennego turnieju.

— Jak leci, panie Bolitar? — zapytał arbiter.

— Świetnie, Bill. Chciałem tylko przywitać się ze znajomym.

— Jasne, nie ma sprawy, proszę wejść.

Myron ruszył schodami w górę. Nagle drogę zastąpił mu mężczyzna w blezerze i czarnych okularach. Mocno zbudowany,

48

miał ponad metr dziewięćdziesiąt wzrostu i ważył co najmniej dziewięćdziesiąt pięć kilo, tak więc był prawie w tej samej kategorii wagowej, co Myron. Starannie przyczesane włosy odsłaniały twarz o miłym uśmiechu, lecz stanowczym wyrazie. Wypiął pierś, zagradzając drogę Myronowi.

— W czym mogę panu pomóc?

Słowa były uprzejme, lecz ton głosu wyraźnie mówił „Spadaj, koleś".

Myron zmierzył go wzrokiem.

— Czy ktoś powiedział panu kiedyś, że wygląda pan jak Jack Lord?

Żadnej reakcji.

— No wie pan — drążył Myron. — Jack Lord. Ten z serialu o Hawajach.

— Będę musiał pana prosić o opuszczenie trybuny.

— To nie jest zniewaga. Wielu ludzi uważa Jacka Lorda za bardzo przystojnego faceta.

— Proszę pana, po raz ostatni uprzejmie pana proszę.

Myron uważnie przyglądał się jego twarzy.

— Ma pan nawet ten kwaśny uśmiech Jacka Lorda. Pamięta pan?

Myron zademonstrował ten uśmiech na wypadek, gdyby tamten nigdy nie oglądał serialu. Osiłkowi zadrgały mięśnie policzka.

— W porządku, koleś, już cię tu nie ma.

— Ja tylko chciałem zamienić kilka słów z panem Menansim.

— Obawiam się, że to w tej chwili jest niemożliwe.

— Och, w porządku. — Myron podniósł głos. — Zatem powiedz panu Menansiemu, że agent Duane'a Richwooda chciał omówić z nim pewną ważną sprawę. Skoro jednak nie jest tym zainteresowany, pójdę z tym gdzie indziej.

Pavel Menansi obrócił się, jakby ktoś pociągnął za niewidzialne sznurki. Uśmiech rozpromienił mu twarz tak nagle, jak płomień zapalniczki. Wstał, lekko mrużąc oczy i cały emanując tym cudzoziemskim czarem, który pewne kobiety uważały za nieodparty, a inne za niewymownie obrzydliwy. Pavel był Rumunem, jednym z dawnych „niedobrych chłopców" i byłym partnerem Ilie „Nasty" Nastase. Zbliżał się do pięćdziesiątki i twarz miał zbrązowiałą od słońca jak niewyprawiony rzemień. Kiedy się uśmiechnął, wydawało się, że skóra na policzkach zaczyna cicho trzeszczeć.

— Proszę wybaczyć — powiedział gładko, z akcentem częściowo rumuńskim, odrobinę amerykańskim, a najbardziej kojarzącym się z Ricardem Montalbanem omawiającym skarby Koryntu. — Pan nazywa się Myron Bolitar, prawda?

— Zgadza się.

Ruchem głowy odprawił Jacka Lorda. Wielki Jack nie był uszczęśliwiony z tego powodu, ale przepuścił Myrona. Odsunął się na bok jak metalowa furtka, pozostawiając tylko tyle miejsca, żeby gość mógł przejść. Pavel Menansi wyciągnął rękę. Przez chwilę Myron miał wrażenie, że tamten podaje mu ją do ucałowania, ale skończyło się tylko na uścisku dłoni.

— Proszę — powiedział Pavel — usiąść tutaj. Obok mnie.

Ktoś, kto tam siedział, pośpiesznie opuścił swoje miejsce. Myron usiadł. Pavel zrobił to samo.

— Przepraszam za mojego nadgorliwego ochroniarza, ale musi pan zrozumieć. Ludzie chcą zdobyć autografy. Rodzice chcą porozmawiać o grze swoich dzieci. Tymczasem tutaj — rozłożył ręce — nie czas i nie pora na to.

— Rozumiem — powiedział Myron.

— Wiele o panu słyszałem, panie Bolitar.

— Proszę mówić mi Myron.

Pavel miał uśmiech nałogowego palacza, niedbającego o higienę jamy ustnej.

— Tylko jeśli pan będzie mówił mi Pavel.

— Umowa stoi.

— Świetnie. To pan odkrył Duane'a Richwooda, prawda?

— Ktoś mi go pokazał.

— Jednak pan pierwszy dostrzegł kryjące się w nim moż-

50

liwości — upierał się Pavel. — On nigdy nie grał w juniorach, nie chodził do college'u. Właśnie dlatego przeoczyły go duże agencje, mam rację?

— Chyba tak.

— Zatem teraz ma pan zawodnika z czołówki. Rywalizuje pan z dużymi agencjami, tak?

Myron wiedział, że Pavel Menansi kooperował z TruPro, jedną z największych agencji sportowych w kraju. Wprawdzie współpraca z TruPro nikogo nie czyniła automatycznie gwiazdą, ale bardzo pomagała w karierze. Pavel był dla agencji wart miliony — nie dlatego, że je zarabiał, lecz ze względu na młode talenty, które dla nich werbował. Pavel chwytał w swoje macki ośmio- lub dziewięcioletnie cudowne dzieci, w wyniku czego TruPro z łatwością podpisywała z nimi kontrakty. Nie zaliczała się do szacownych agencji — pod każdym względem było wprost przeciwnie — lecz w ciągu minionego roku kontrolę nad nią przejęła mafia za pośrednictwem braci Ache z Nowego Jorku. Bracia Ache zajmowali się tym wszystkim, co najbardziej lubią gangsterzy: handlem narkotykami, loterią, stręczycielstwem, wymuszeniami, grami hazardowymi. Mili faceci, ci bracia Ache.

— Pański Duane Richwood — ciągnął Pavel — dziś zagrał dobry mecz. Naprawdę dobry mecz. Ten chłopak ma ogromne możliwości. Zgadza się pan ze mną?

— Ciężko pracuje — rzekł Myron.

— Jestem tego pewien. Powiedz mi, Myronie, kto jest obecnym trenerem Duane'a?

Powiedział obecnym, ale zabrzmiało to jak byłym.

— Henry Hobman.

— Ach. — Pavel energicznie skinął głową, jakby ta odpowiedź wyjaśniała jakąś bardzo skomplikowaną kwestię. Oczywiście doskonale wiedział, kto trenuje Duane'a. Pavel zapewne znał nazwiska trenerów wszystkich liczących się zawodników. — Henry Hobman jest dobry. To kompetentny trener.

51

Powiedział kompetentny, ale zabrzmiało to raczej jak kiepski.

— Sądzę, że mogę mu pomóc, Myronie.

— Nie przyszedłem tu rozmawiać o Duanie — wyjaśnił Myron.

Rumun wyraźnie spochmurniał.

— Och?

— Chcę porozmawiać o innej klientce. A właściwie niedoszłej klientce.

— A któż to taki?

— Valerie Simpson.

Myron bacznie czekał na reakcję. Doczekał się. Pavel schował twarz w dłoniach.

— O mój Boże.

Wśród obecnych w loży rozległy się współczujące pomruki. Krzepiąco poklepywali Pavela po ramionach, wymawiając jego imię ściszonymi głosami. Pavel odepchnął pomocne dłonie. Był bardzo dzielny.

— Valerie przyszła do mnie kilka dni temu — ciągnął Myron. — Chciała wrócić na kort.

Pavel zaczerpnął tchu. Z teatralną przesadą udał, że bierze się w garść. Kiedy już mógł mówić, rzekł:

— Biedne dziecko. Nie mogę w to uwierzyć. Po prostu nie mogę... — Znów zamilkł, udając wstrząśniętego. Potem dodał: — Jak wiesz, byłem jej trenerem. W jej najlepszym okresie.

Myron skinął głową.

— I zastrzelili ją, ot tak. Jak psa.

Trener dramatycznie potrząsnął głową.

— Kiedy ostatni raz widziałeś Valerie?

— Kilka lat temu.

— Spotkałeś się z nią po tym, jak przeszła załamanie nerwowe?

— Nie. Nie widywałem jej, od kiedy zabrali ją do szpitala.

— Może rozmawiałeś z nią? Chociaż przez telefon?

Pavel ponownie pokręcił głową, a potem ją opuścił.

— Winię siebie za to, co jej się przydarzyło. Powinienem lepiej się o nią troszczyć.

— Jak to?

— Kiedy trenuje się tak młodą osobę, bierze się odpowiedzialność wykraczającą poza boisko. Ona była dzieckiem dorastającym w świetle reflektorów. Środki przekazu potrafią być okrutne, no nie? Nie zważają na nic, byle sprzedać nakład. Próbowałem złagodzić niektóre ciosy. Starałem się ją chronić, nie pozwolić, aby to ją zżerało. Jednak mi się nie udało.

Jego słowa brzmiały szczerze, ale Myron wiedział, że to nic nie znaczy. Ludzie potrafią zdumiewająco dobrze kłamać. Im wydają się bardziej prawdomówni, im częściej spoglądają ci w oczy i przysięgają, tym bardziej są zakłamani.

— Czy nie domyślasz się, kto mógłby pragnąć jej śmierci?

Pavel wyglądał na zdumionego.

— Dlaczego zadajesz te wszystkie pytania, Myronie?

— Chcę coś sprawdzić.

— Co takiego? Jeśli wolno spytać.

— To sprawa osobista.

Rumun przez kilka sekund przyglądał się Myronowi. Jego oddech był przesycony nikotyną. Myron był zmuszony oddychać ustami.

— Powiem ci to samo, co powiedziałem policji — rzekł Pavel. — Moim zdaniem przyczyną załamania nerwowego Valerie nie było tylko zwyczajne napięcie związane z tenisem.

Myron skinął głową, zachęcając go do rozwinięcia tematu. Pavel skierował otwarte dłonie ku niebu, jakby szukając boskiej pomocy.

— Może się mylę. Może chcę w to wierzyć, żeby, jak to się mówi, zagłuszyć wyrzuty sumienia. Sam już nie wiem. Jednak trenowałem wiele młodych osób i nigdy żadnej nie przydarzyło się to, co stało się z Valerie. Nie, Myronie, jej problemy były wywołane czymś więcej niż tylko stresami sportowego życia.

— A czym?

— Rozumiesz, nie jestem lekarzem. Nie mogę być tego pewien. Jednak należy pamiętać o tym, że jej grożono.

Myron czekał, aż Pavel rozwinie ten temat. Kiedy tego nie zrobił, Myron zapytał go:

— Grożono?

Łagodna zachęta była jego ulubioną techniką przesłuchania.

— Nękano — rzekł trener, pstryknąwszy palcami. — Tak się to dziś nazywa. Valerie nękano.

— Kto to robił?

— Bardzo chory człowiek, Myronie. Straszny człowiek. Po tylu latach wciąż pamiętam, jak się nazywał. Roger Quincy. Stuknięty drań. Pisywał do niej miłosne listy. Wciąż do niej dzwonił. Kręcił się wokół jej domu i jej hotelu, podczas każdego meczu, jaki grała.

— Kiedy to było?

— Gdy była w trasie, rzecz jasna. To zaczęło się... sam nie wiem... sześć miesięcy przed tym, zanim została hospitalizowana.

— Próbował pan go powstrzymać?

— Oczywiście. Poszliśmy na policję. Nic nie mogli zrobić. Usiłowaliśmy uzyskać sądowy zakaz zbliżania się, ale ten Quincy nigdy naprawdę jej nie groził. Mówił tylko „kocham cię, chcę być z tobą" i tym podobne rzeczy. Robiliśmy co w naszej mocy. Zmienialiśmy hotele, meldowaliśmy się pod różnymi przybranymi nazwiskami. Musisz jednak pamiętać, że Valerie była jeszcze dzieckiem. To wszystko bardzo ją przygnębiało. I tak żyła pod ogromną presją, a teraz musiała jeszcze wciąż oglądać się przez ramię. Ten Roger Quincy był kompletnie stuknięty. Właśnie tak. To jego ktoś powinien zastrzelić.

Myron skinął głową i odczekał chwilę.

— A jak Alexander Cross zareagował na Rogera Quincy'ego?

To pytanie zaskoczyło Pavela jak celny lewy sierpowy. Lennox Lewis w starciu z Frankiem Brunem. Trener zawahał się, próbując dojść do siebie. Gracze wyszli z tunelu. Widzowie zaczęli klaskać. Te owacje spełniły rolę odliczania, dając Pavelowi czas na otrzeźwienie.

— Dlaczego pytasz?

— Czy Alexander Cross i Valerie Simpson nie byli parą?

— Chyba można tak powiedzieć.

— Naprawdę?

— Ona często wyjeżdżała. Podróżowała. Jednak wydawało się, że coś ich łączy.

— I zakładam, że działo się to wtedy, kiedy Quincy prześladował Valerie?

— Sądzę, że było to w tym samym czasie, przynajmniej częściowo.

— A zatem to pytanie samo się nasuwa — wyjaśnił Myron. — Jak zareagował na to chłopak Valerie?

— Może to oczywiste pytanie — rzekł Rumun — ale musisz przyznać, że również zaskakujące. Alexander Cross nie żyje od kilku lat. Dlaczego jego reakcja miałaby mieć jakiś związek z tym, co dzisiaj przydarzyło się Valerie?

— Po pierwsze dlatego, że oboje zostali zamordowani.

— Chyba nie sugerujesz, że te śmierci są ze sobą powiązane?

— Niczego nie sugeruję — odparł Myron. — Ja tylko nie rozumiem, dlaczego nie chcesz odpowiedzieć na moje pytanie.

— To nie jest kwestia chęci czy niechęci — odrzekł Pavel. — Chodzi o przyzwoitość. Poruszasz sprawy, które powinieneś zostawić w spokoju. Sprawy zbyt osobiste, które w żadnym razie nie mogą mieć związku z dniem dzisiejszym. Zaczynam odnosić wrażenie, że zawodzę zaufanie przyjaciół, zdradzając nie moje sekrety. Rozumiesz?

— Nie.

Pavel spojrzał na Jacka Lorda. Ten uśmiechnął się lekko. Znów wstał. Nadął się.

— Zaraz zacznie się mecz — powiedział Pavel. — Nie chcę być nieuprzejmy, ale muszę cię prosić, żebyś już sobie poszedł.

— Trafiłem w czułe miejsce, co?

— Owszem. Bardzo lubiłem Valerie.

— Nie to miałem na myśli.

— Proszę, odejdź. Muszę skupić się na grze.

Myron nie ruszył się z miejsca. Jack Lord położył wielkie łapsko na jego ramieniu.

— Słyszałeś, co powiedział szef — rzekł. — Wynoś się.

— Puść moje ramię.

Jack pokręcił głową.

— Dość tej zabawy, kolego. Czas, żebyś stąd zniknął.

— Jeśli natychmiast nie zabierzesz ręki — wyjaśnił mu spokojnie Myron — zrobię ci krzywdę. Być może poważną.

Skryty za okularami przeciwsłonecznymi Jack uśmiechnął się szeroko. Zacisnął dłoń na ramieniu Myrona. Ten błyskawicznie podniósł dłoń i chwycił go za kciuk. Zacisnął palce i pociągnął. Jack przyklęknął.

Myron przysunął usta do jego ucha.

— Nie chcę tu żadnych scen, więc zaraz cię puszczę — szepnął. — Masz się uśmiechnąć. Jeśli spróbujesz zrobić coś jeszcze, spotka cię krzywda. Tym razem poważna. Kiwnij głową, jeśli zrozumiałeś.

Ochroniarz kiwnął głową, blady jak ściana.

Myron puścił jego kciuk.

— Na razie, Pavel.

Trener nie odpowiedział.

Myron przeszedł obok Jacka. Ten uśmiechał się, tak jak mu kazano.

— Tak trzymaj, Jack — poradził mu Myron.

6

Maniak.

Czyżby rozwiązanie było takie proste? Czy jakiś stuknięty wielbiciel wpakował Valerie Simpson kulę w pierś, ponieważ tak kazał mu głos? To nie wyjaśniało związku Duane'a z tą sprawą. Może jednak nie było żadnego związku. A może powiązanie istniało, ale nie miało nic wspólnego z morderstwem i, co więcej, nie było sprawą Myrona.

Skręcił w Hobart Gap Road. Znajdował się zaledwie półtora kilometra od swojego domu w Livingston w stanie New Jersey. Szaroniebieski cadillac z kanarkowym dachem w końcu odczepił się, skręciwszy w JFK Parkway. Ktokolwiek go prowadził, najwidoczniej doszedł do wniosku, że Bolitar jedzie na noc do domu i nie trzeba go śledzić. Jeśli ten samochód pojawi się nazajutrz, Myron będzie musiał coś zrobić, żeby odkryć, kim jest miłośnik takich upiornych kolorów.

Na razie powinien skupić całą uwagę na teorii maniakalnego zabójcy.

Jeśli Valerie została zabita przez Rogera Quincy'ego, to dlaczego Pavel wpadł w popłoch, kiedy Myron wspomniał o Alexandrze Crossie? Może trener mówił prawdę, gdy twierdził, że nie chce zawieść pokładanego w nim zaufania? Gdy dobrze się nad tym zastanowić, czy nie wydaje się znacznie bardziej prawdopodobne, że Pavel postanowił milczeć, ponieważ to leżało w jego interesie? Senator Cross był bardzo wpływowym człowiekiem. Rozpowszechnianie plotek o jego zamordowanym synu raczej trudno byłoby nazwać rozsądnym postępowaniem. Tak więc może zachowanie trenera nie świadczyło o nieczystym sumieniu. A może jednak kryło się w tym coś ważnego? Lub, przeciwnie, nieistotnego?

Właśnie takie rozważania czyniły Myrona błyskotliwym detektywem.

Zaparkował na podjeździe. Samochód jego matki stał w garażu. Ojca nigdzie nie było widać. Myron otworzył drzwi swoim kluczem.

— Myronie?

Boże, co za imię. Można by sądzić, że powinien już się do niego przyzwyczaić, ale od czasu do czasu znów uświadamiał sobie grozę sytuacji. Nazwano go Myronem. To była decyzja podjęta w ostatniej chwili, wyjaśnili mu rodzice. Mama wpadła na ten pomysł w szpitalu. Dodać imię Myron do nazwiska Bolitar? Czy to w porządku? Czy to etyczne?

Jako chłopak Myron usiłował zmieniać sobie imię na Mike, Mickey, a nawet Sweet J, od swojego ulubionego dresu. W porządku, może to i dobrze, że Sweet J się nie przyjęło. Mimo wszystko...

Przestroga dla rodziców, wybierających imiona dzieciom: uważajcie, co robicie.

— Myronie? — zawołała matka. — Czy to ty?

— Tak mamo.

— Jestem w bawialni.

Miała na sobie kostium do aerobiku i oglądała kasetę z ćwiczeniami. Stała na jednej nodze, w pozycji żurawia z *Karate Kida*. W telewizorze znajomy głos gruchał:

— Teraz płynny wykrok w lewo...

Ćwiczenia tai-chi Davida Carradine'a. Cudownie.

— Cześć, mamo.

— Spóźniłeś się.

— Nie wiedziałem, że obowiązuje mnie godzina policyjna.

— Obiecałeś, że będziesz w domu przed siódmą. Jest po dziewiątej.

— O co ci chodzi?

— Martwiłam się. Widziałam w wiadomościach tę dziewczynę, którą zastrzelili na stadionie. Skąd miałam wiedzieć, że nie zabili i ciebie?

Myron powstrzymał westchnienie.

— Czy w wiadomościach podano, że zostałem zabity? Czy mówiono coś o niezidentyfikowanych zwłokach? Czy też wyraźnie powiedziano, że zastrzelono tylko jedną dziewczynę, niejaką Valerie Simpson?

— Mogli kłamać.

— Słucham?

— Wciąż to robią. Policja okłamuje reporterów, żeby najpierw zawiadomić rodzinę.

— Czy nie byłaś w domu przez cały dzień?

— A co, policja ma numer mojego telefonu?

— Przecież mogliby... — Zamilkł. Czego właściwie chciał dowieść? — Kiedy następnym razem w promieniu pięciu kilometrów ode mnie zostanie popełnione jakieś morderstwo, z pewnością zadzwonię do domu.

— Dobrze.

Wyłączyła magnetowid. Potem umieściła w kącie poduszkę i stanęła na niej na głowie.

— Mamo?

— Co?

— Co ty robisz?

— A na co ci to wygląda? Stoję na głowie. To dobre ćwiczenie. Poprawia krążenie. Poprawia wygląd. Czy wiesz, kto codziennie stawał na głowie?

Myron potrząsnął głową.

— Dawid Ben Gurion.

— I wszyscy wiedzą, jaki był z niego przystojniak — zauważył Myron.

— Spryciarz.

Mama była chodzącym paradoksem. Przez ostatnie dwadzieścia lat prowadziła praktykę adwokacką. Była Amerykanką w pierwszym pokoleniu. Jej rodzice przybyli z Mińska czy podobnego miejsca, gdzie zdaniem Myrona wiedli życie niewiele różniące się od tego, jakie przedstawiono w *Skrzypku na dachu*. W latach sześćdziesiątych wyznawała radykalne poglądy, paliła staniki i eksperymentowała z różnymi środkami psychotropowymi (w wyniku czego dała dziecku na imię Myron). Nie gotowała. Nigdy. Nie miała pojęcia, gdzie jest schowany odkurzacz. Nie wiedziała, jak wygląda żelazko, a nawet, czy takowe posiada, czy też nie. Natomiast jej wyczyny na sali sądowej przeszły do legendy. Koronnych świadków zjadała na śniadanie. Była błyskotliwa, przerażająco bystra i bardzo nowoczesna.

Zapominała o tym wszystkim, kiedy chodziło o jej syna. Kompletnie jej odbijało. Upodobniała się do swojej matki i babci. A nawet gorzej. Murphy Brown zmieniała się w babcię Tzietl.

— Ojciec poszedł przynieść trochę chińskiego jedzenia. Zamówiłam tyle, że wystarczy i dla ciebie.

— Dziękuję, nie jestem głodny.

— Pieczone żeberka, Myronie. Kurczak w sosie sezamowym. — I po znaczącej pauzie dodała: — Krewetki à la homar.

— Naprawdę nie jestem głodny.

— Krewetki à la homar — powtórzyła.

— Mamo...

— Z „Fong's Dragon House".

— Nie, dziękuję.

— Dlaczego? Przecież uwielbiasz krewetki à la homar od Fonga. Przepadasz za nimi.

— No, może zjem odrobinę.

Tak było łatwiej.

Matka wciąż stała na głowie. Zaczęła pogwizdywać. Bez wysiłku.

— A co u Jessiki? — zapytała, wyraźnie siląc się na obojętność.

— Odczep się, mamo.

— Czy ja się czepiam? Zadałam ci tylko proste pytanie.

— A ja udzieliłem prostej odpowiedzi. Odczep się.

— Świetnie. Tylko nie przychodź do mnie z płaczem, kiedy coś pójdzie nie tak.

Jakby kiedykolwiek to robił.

— Dlaczego jej tak długo nie ma? Co ona tam robi?

— Dzięki, że się odczepiłaś.

— Martwię się — powiedziała matka. — Mam nadzieję, że ona nic nie kombinuje.

— Odczep się.

— Tylko to umiesz mówić? Odczep się? Co z tobą, zmieniłeś się w papugę? A tak w ogóle, to gdzie ona się podziewa?

Myron otworzył usta, z trudem je zamknął i zbiegł do przyziemia. Do swojego królestwa. Miał prawie trzydzieści dwa lata i wciąż mieszkał z rodzicami. Chociaż w ciągu kilku ostatnich miesięcy rzadko tutaj bywał. Większość nocy spędzał w mieście, w apartamencie Jessiki. Nawet zastanawiali się, czy nie zamieszkać razem, ale postanowili niczego nie przyśpieszać. Łatwo powiedzieć. Serce nie chciało słuchać głosu rozsądku. Przynajmniej w przypadku Myrona. A matka jak zwykle trafiła w czułe miejsce. Jessica przebywała w Europie, a on nie wiedział gdzie. Od dwóch tygodni nie miał od niej wiadomości. Tęsknił za nią i zaczynał się zastanawiać...

Ktoś zadzwonił do drzwi.

— To twój ojciec — zawołała matka. — Pewnie znowu zapomniał klucza. Przysięgam, że ma już początki sklerozy.

Po kilku sekundach usłyszał dźwięk otwieranych drzwi. Na schodach pojawiły się nogi matki, a potem reszta jej ciała. Skinęła na Myrona.

— O co chodzi?

— Przyszła do ciebie jakaś młoda dama — powiedziała i dodała szeptem: — Jest czarna.

— O rety! — Myron przycisnął dłoń do piersi. — Mam nadzieję, że sąsiedzi nie wezwali policji.

— Nie to miałam na myśli, spryciarzu, i dobrze o tym wiesz. Teraz mamy tu w sąsiedztwie czarne rodziny. Na przykład Wilsonów. Cudowni ludzie. Mieszkają przy Coventry Drive. W dawnym domu Dechtmana.

— Wiem, mamo.

— Po prostu chciałam ci ją opisać. Tak jakbym mówiła, że ma blond włosy. Albo miły uśmiech. Lub zajęczą wargę.

— Uhm.

— Albo jest kulawa. Czy wysoka. Niska. Gruba. Albo...

— Chyba zaczynam się domyślać, o co ci chodzi, mamo. Czy spytałaś, jak się nazywa?

Matka potrząsnęła głową.

— Nie chciałam być wścibska.

No właśnie.

Myron wszedł po schodach na górę. To była Wanda, przyjaciółka Duane'a. Z jakiegoś powodu Myron wcale się nie zdziwił. Z nerwowym uśmiechem uniosła rękę na powitanie.

— Przepraszam, że nachodzę cię w domu — zaczęła.

— Żaden problem. Wejdź, proszę.

Zeszli do przyziemia. Myron podzielił je na dwa pomieszczenia. Z jednego — małego salonu — prawie nigdy nie korzystał. Dzięki temu to pomieszczenie wyglądało schludnie i znośnie. Sąsiednie, które było jego główną kwaterą, przypominało pokój w akademiku po kilkudniowej imprezie.

Wanda zaczęła rzucać wokół spłoszone spojrzenia tak jak wtedy, w obecności Dimonte'a.

— Mieszkasz tutaj?

— Dopiero od kiedy skończyłem szesnaście lat.

— Uważam, że to słodkie. Mieszkać z rodzicami.

— Gdybyś tylko wiedziała... — dobiegło z góry.

— Zamknij drzwi, mamo.

Trzask.

— Proszę — powiedział Myron. — Usiądź.

Wanda miała niepewną minę, ale w końcu usiadła w fotelu. Nieustannie splatała i rozplatała dłonie.

— Trochę głupio się czuję — powiedziała.

Myron obdarzył ją pełnym zrozumienia, krzepiącym uśmiechem w stylu Phila Donahue. *Telewidzu, jesteś tam?*

— Duane cię lubi — powiedziała. — Bardzo.

— To uczucie jest odwzajemnione.

— Inni agenci wciąż do niego dzwonią. Wszystkie wielkie firmy. Zawsze powtarzają, że twoja agencja jest za mała, by go reprezentować. Wciąż mówią, że dzięki nim zarobiłby o wiele więcej pieniędzy.

— Mogą mieć rację — rzekł Myron.

Pokręciła głową.

— Duane tak nie uważa. Ja też nie.

— To miło z twojej strony.

— Czy wiesz, dlaczego Duane nie chce rozmawiać z innymi agentami?

— Ponieważ nie chce, żebym się popłakał?

Uśmiechnęła się. Mistrz dowcipu kontratakuje. Pan Skromniś.

— Nie — odparła. — Duane ci ufa.

— Cieszę się.

— Tobie nie chodzi tylko o pieniądze.

— Ładnie z twojej strony, że tak mówisz, Wando, ale dzięki Duane'owi zarabiam dużo pieniędzy. Nie da się temu zaprzeczyć.

— Wiem — powiedziała. — Może to zabrzmi trochę naiwnie, ale dla ciebie on jest na pierwszym miejscu. Ważniejszy niż pieniądze. Troszczysz się o Duane'a Richwooda jako o człowieka. Zależy ci na nim.

Myron nic nie powiedział.

— Duane nie ma wielu przyjaciół — ciągnęła. — I żadnej rodziny. Od kiedy skończył piętnaście lat, mieszkał na ulicy i sam sobie radził. Nie był aniołem. Robił rzeczy, o których wolałby zapomnieć. Jednak nigdy nikogo nie skrzywdził i nie popełnił żadnego poważnego przestępstwa. Przez całe życie nie miał nikogo, na kim mógłby polegać. Musiał liczyć tylko na siebie.

Zamilkła.

— Czy Duane wie, że tu jesteś? — zapytał Myron.

— Nie.

— Gdzie on jest?

— Nie wiem. Po prostu wyszedł. Czasem tak robi.

Znowu pomilczała chwilę.

— W każdym razie, jak już powiedziałam, Duane nie ma nikogo innego. Tobie ufa. Winowi ufa także, ale tylko dlatego, że to twój najlepszy przyjaciel.

— Wando, to co mówisz jest bardzo miłe, ale ja nie jestem altruistą. Jestem dobrze opłacany za to, co robię.

— Jednak troszczysz się o niego.

— Henry Hobman również.

— Być może. Tylko że Duane jest lokomotywą, która ciągnie jego wagon. Jego powrotnym biletem do grona najlepszych.

— Wiele osób powiedziałoby to samo o mnie — odparł Myron. — Oprócz określenia „powrotny", ponieważ nigdy nie zaliczałem się do najlepszych. Duane jest moim jedynym tenisistą z czołówki. Prawdę mówiąc, Duane jest jedynym moim graczem, który doszedł do US Open.

Zastanawiała się nad tym przez chwilę, kiwając głową.

— Może to wszystko prawda, ale gdy został przyciśnięty do muru, kiedy znalazł się w opałach, Duane po pomoc zwrócił się do ciebie. I kiedy ja dziś wieczorem znalazłam się w tarapatach, również przyszłam do ciebie. To mówi samo za siebie.

Drzwi otworzyły się.

— Dzieciaki, chcecie coś do picia?

— Może masz coś na uspokojenie, mamo?

Wanda parsknęła śmiechem.

— Posłuchaj, spryciarzu, może twój gość chce coś zjeść.

— Nie, dziękuję, pani Bolitar! — zawołała Wanda.

— Na pewno, kochanie? Może kawy! Albo colę?

— Nie, naprawdę dziękuję.

— A może coś słodkiego? Właśnie kupiłam świeże ciasteczka w Swiss House. Myron bardzo je lubi.

— Mamo...

— Dobrze, dobrze, pojęłam aluzję.

No właśnie. Wcielenie subtelności. Drzwi zamknęły się.

— Jest słodka — zauważyła Wanda.

— Taak, niezrównana. — Myron pochylił się. — Może mi powiesz, z czym do mnie przyszłaś?

Znowu zaczęła splatać i rozplatać palce.

— Martwię się o Duane'a.

— Jeśli to z powodu wizyty Dimonte'a, to się nie przejmuj. Odstawianie takiego dupka należy do jego obowiązków.

— Nie w tym rzecz — powiedziała. — Duane nikomu nie zrobiłby krzywdy. Jestem tego pewna. Jednak coś jest nie w porządku. Przez cały czas jest spięty. Krąży po mieszkaniu. Wybucha z byle powodu.

— Ma teraz wiele stresów. Może to tylko nerwy.

Przecząco pokręciła głową.

— To nie stres. Wiesz, że Duane uwielbia sportową rywalizację. Jednak od jakichś dwóch dni zachowuje się dziwnie. Najwyraźniej czymś bardzo się niepokoi.

— Nie domyślasz się czym?

— Nie.

Myron nachylił się do Wandy.

— Pozwól, że zadam ci pytanie, które samo się nasuwa: czy Valerie Simpson dzwoniła do Duane'a?

Wanda zastanowiła się.

— Nie wiem.

— Czy on ją znał?

— Tego też nie wiem. Jednak znam Duane'a. Jesteśmy razem od trzech lat, od kiedy oboje skończyliśmy osiemnaście. Poznaliśmy się, gdy był dzieckiem ulicy. Mój ojciec wściekł się, gdy się o tym dowiedział. Jest kręgarzem. Dobrze zarabia i ciężko pracował, starając się dobrze nas wychować. A ja zaczęłam chodzić z bezdomnym ulicznikiem.

Zachichotała na samo wspomnienie. Myron siedział i czekał.

— Wszyscy uważali, że to nic poważnego — ciągnęła. — Przerwałam naukę w college'u i poszłam do pracy, żeby on mógł grać w tenisa. Teraz opłaca moje studia na uniwersytecie. Kochamy się. Kochaliśmy się, zanim zaczął odnosić sukcesy w tenisie i będziemy się kochali jeszcze długo po tym, jak na dobre odłoży rakietę. A mimo to po raz pierwszy nie chce mi się zwierzyć.

— Uważasz, że to w jakiś sposób wiąże się z Valerie Simpson?

Zawahała się.

— Chyba tak.

— W jaki?

— Nie mam pojęcia.

— Czego ode mnie oczekujesz?

Wstała i zaczęła przechadzać się po pokoju.

— Słyszałam, jak ci policjanci rozmawiali ze sobą. Mówili, że kiedyś pracowałeś dla rządu. Ty i Win. Podobno wykonywałeś jakieś tajne zadania dla FBI po tym, jak wyleczyłeś kontuzjowane kolano. Czy to prawda?

— Tak.

— Pomyślałam, że mógłbyś... sama nie wiem... przyjrzeć się temu?

— Chcesz, żebym sprawdził Duane'a?

— On coś ukrywa, Myronie. Trzeba to wyjaśnić.

— Może nie spodobać ci się to, co odkryję — rzekł, powtarzając to, co wcześniej usłyszał od Wina.

— Bardziej obawiam się tego, że miałoby być tak jak teraz. — Wanda spojrzała na niego. — Pomożesz mu?

Skinął głową.

— Zrobię, co będę mógł.

7

Zadzwonił telefon.

Myron na oślep wyciągnął rękę, powoli wynurzając się z sennej rzeczywistości. Chwycił słuchawkę i wychrypiał:

— Halo?

— Czy to firma „Ogier na Telefon"?

Jej głos podziałał na niego jak wstrząs elektryczny.

— Jess?

— O, cholera — powiedziała Jessica. — Spałeś, prawda?

— Spałem? — Myron mrużąc oczy, spojrzał na swój kwarcowy zegarek. — O wpół do piątej rano? Kapitan nocny marek miałby spać? Chyba żartujesz.

— Przepraszam. Zapomniałam o różnicy czasów.

Usiadł na łóżku.

— Gdzie jesteś?

— W Grecji — odparła. — Tęsknię za tobą.

— Po prostu jesteś napalona.

— No, troszeczkę.

— Kapitan nocny marek chętnie ci pomoże.

— Mój nieustraszony bohater. Ty pewnie nie jesteś ani trochę napalony.

— Kapitan żyje cnotliwie.

— To część jego wizerunku?

— Właśnie.

— Bez ciebie wcale się tu dobrze nie bawię.

Podniosła go na duchu.

— No to wracaj do domu.

— Zamierzam.

— Kiedy?

— Wkrótce.

Jessica Culver, mistrzyni USA w dziedzinie precyzyjnych sformułowań.

— Opowiedz mi, co u ciebie — zażądała.

— Słyszałaś o strzelaninie na stadionie?

— Jasne. W hotelu jest CNN.

Myron opowiedział jej o Valerie Simpson. Kiedy skończył, zauważyła:

— Wcale nie musiałeś wykręcać kciuka temu tumanowi.

— Jednak dzięki temu poczułem się prawdziwym macho — rzekł Myron.

— Jestem pewna, że to cię podkręciło.

— Jakbyś przy tym była.

— Jakbym. A zatem zamierzasz złapać mordercę?

— Zamierzam spróbować.

— Ze względu na Valerie? Czy dla Wandy i Duane'a?

— Chyba dla nich wszystkich. Jednak głównie z powodu Valerie. Szkoda, że jej nie poznałaś, Jess. Starała się być ponura i nieprzyjemna. Taka młoda dziewczyna nie powinna sprawiać takiego wrażenia.

— Masz jakiś plan?

— Oczywiście. Najpierw zamierzam odwiedzić matkę Valerie. Zrobię to jutro rano. Ona mieszka w Filadelfii.

— A potem?

— No cóż, jeszcze nie ustaliłem wszystkich szczegółów mojego planu. Jednak pracuję nad tym.

— Proszę, bądź ostrożny.

— Kapitan nocny marek zawsze jest ostrożny.

— Nie o niego się martwię, tylko o jego alter ego.

— A któż to taki?

— Mój kochany Misiaczek.

Myron uśmiechnął się do słuchawki.

— Hej, Jess, czy wiedziałaś, że Joan Collins wystąpiła w *Batmanie*?

— Oczywiście — powiedziała Jessica. — Grała Syrenę.

— Ach tak? A kogo grał Liberace?

8

Myron przez resztę nocy śnił o Jessice, choć jak zwykle rano pamiętał tylko nieskładne strzępy tych snów. Jessica znów stała się częścią jego życia, lecz dla niego wciąż było to czymś nowym. Zbyt nowym. Starał się opanować, działać rozważnie. Obawiał się, że Jessica znów podepcze jego uczucia, przytrzaśnie jego serce w drzwiach miłości.

Drzwiach miłości. Chryste. Zaczynał sypać cytatami z kiepskich piosenek country.

Skierował się na południe, w kierunku słynnej New Jersey Turnpike. Szaroniebieski cadillac z kanarkowym dachem jechał cztery samochody za nim. Ten odcinek drogi szybkiego ruchu bardziej niż cokolwiek innego był pożywką dla licznych dowcipów o New Jersey. Myron minął lotnisko Newark. Niezbyt ładne, ale które lotnisko jest inne? Potem przejechał obok głównej atrakcji albo gwoździa programu, jeśli tak wolicie nazwać tę — znajdującą się między dwunastym a trzynastym zjazdem — ogromną elektrownię, która przypomina rekwizyt z koszmarnego świata przyszłości ukazanego na początku filmu *Teminator*. Gęsty dym sączył się z każdego jej otworu. Nawet w jasnym słońcu wyglądała ponuro, metalicznie, groźnie i złowieszczo.

W radiu kapela rockowa o nazwie The Motels monotonnie śpiewała refren: „Zabierz mił z miłości, a zostaną ości". Głębokie. Trochę wydumane, ale głębokie. Motels. Co się z nimi stało?

Myron wyjął telefon komórkowy i wybrał numer. Odpowiedział znajomy głos.

— Mówi szeryf Courter.

— Cześć, Jake, tu Myron.

— Przykro mi. Pomylił pan numer. Żegnam.

— A to dobre — powiedział Myron. — Chyba te wieczorowe kursy dla komediantów w końcu coś ci dały.

— Czego chcesz, Myronie?

— Nie można po prostu zadzwonić do przyjaciela, żeby zamienić kilka słów?

— A zatem to towarzyska rozmowa? — spytał Jake.

— Owszem.

— Czuję się zaszczycony.

— Poczekaj. To nie wszystko. Za parę godzin wpadnę na to twoje zadupie.

— Chyba dostanę zawału.

— Pomyślałem, że moglibyśmy zjeść razem lunch. Ja stawiam.

— Uhm. Przyjedziesz z Winem?

— Nie.

— No to w porządku. Na widok tego faceta przechodzą mnie ciarki.

— Nawet go nie znasz.

— I niech tak zostanie. No, czego ode mnie chcesz, Myronie? Może to cię zaskoczy, ale muszę zarabiać na życie.

— Wciąż masz przyjaciół w filadelfijskiej policji?

— Jasne.

— Czy któryś mógłby ci przesłać faksem akta sprawy o zabójstwo?

— Niedawne?

— No, niezupełnie.

— Sprzed ilu lat?

— Sześciu — odparł Myron.

— Żartujesz, prawda?

— Będzie gorzej. Ofiarą był Alexander Cross.

— Chłopak senatora?

— Właśnie.

— Po ci to, do cholery?

— Powiem ci, kiedy tam dojadę.

— Ten ktoś będzie chciał usłyszeć jakieś wyjaśnienie.

— Wymyśl coś.

Jake żuł coś — sądząc po odgłosach, mogła to być kora drzewa.

— Taak, w porządku. O której tu będziesz?

— Mniej więcej około pierwszej. Zadzwonię do ciebie.

— Będziesz mi winien przysługę, Myronie. Dużą.

— Czy nie wspomniałem, że stawiam lunch?

Jake rozłączył się.

Myron skierował się w stronę zjazdu numer sześć. Opłata wyniosła prawie cztery dolary. Miał ochotę zapłacić również za cadillaca, ale cztery dolary to trochę za dużo na taki żart. Wręczył kasjerowi pieniądze.

— Chciałem tylko przejechać tą autostradą — powiedział. — Nie chciałem jej kupować.

Nie otrzymał nawet współczującego uśmiechu. Narzekanie na opłaty za autostrady. Jedna z oznak zbliżającej się starości. Pewnie niedługo zacznie wymyślać ekspedientom za słabo grzejącą klimatyzację.

Podróż do najbogatszego przedmieścia Filadelfii zajęła mu dwie godziny. Gladwynne to szacowne rodziny i duże pieniądze. Plymouth Rock również. Pochodzenie było tu równie ważne jak możliwości kredytowe. Dom, w którym wychowała się Valerie Simpson, wyglądał jak nieco podupadła rezydencja Wielkiego Gatsby'ego. Trawnik był kiepsko skoszony. Krzewy słabo przycięte. Ze ścian tu i ówdzie obłaziła farba. Pnący się po nich bluszcz był odrobinę zbyt gęsty.

Mimo to posiadłość była ogromna. Myron zaparkował na tak rozległym podjeździe, że niemal zaczął się rozglądać za busem podwożącym do frontowych drzwi. Kiedy się do nich zbliżał, z budynku wyszli detektywi Dimonte i Krinsky. Zaskoczony Dimonte nie wyglądał na uszczęśliwionego tym spotkaniem. Oparł ręce na biodrach. Nadęty, niecierpliwy.

— Co ty tu, kurwa, robisz? — warknął.

— Czy wiesz, co się stało z The Motels? — zapytał Myron.

— Z kim?

Myron potrząsnął głową.

— Jak szybko ludzie zapominają.

— Do licha, Bolitar, zadałem ci pytanie. Czego tu szukasz?

— Zeszłej nocy zostawiłeś u mnie gacie — odrzekł Myron. — Bokserki. Rozmiar trzydzieści osiem. W czerwone króliczki.

Dimonte poczerwieniał. Większość gliniarzy cierpi na homofobię. Najłatwiej wyprowadzić ich z równowagi aluzjami do homoseksualizmu.

— Lepiej nie wpieprzajcie się w moją sprawę, dupku. Ty i ten twój psychotyczny yuppie.

Krinsky zaśmiał się. Psychotyczny yuppie. Kiedy zacny stary Rolly wymyśli już jakiś żart, ciężko mu się z nim rozstać.

— A poza tym — ciągnął Dimonte — sprawa i tak jest już prawie zamknięta.

— Zatem będę mógł się chwalić, że cię znałem.

— Na pewno cię ucieszy wiadomość, że twój klient nie jest już moim głównym podejrzanym.

Myron kiwnął głową

— Jest nim niejaki Roger Quincy.

To nie ucieszyło Dimonte'a.

— Skąd o tym wiesz, do cholery?

— Jestem wszechobecny i wszechwiedzący.

— To jeszcze nie oznacza, że twój chłopak jest czysty. On coś ukrywa. Ty to wiesz. Ja to wiem. Krinsky też to wie.

Krinsky lekko skinął głową. Wierny adiutant.

— Na razie domyślamy się tylko, że twój chłopak ją dymał. No wiesz, na boku.

73

— Macie jakieś dowody?

— Nie potrzebujemy ich. Nie wciskaj mi tu kitu. Chcę złapać jej zabójcę, nie przydupasa.

— Cóż za poetyckie określenie, Rolly.

— Pieprz się, nie mam czasu na takie gadki.

Kiedy odchodzili, Myron pożegnał ich machnięciem ręki.

— Miło się z tobą rozmawiało, Krinsky.

Policjant kiwnął głową.

Myron zadzwonił do drzwi. Usłyszał dramatyczne bicie gongu. Muzyka poważna. Może Czajkowski. Może nie. Drzwi otworzył około trzydziestoletni mężczyzna w różowej koszuli, rozpiętej pod szyją. Niczym Ralph Lauren. Spory dołek na brodzie. Włosy tak czarne, że prawie granatowe, jak u Supermana.

Spojrzał na Myrona tak, jakby ten był włóczęgą sikającym mu na schodach.

— Tak?

— Przyszedłem zobaczyć się z panią Van Slyke.

Matka Valerie ponownie wyszła za mąż.

— To nie jest odpowiednia chwila.

— Jestem umówiony.

— Chyba mnie pan nie słyszał — rzucił ostro mężczyzna. Mówił akcentem podobnym do tego, jaki miał Win. — To nie jest odpowiedni moment.

— Proszę powiedzieć pani Van Slyke, że jest tu Myron Bolitar — nalegał Myron. — Ona mnie oczekuje. Windsor Lockwood wczoraj wieczorem zapowiedział moją wizytę.

— Pani Van Slyke nikogo dziś nie przyjmuje. Wczoraj zamordowano jej córkę.

— Zdaję sobie z tego sprawę.

— A zatem rozumie pan...

— Kenneth?

Kobiecy głos.

— W porządku, Helen — odparł mężczyzna. — Poradzę sobie.

— Kto przyszedł, Kenneth?

— Nikt.

— Myron Bolitar — powiedział Myron.

Kenneth rzucił mu gniewne spojrzenie. Myron powstrzymał się i nie pokazał mu języka, na co miał wielką ochotę. Przyszło mu to z trudem.

Na korytarzu pojawiła się kobieta. Ubrana na czarno. Oczy miała zaczerwienione i otoczone czerwonymi obwódkami. Była atrakcyjną kobietą, chociaż Myron założyłby się, że poprzedniego dnia wyglądała znacznie bardziej pociągająco. Pod pięćdziesiątkę. Blond włosy, lekko rozjaśnione. Starannie uczesane. Nie zanadto utlenione.

— Proszę wejść, panie Bolitar.

— Nie sądzę, żeby to był dobry pomysł, Helen — wtrącił Kenneth.

— Wszystko w porządku.

— Powinnaś odpocząć.

Wzięła Myrona pod rękę.

— Proszę wybaczyć mojemu mężowi, panie Bolitar. On tylko próbuje mnie chronić.

Mężowi? Czy powiedziała „mężowi"?

— Proszę za mną.

Zaprowadziła go do pokoju nieco większego od Akropolu. Nad kominkiem wisiał gigantyczny portret mężczyzny z długimi bokobrodami i sumiastymi wąsami. Lekko przerażający. Pomieszczenie oświetlało pół tuzina lamp, które imitują świece. Meble, chociaż wyglądały na antyki, były odrobinę zbyt podniszczone. Myron nigdzie nie dostrzegł srebrnego zestawu do herbaty, ale powinien tu taki być. Usiadł w antycznym fotelu, równie wygodnym jak sztuczne płuco. Kenneth nie spuszczał go z oka. Pewnie pilnował, żeby gość nie schował do kieszeni popielniczki albo czegoś podobnego.

Helen usiadła na kanapie naprzeciw gościa. Kenneth stanął za nią i położył dłonie na jej ramionach. Upozowali się jak do zdjęcia. Jak królewska para. Do pokoju przydreptała mała dziewczynka, najwyżej trzy- lub czteroletnia.

— To Cassie — powiedziała Helen Van Slyke. — Siostra Valerie.

Myron z szerokim uśmiechem nachylił się do dziewczynki.

— Cześć, Cassie.

Mała ryknęła płaczem, jakby ją ukłuł szpilką. Helen Van Slyke przytuliła córkę, która wydała z siebie jeszcze kilka przeraźliwych wrzasków, po czym ucichła. Przez cały czas zerkała na Myrona zza zaciśniętych piąstek. Może ona też obawiała się o bezpieczeństwo popielniczek.

— Windsor mówił mi, że jest pan agentem sportowym — powiedziała Helen Van Slyke.

— Tak.

— Zamierzał pan reprezentować moją córkę?

— Omawialiśmy taką ewentualność.

— Nie rozumiem, dlaczego ta rozmowa nie może poczekać, Helen — powiedział Kenneth.

Zignorowała go.

— W jakim celu chciał pan się ze mną widzieć, panie Bolitar?

— Zamierzałem zadać pani kilka pytań.

— Jakiego rodzaju pytań? — spytał Kenneth. Podejrzliwie.

Helen uciszyła go machnięciem ręki.

— Proszę mówić dalej, panie Bolitar.

— Rozumiem, że około sześciu lat temu Valerie była hospitalizowana.

— A jakie to ma znaczenie? — wtrącił się znowu Kenneth.

— Kenneth, proszę, zostaw nas samych.

— Ależ, Helen...

— Proszę. Zabierz Cassie na spacer.

— Jesteś pewna?

— Tak.

Próbował się spierać, ale nie miał z nią żadnych szans. Zamknęła oczy, dając znak, że to koniec dyskusji. Kenneth niechętnie wziął córkę za rękę. Kiedy znaleźli się poza zasięgiem głosu, powiedziała:

76

— Jest trochę nadopiekuńczy.

— To zrozumiałe — rzekł Myron. — W tych okolicznościach.

— Dlaczego pyta pan o pobyt Valerie w klinice?

— Usiłuję uporządkować kilka spraw.

Przez chwilę mu się przyglądała.

— Zamierza pan złapać mordercę mojej córki, prawda?

— Tak.

— Mogę spytać dlaczego?

— Mam kilka powodów.

— Wystarczy mi jeden.

— Valerie próbowała skontaktować się ze mną, zanim ją zamordowano — odparł Myron. — Trzy razy dzwoniła do mojego biura.

— To jeszcze nie czyni pana odpowiedzialnym.

Myron nic nie powiedział. Helen Van Slyke nabrała tchu.

— I sądzi pan, że to morderstwo ma jakiś związek z jej załamaniem nerwowym?

— Tego nie wiem.

— Policja jest przekonana, że zabójcą jest ten człowiek, który nękał Valerie.

— A jak pani uważa?

Nawet nie drgnęła.

— Nie wiem. Roger Quincy wydawał się zupełnie nieszkodliwy. Sądzę jednak, że każdy facet wydaje się nieszkodliwy, dopóki nie zrobi czegoś takiego. Wciąż pisał do niej miłosne listy. Były nawet miłe, w pewien zwariowany sposób.

— Ma je pani?

— Przed chwilą oddałam je policjantom.

— Może pamięta pani, co w nich było?

— Od niemal normalnych miłosnych wyznań po obsesyjną namiętność. Czasem po prostu prosił, żeby się z nim umówiła. Innym razem pisał o dozgonnej miłości i o tym, że są sobie przeznaczeni.

— Jak reagowała na to Valerie?

— Czasem się bała. Niekiedy się śmiała. Jednak na ogół nie zwracała na nie uwagi. Tak jak my wszyscy. Nikt nie traktował tego zbyt poważnie.

— A Pavel? Czy on się niepokoił?

— Nie otwarcie.

— Czy wynajął ochroniarza dla Valerie?

— Nie. Gorąco sprzeciwiał się temu pomysłowi. Uważał, że ochroniarz mógłby wpędzić ją w depresję.

Myron zastanowił się. Pavel uważał, że Valerie nie potrzebuje ochroniarza, który by ją bronił przed natrętem, a sam wynajął goryla, który miał chronić go przed namolnymi rodzicami i łowcami autografów. To dawało do myślenia.

— Chciałbym porozmawiać o załamaniu nerwowym Valerie, jeśli można.

Helen Van Slyke lekko zesztywniała.

— Sądzę, że tę sprawę lepiej pozostawić w spokoju, panie Bolitar.

— Dlaczego?

— Ponieważ to było bolesne. Nie ma pan pojęcia jak bardzo. Moja córka przeżyła załamanie nerwowe, panie Bolitar. Miała dopiero osiemnaście lat. Była piękna. Utalentowana. Zawodowo grała w tenisa. Odnosiła znaczące sukcesy. I przeszła załamanie nerwowe. Wszyscy bardzo to przeżyliśmy. Staraliśmy się jej pomóc, nie dopuścić, aby dostało się to do prasy i publicznej wiadomości. Dołożyliśmy wszelkich starań, żeby to zatuszować.

Zamilkła i zamknęła oczy.

— Pani Van Slyke?

— Nic mi nie jest — powiedziała.

— Wspomniała pani, że usiłowaliście to zatuszować — przypomniał Myron.

Otworzyła oczy. Uśmiechnęła się i wygładziła spódnicę.

— Tak, no cóż, nie chciałam, żeby ten epizod zrujnował jej życie. Wie pan, jacy są ludzie. Do końca życia pokazywaliby ją palcami i szeptali. Nie chciałam tego. I owszem, byłam też trochę zawstydzona. Byłam wówczas młodsza, panie Bolitar.

Obawiałam się tego, w jaki sposób jej załamanie odbije się na rodzinie Brentmanów.

— Brentmanów?

— To moje panieńskie nazwisko. Ta posiadłość nazywa się Brentman Hall. Mój pierwszy mąż nazywał się Simpson. Był karierowiczem. Kenneth to mój drugi małżonek. Wiem, że ludzie plotkują o dzielącej nas różnicy wieku, ale Van Slyke'owie to stara rodzina. Jego prapradziadek i mój byli wspólnikami.

Niezły powód do zawarcia małżeństwa.

— Od jak dawna jest pani żoną Kennetha?

— W kwietniu minęło sześć lat.

— Rozumiem. Zatem wyszła pani za mąż mniej więcej wtedy, kiedy Valerie została hospitalizowana.

Zmrużyła oczy i powiedziała nieco wolniej:

— Co właściwie pan implikuje, panie Bolitar?

— Nic — odparł Myron. — Niczego nie implikowałem. Naprawdę.

No, może troszeczkę.

— Proszę mi opowiedzieć o Alexandrze Crossie.

Znów zesztywniała i zacisnęła wargi.

— Co takiego? — spytała nieco gniewnym tonem.

— Czy jego i Valerie łączyło coś poważnego?

— Panie Bolitar — powiedziała z wyraźnym zniecierpliwieniem. — Windsor Lockwood to stary przyjaciel naszej rodziny. Ze względu na niego zgodziłam się z panem porozmawiać. Wcześniej przedstawił się pan jako człowiek, któremu zależy na ujęciu mordercy mojej córki.

— Tak istotnie jest.

— Zatem proszę mi wyjaśnić, co ma z tym wspólnego Alexander Cross, załamanie nerwowe mojej córki lub moje małżeństwo?

— Ja po prostu czynię pewne założenia, pani Van Slyke. Zakładam, że to nie było przypadkowe zabójstwo, że pani córki nie zastrzelił nieznajomy. A to oznacza, że muszę dowiedzieć się o niej wszystkiego. Poznać fakty. Nie zadaję tych pytań dla rozrywki. Muszę wiedzieć, kto bał się Valerie, nienawidził jej lub mógł coś zyskać przez jej śmierć. A to oznacza, że muszę poznać również nieprzyjemne fakty z jej życia.

Odrobinę za długo spoglądała mu w oczy, a potem odwróciła wzrok.

— Co chce pan wiedzieć o mojej córce, panie Bolitar?

— Znam podstawowe fakty — rzekł Myron. — Valerie okrzyknięto cudownym dzieckiem, kiedy miała zaledwie szesnaście lat i wzięła udział we French Open. Pokładano w niej wielkie nadzieje, lecz niebawem zaczęła grać nieco słabiej. A potem było jeszcze gorzej. Zaczął ją nękać natrętny wielbiciel, niejaki Roger Quincy. Łączył ją związek z synem wybitnego polityka, z chłopcem, który został zamordowany. Przeszła załamanie nerwowe. Muszę zebrać dodatkowe kawałki tej łamigłówki, jeśli mam ją rozwiązać.

— Bardzo trudno mi mówić o tym wszystkim.

— W pełni to rozumiem — rzekł łagodnie Myron. Tym razem zrezygnował z uśmiechu Phila Donahue i wybrał wersję Alana Aldy. Więcej zębów, wilgotne oczy.

— Nic więcej nie mogę panu powiedzieć, panie Bolitar. Nie mam pojęcia, dlaczego ktoś mógłby pragnąć jej śmierci.

— Może mogłaby pani opowiedzieć mi o ostatnich kilku miesiącach. Jak czuła się Valerie? Czy wydarzyło się coś niezwykłego?

Helen bawiła się sznurem pereł, skręcając go w palcach, aż zostawił czerwony ślad na jej szyi.

— W końcu zaczęła dochodzić do siebie — odparła zduszonym głosem. — Sądzę, że pomógł jej w tym tenis. Przez kilka lat nie dotykała rakiety. Nagle zaczęła grać. Z początku tylko trochę. Tak dla rozrywki.

Nagle maska opadła. Helen Van Slyke nie zdołała dłużej ukrywać uczuć. Łzy popłynęły jej z oczu. Myron ujął jej dłoń. Odpowiedziała jednocześnie mocnym i drżącym uściskiem.

— Przykro mi — rzekł.

Potrząsnęła głową i z trudem wykrztusiła:

— Valerie zaczęła grać codziennie. Dobrze jej to robiło. Fizycznie i psychicznie. W końcu zaczęła dochodzić do siebie. A wtedy... — Znowu urwała i zapatrzyła się w dal. — Ten drań.

Być może miała na myśli nieznanego zabójcę, ale Myron miał wrażenie, że jej gniew jest skierowany przeciwko jakiejś konkretnej osobie.

— Kto? — zapytał.

— Helen?

Wrócił Kenneth. Pośpiesznie przeszedł przez pokój i wziął żonę w ramiona. Myron miał wrażenie, że lekko wzdrygnęła się, kiedy jej dotknął, ale może tylko mu się przywidziało. Kenneth spojrzał przez ramię na Myrona.

— Widzi pan, co pan narobił? — syknął. — Niech się pan wynosi.

— Pani Van Slyke?

Skinęła głową.

— Proszę odejść, panie Bolitar. Tak będzie najlepiej.

— Jest pani pewna?

Kenneth znów wrzasnął:

— Wynocha! Natychmiast! Zanim cię wyrzucę!

Myron spojrzał na niego. To nie był odpowiedni czas ani miejsce.

— Przepraszam, że niepokoiłem, pani Van Slyke. Proszę przyjąć moje najszczersze kondolencje.

Wyszedł.

9

Kiedy Myron wszedł do ciasnego komisariatu i popatrzył na Jake'a, zobaczył, że jego podbródek jest pokryty czerwoną i lepką substancją. Mogło to być nadzienie z pączka. Albo rezultat kontaktu z jakimś zwierzęciem. W przypadku Jake'a obie możliwości były równie prawdopodobne.

Jake Courter został dwa lata wcześniej wybrany na szeryfa Reston w okręgu New Jersey. Ze względu na to, że Jake był czarnoskóry, a miasto miało niemal wyłącznie białych mieszkańców, większość ludzi uważała wynik wyborów za niepokojący. Jednak nie Jake. Reston było akademickim miasteczkiem. A w akademickich miasteczkach roi się od liberalnych intelektualistów, którzy chcą pomóc czarnym braciom. Jake uważał, że kolor skóry wystarczająco utrudniał mu dotychczasowe życie, więc niech choć raz przyniesie korzyść. Poczucie winy białych ludzi, powiedział Myronowi. Najskuteczniejszy środek zdobywania głosów, nie licząc reklam Williego Hortona.

Jake był po pięćdziesiątce. Przez większość swego życia służył w policji, w kilku dużych miastach — Nowym Jorku, Filadelfii, Bostonie i innych. Zmęczony tropieniem wielkomiejskich mętów, przeniósł się na przedmieścia, aby uganiać się za małomiasteczkowymi mętami. Myron poznał go przed rokiem, kiedy prowadził dochodzenie w sprawie zniknięcia Kathy Culver, siostry Jessiki, studentki Uniwersytetu Reston.

— Cześć, Myron.

— Cześć.

Jake, jak zwykle, był wymiętoszony. Cały. Od włosów po mundur. Nawet jego biurko wydawało się wymiętoszone, jak bawełniana koszula trzymana na dnie kosza z praniem. Na blacie walało się mnóstwo różności. Pudełko z Pizza Hut. Torebka od Wendy. Kubek po lodach Carvel. Niedojedzona kanapka od Blimpiego. A także, oczywiście, puszka preparatu odchudzającego Slim-Fast. Jake ważył prawie sto trzydzieści pięć kilogramów. Spodnie były za ciasne na brzuchu, a zbyt szerokie w talii. Wciąż je podciągał, usiłując znaleźć to jedno właściwe położenie, w którym pozostałyby w bezruchu. Znalezienie tego położenia wymagałoby zatrudnienia zespołu wybitnych naukowców i naprawdę silnego mikroskopu.

— Chodźmy zaliczyć kilka hamburgerów — zaproponował Jake, ocierając twarz wilgotnym ręcznikiem. — Umieram z głodu.

Myron podniósł puszkę Slim-Fastu i uśmiechnął się słodko.

— Wspaniały koktajl na śniadanie. I na lunch. A także na kolację.

— Guzik prawda. Próbowałem. To gówno nie działa.

— Jak długo to jadłeś?

— Prawie cały dzień. I nic. Nie ubyło mi nawet pół kilo.

— Powinieneś zaskarżyć producenta.

— A w dodatku smakuje jak proch strzelniczy.

— Masz akta Alexandra Crossa?

— Tak, przy sobie. Chodźmy.

Myron wyszedł za Jakiem na ulicę. Weszli do knajpki, na wyrost nazwanej „Royal Court Dinner". Nora. Po kapitalnym remoncie może osiągnęłaby poziom publicznej toalety przy autostradzie. Jake uśmiechnął się.

— Miło, no nie?

— Od samego zapachu twardnieją mi arterie — powiedział Myron.

— O rany, człowieku, nie wdychaj tego zapachu.

Przy stoliku stała stara szafa grająca. Płyt nie zmieniano w niej od bardzo dawna. Według niewielkiego ogłoszenia, pierwsze miejsce na liście przebojów zajmował singel Eltona Johna, *Crocodile Rock*.

Kelnerka była standardowym wydaniem spotykanym w takich lokalach. Zgryźliwa, po pięćdziesiątce, o blond włosach z lekko purpurowym odcieniem, nigdy niewystępującym w przyrodzie.

— Cześć, Millie — powiedział Jake.

Rzuciła im menu, nic nie mówiąc i prawie nie zwalniając kroku.

— To jest Millie — wyjaśnił Jake.

— Świetnie się trzyma — pochwalił Myron. — Mogę zobaczyć akta?

— Najpierw zjedzmy.

Myron podniósł menu. Plastikowa okładka. I lepka. Bardzo lepka. Jakby ktoś polał ją syropem klonowym. W załamaniach tkwiły również kawałki jajecznicy. Myron gwałtownie tracił apetyt.

Trzy sekundy później Millie wróciła i westchnęła.

— Co ma być?

— Daj mi cheeseburgera deluxe — zamówił Jake. — Z podwójnymi frytkami zamiast sałatki z surowej kapusty. I dietetyczną colę.

Millie spojrzała na Myrona. Niecierpliwie. Uśmiechnął się.

— Macie wegetariańskie menu?

— Co takiego?

— Nie bądź dupkiem — ostrzegł Jake.

— Poproszę o smażony ser — rzekł Myron.

— Do tego frytki?

— Nie.

— Coś do picia?

— Dietetyczną colę. Tak jak mój odchudzający się kolega.
Millie spojrzała na Myrona, mierząc go wzrokiem.
— Przystojniak z pana.
Posłał jej skromny uśmiech. Ten, który mówił „Ach, co tam".
— I wygląda pan znajomo.
— Po prostu mam taką twarz — rzekł Myron. — Urodziwą,
lecz znajomą.
— Nie umawiał się pan kiedyś z jedną z moich córek? Na
przykład z Glorią. Pracuje na nocnej zmianie.
— Nie sądzę.
Ponownie zmierzyła go wzrokiem.
— Jest pan żonaty?
— Jestem z kimś związany.
— Nie o to pytałam — powiedziała. — Jest pan żonaty?
— Nie.
— To w porządku.
Odwróciła się i odeszła.
— O co jej chodziło?
Jake wzruszył ramionami.
— Miejmy nadzieję, że nie poszła po Glorię.
— Dlaczego?
— Ona wygląda jak moje lustrzane odbicie... tylko o białej
skórze. I z większym podbródkiem.
— Brzmi zachwycająco.
— Wciąż jesteś z Jessicą Culver?
— Chyba tak.
Jake pokręcił głową.
— Człowieku, ona to co innego. Nigdy nie widziałem równie
dobrze wyglądającej babki.
Myron powstrzymał uśmiech.
— Trudno się z tym spierać.
— A ponadto owinęła cię wokół małego palca.
— Z tym też trudno się spierać.
— Są gorsze miejsca, wokół których człowiek może się
owinąć.

— Jak wyżej.

Milie wróciła z dwiema dietetycznymi colami. Tym razem prawie udało jej się uśmiechnąć do Myrona.

— Taki przystojny mężczyzna nie powinien być samotny — zauważyła.

— Jestem poszukiwany w kilku stanach — rzekł Myron.

Millie nie wyglądała na zrażoną. Wzruszyła ramionami i odeszła. Myron odwrócił się z powrotem do Jake'a.

— W porządku — powiedział. — Gdzie te akta?

Jake otworzył teczkę. Podał Myronowi zdjęcie przystojnego, zdrowo wyglądającego mężczyzny. Opalonego, krzepkiego, w tenisowym stroju. Myron widział to zdjęcie w gazetach, wkrótce po śmierci Crossa.

— Poznaj Alexandra Crossa — rzekł Jake. — Kiedy go zamordowano, miał dwadzieścia cztery lata. Absolwent Wharton. Syn senatora Stanów Zjednoczonych, Bradleya Crossa z Pensylwanii. Wieczorem dwudziestego czwartego lipca, przed sześcioma laty, brał udział w przyjęciu w klubie tenisowym o nazwie „Old Oaks" w Wayne, w Pensylwanii. Szacowny senator również tam był. To piekielnie szykowne miejsce: wymyślne żarcie, korty na zewnątrz i pod dachem, ziemne i utwardzane, oświetlone i tak dalej. Mają tam nawet korty trawiaste.

— Rozumiem.

— Nie wiadomo dokładnie, co się tam stało, ale oto, co wiemy. Alexander Cross z trzema kolegami spacerował po terenie klubu.

— W nocy? Podczas przyjęcia?

— To się zdarza.

— Nieczęsto.

Jake wzruszył ramionami.

— W każdym razie usłyszeli jakiś hałas dobiegający z zachodniego końca posiadłości. Poszli to sprawdzić. Napotkali dwóch podejrzanie wyglądających młodzieńców.

— Podejrzanie wyglądających?

— Ci młodzieńcy byli... jak dzisiaj nas nazywają? Afroamerykanami?

— Aha — mruknął Myron. — Zatem można bezpiecznie założyć, że klub „Old Oaks" nie miał wielu afroamerykańskich członków?

— Ani jednego. To elitarny klub.

— Zatem nigdy nie przyjęliby nie tylko ciebie, ale i mnie.

— Wielka szkoda — odparł Jake. — Założę się, że spodobałoby nam się to przyjęcie.

— I co się wydarzyło potem?

— Według zeznań świadków, biali młodzieńcy podeszli do czarnoskórych. Jeden z czarnych, później zidentyfikowany jako niejaki Errol Swade, wyjął nóż sprężynowy.

Myron skrzywił się.

— Nóż sprężynowy?

— Tak, wiem. Banalne. Zero wyobraźni. No cóż, wydarzył się nieszczęśliwy wypadek. Alexander Cross został pchnięty nożem. Ci dwaj młodzieńcy uciekli. Kilka godzin później policja osaczyła ich w północnej Filadelfii, niedaleko od miejsca ich zamieszkania. Podczas próby aresztowania jeden z tych łobuzów wyciągnął broń. Niejaki Curtis Yeller. Szesnastoletni. Został zastrzelony przez policjanta. Z tego, co mi wiadomo, matka Yellera była na miejscu zbrodni. Trzymała go w ramionach, kiedy umierał.

— Widziała, jak go zastrzelono?

Jake wzruszył ramionami.

— Tu nie napisali.

— A co się stało z Errolem Swade'em?

— Uciekł. Rozpoczęto szeroko zakrojone poszukiwania. Jego zdjęcie znalazło się we wszystkich gazetach i w każdym komisariacie. Oczywiście, do sprawy przydzielono wielu funkcjonariuszy ze względu na to, że ofiarą był syn senatora i w ogóle. Jednak dopiero teraz usłyszysz coś ciekawego.

Myron sączył dietetyczną colę. Bez lodu.

— Nigdy nie znaleźli Errola Swade'a — oznajmił Jake.

Myron zamarł.

— Nigdy?

Jake pokręcił głową.

— Chcesz mi powiedzieć, że Swade uciekł?

— Na to wygląda.

— Ile miał lat?

— Kiedy to się stało, dziewiętnaście.

Myron zastanawiał się przez chwilę.

— Zatem teraz miałby dwadzieścia pięć.

— O! Jesteś genialnym matematykiem.

Myron nie uśmiechnął się. Millie przyniosła talerze. Wygłosiła następną uwagę, ale Myron jej nie usłyszał. Dwadzieścia pięć lat. Myron mimo woli zastanawiał się. Wprawdzie było to idiotyczne podejrzenie. Niewybaczalne. Może nawet rasistowskie. Mimo wszystko nie mógł się go pozbyć. Dwadzieścia pięć lat. Duane twierdził, że ma dwadzieścia jeden, ale ile miał naprawdę?

No nie. To niemożliwe.

Myron pociągnął kolejny łyk napoju.

— Co wiesz o tym Errolu Swadzie? — zapytał.

— Drobny złodziejaszek. Wcześniej już trzykrotnie siedział w więzieniu. Jego pierwszym przestępstwem była kradzież samochodu. Potem popełnił wiele innych. Rozboje, napady, kradzieże samochodów, narkotyki. Ponadto był członkiem agresywnego gangu. Zgadnij, jak nazywał się ten gang.

Myron wzruszył ramionami.

— Josie i Kociaki?

— Blisko. Plamy. To skrót od Plam Krwi. Nosili koszule poplamione krwią ofiar. Coś w rodzaju odznaki skauta.

— Czarujące.

— Errol Swade i Curtis Yeller byli kuzynami. Swade mieszkał u Yellerów przez miesiąc, od kiedy wyszedł z więzienia. Zobaczmy, co tu jeszcze mamy. Swade był narkomanem. Też mi niespodzianka. Zażywał kokainę. Następna. I był kompletnym świrem.

— No to jak zdołał się wymknąć z obławy?

Jake podniósł swojego hamburgera i odgryzł kawałek. Duży kawałek. Co najmniej pół hamburgera.

— Nie zdołał — rzekł z pełnymi ustami.

— Słucham?

— W żaden sposób nie mógłby tak długo trzymać się z dala od kłopotów. To niemożliwe.

— Zaczekaj. Czyżbym czegoś nie dosłyszał?

— Oficjalnie policja wciąż go szuka — rzekł Jake. — Jednak nieoficjalnie są przekonani, że on nie żyje. Ten chłopak był głupim ćpunem. Nie umiałby oburącz złapać się za własny tyłek, nie mówiąc już o tak skutecznym ukrywaniu się przed pościgiem.

— Co więc się stało?

— Plotka głosi, że mafia oddała przysługę senatorowi. Załatwili Swade'a.

— Senator Cross kazał go sprzątnąć?

— Czy to cię dziwi? Ten facet jest politykiem. W porównaniu z nim pedofil to wzór cnót.

— Czy ty czasem nie zostałeś wybrany na szeryfa?

Jake skinął głową.

— Sam widzisz.

Myron zaryzykował i ugryzł kanapkę. Smakowała jak gąbka do zmywania garnków.

— Czy masz rysopis Errola Swade'a? — zapytał, niemal mając nadzieję, że usłyszy przeczącą odpowiedź.

— Mam coś lepszego. Mam jego zdjęcie.

Jake otrzepał dłonie, a potem jeszcze na wszelki wypadek otarł je o koszulę. Później sięgnął do teczki i wyjął fotografię. Podał ją Myronowi. Ten powstrzymał chęć wyrwania mu jej z ręki.

Zdjęcie nie przedstawiało Duane'a.

Ten chłopak wcale nie był do niego podobny. I nie byłby,

nawet po operacji plastycznej. Przede wszystkim Errol Swade miał o wiele jaśniejszą skórę i kanciastą głowę, niepodobną do okrągłej czaszki Duane'a. Zbyt szeroko rozstawione oczy. Po prostu wyglądał zupełnie inaczej. I podano, że miał metr osiemdziesiąt cztery, a więc był dziesięć centymetrów wyższy od Duane'a. W żaden sposób nie można udawać niższego.

Myron miał ochotę odetchnąć z ulgą.

— Czy w tych aktach występuje nazwisko Valerie Simpson? — zapytał.

W oczach Jake pojawił się błysk zaciekawienia.

— Czyje?

— Słyszałeś.

— O rany, Myronie, to chyba nie jest ta sama Valerie Simpson, która wczoraj została zamordowana?

— Dziwnym zbiegiem okoliczności właśnie jest. Czy w tych aktach znajduje się jej nazwisko?

Jake podał mu połowę dokumentów.

— Niech mnie diabli, jeśli wiem. Pomóż mi szukać.

Przejrzeli akta. Nazwisko Valerie wymieniono tylko na jednej stronie. Na liście gości. Wśród stu innych. Myron zanotował nazwiska i adresy trzech przyjaciół Alexandra Crossa — świadków morderstwa. W aktach nie znalazł już niczego interesującego.

— A więc — naciskał Jake — co śliczna i martwa Valerie Simpson ma z tym wspólnego?

— Nie mam pojęcia.

— Jezu Chryste! — Jake pokręcił głową. — Nie możesz przestać?

— Przecież nic ci nie robię.

— Co masz?

— Mniej niż nic.

— To samo mówiłeś, kiedy chodziło o Kathy Culver.

— Tylko że tym razem to nie twoje śledztwo, Jake.

— Może mógłbym ci pomóc.

— Naprawdę nic nie mam. Valerie Simpson przed kilkoma

90

dniami odwiedziła moje biuro. Chciała wrócić na kort, ale ktoś ją zabił. Chcę się dowiedzieć kto, to wszystko.

— Wciskasz mi kit.

Myron wzruszył ramionami.

— W telewizji mówili coś o tym, że załatwił ją jakiś maniak.

— Mógł to zrobić. Pewnie zrobił.

Zamilkli.

— Znowu coś ukrywasz — stwierdził Jake. — Tak samo jak wtedy, z Kathy Culver.

— Tajemnica zawodowa.

— Nie powiesz mi?

— Nie. Tajemnica zawodowa.

— Znowu kogoś osłaniasz?

— Tajemnica zawodowa — rzekł Myron. — Nie mogę jej wyjawić. To poufne informacje i muszę zachować je w sekrecie.

— Dobrze, niech ci będzie — rzekł Jake. — I jak lunch?

— Może ten lokal nie jest zbyt elegancki, ale przynajmniej można tu trafić po zapachu.

Jake roześmiał się.

— Słuchaj, masz bilety na turniej Open?

— Taak.

— Może załatwiłbyś mi dwa?

— Na kiedy?

— Na ostatnią sobotę.

Półfinały mężczyzn i finały kobiet.

— Trudna sprawa — mruknął Myron.

— Nie dla takiego sławnego agenta jak ty.

— Będziemy kwita?

— Taak.

— Zostawię je w okienku informacji.

— Postaraj się o dobre miejsca.

— Z kim pójdziesz?

— Z moim synem, Gerardem.

Myron w college'u grał przeciwko drużynie Gerarda. Ten facet był silny jak byk, ale brakowało mu finezji.

— Wciąż pracuje w nowojorskim wydziale zabójstw?

— Tak.

— Mógłby oddać mi drobną przysługę?

— Cholera. Na przykład jaką?

— Gliniarz prowadzący sprawę Valerie to kompletny dupek.

— A ty chcesz wiedzieć, co oni mają.

— Właśnie.

— Dobrze. Poproszę Gerarda, żeby do ciebie zadzwonił.

10

— Jakieś wiadomości?

Esperanza kiwnęła głową.

— Chyba z milion.

Myron przekartkował stosik.

— Jakieś wieści od Eddiego Crane'a?

— Zjesz kolację z nim i z jego rodzicami.

Podniósł głowę.

— Kiedy?

— Dzisiaj. O siódmej trzydzieści. W „La Reserve". Już zarezerwowałam stolik. Pamiętaj, żeby powołać się na Wina.

Nazwisko Wina było dobrze znane w wielu najlepszych restauracjach Nowego Jorku.

— Oczywiście zdajesz sobie sprawę z tego, że jesteś genialna.

Skinęła głową.

— Pewnie.

— Chcę, żebyś poszła ze mną.

— Nie mogę. Mam zajęcia.

Esperanza uczęszczała na wieczorowe studia prawnicze.

— Czy Pavel Menansi wciąż jest trenerem Eddiego? — zapytał Myron.

— Tak. Czemu pytasz?

— Wczoraj wieczorem odbyłem z nim krótką pogawędkę na stadionie.

— Na jaki temat?

— Kiedyś trenował Valerie.

— I o tym „gawędziliście"?

Myron kiwnął głową.

— Zakładam, że roztoczyłeś przed nim cały swój urok osobisty, jak zwykle?

— Coś w tym rodzaju.

— No to nie mamy szans ściągnąć Eddiego — orzekła.

— Niekoniecznie. Gdyby Eddie był naprawdę przywiązany do Pavela, to już dawno podpisałby kontrakt z TruPro. Może niezbyt układa im się współpraca.

— O mało nie zapomniałam. — Esperanza podniosła kilka kartek papieru. — Właśnie przyszły faksem. Chcą, żebyś zaraz to podpisał.

Umowa z obiecującym baseballistą, niejakim Sandym Repo. Miotaczem. Houston Astros chcieli, by zagrał w pierwszej turze. Myron przejrzał umowę. Została uzgodniona ustnie poprzedniego dnia rano, ale natychmiast dostrzegł nowy paragraf. Wciśnięty na przedostatniej stronie.

— Spryciarze — powiedział.

— Kto?

— Astros. Połącz mnie z Bobem Wassonem.

Bob Wasson był menedżerem klubu. Esperanza podniosła słuchawkę.

— Jutro po południu masz się spotkać z Burger City.

— W tym samym czasie, kiedy gra Duane?

Skinęła głową.

— Mogłabyś się tym zająć? — zapytał.

— Nie będą zachwyceni, jeśli będą musieli rozmawiać z recepcjonistką.

— Jesteś przedstawicielką agencji — poprawił ją Myron. — Cenioną pracownicą.

— Jednak nie szefem. Nie samym Myronem Bolitarem.

— No bo któż mógłby się z nim równać?

Esperanza przewróciła oczami, podniosła słuchawkę i zaczęła wybierać numer. Celowo nie patrzyła na Myrona.

— Naprawdę sądzisz, że sobie poradzę?

Z tonu jej głosu trudno było coś wywnioskować. Może sygnalizował sarkazm, a może niepokój. Zapewne jedno i drugie.

— Będą chcieli namówić Duane'a na występ w ich nowej akcji promocyjnej — wyjaśnił. — Jednak Duane chce zaczekać na kampanię o zasięgu ogólnokrajowym. Spróbuj wcisnąć im kogoś innego.

— W porządku.

Myron wszedł do swojego gabinetu. Dom. Tara. Miał z niego piękny widok na wieżowce Manhattanu. Nie było to luksusowe, narożne biuro Wina, ale niemal równie ładne. Na jednej ścianie wisiały zdjęcia z filmów. Od takich z Bogartem i Bacall po ujęcia z Allenem i Diane Keaton. Drugą ścianę zdobiły plakaty z Broadwayu. Głównie musicali. Rozmaitych — od Rodgersa i Hammersteina po Andrew Lloyda Webbera. Ostatnia ze ścian była przeznaczona dla klientów biura, na zdjęcia każdego zawodnika. Myron przyjrzał się fotografii Duane'a, przymierzającego się do serwu.

— Co się dzieje, Duane? — zapytał go głośno. — Co ty ukrywasz?

Zdjęcie nie odpowiedziało. Fotografie rzadko to robią.

Zadzwonił telefon. W słuchawce usłyszał głos Esperanzy.

— Mam na linii Boba Wassona.

— W porządku.

— Mogę go chwilę przetrzymać. Aż skończysz gadać do ściany.

— Nie, chyba odbiorę od razu. — Spryciara. Nacisnął przycisk włącznika mikrofonu. — Bob?

— Do licha, Bolitar, wyłącz ten mikrofon. Nie jesteś aż tak ważny.

Myron podniósł słuchawkę.

— Tak lepiej?

— Owszem. Czego chcesz?

— Otrzymałem dziś kontrakt.

— To świetnie. Oto co powinieneś teraz zrobić. Krok pierwszy: złożyć podpis w miejscu oznaczonym krzyżykiem. Wiesz jak, prawda? Kazałem wypisać twoje nazwisko poniżej iksa na wypadek, gdybyś miał problemy z pisownią. I użyj pióra, Myronie. Czarnym lub granatowym atramentem, proszę. Nie kredką. Krok drugi: włóż umowę do zaadresowanej koperty. Zwilż brzeg. Nadążasz?

Dobry stary Bob. Zabawny jak stado wszy.

— Jest pewien problem — powiedział Myron.

— Co?

— Problem.

— Słuchaj, Bolitar, jeżeli próbujesz wydusić ze mnie więcej forsy, możesz sam się wypieprzyć.

— Punkt trzydziesty siódmy. Paragraf „c".

— Co z nim?

Myron odczytał na głos.

— „Zawodnik zgadza się nie uprawiać sportów zagrażających jego zdrowiu i bezpieczeństwu, włącznie, lecz nie tylko, z zawodowym boksem, zapasami, motokrosem, wyścigami rowerowymi i samochodowymi, spadochroniarstwem, paralotniarstwem, łowiectwem, itd.".

— Taak i co z tego? To typowa klauzula. Dostaliśmy taką z NBA.

— Umowa z NBA nic nie wspomina o łowiectwie.

— Co?

— Proszę, Bob, postaraj się nie traktować mnie jak imbecyla. Dodałeś słowo „łowiectwo". Po prostu wcisnąłeś je do umowy.

— I o co ten krzyk? Twój chłopak poluje. Dwa lata temu odniósł kontuzję podczas polowania i opuścił połowę sezonu juniorów. Chcemy mieć pewność, że to się nie powtórzy.

— Zatem musicie mu to zrekompensować — powiedział Myron.

— Co? Nie wkurzaj mnie, Bolitar. Chcesz, żebyśmy płacili chłopakowi, jeśli dozna kontuzji, no nie?

— Właśnie.

— Dlatego nie chcemy, żeby polował. Załóżmy, że sam się postrzeli. Albo jakiś inny dupek weźmie go za jelenia i ustrzeli. Czy wiesz, ile by nas to kosztowało?

— Twoja troska jest wzruszająca.

— Och, wybacz. Po tysiąckroć przepraszam. Chyba powinienem okazywać więcej współczucia i mniej płacić.

— Bardzo słusznie. Skreśl moją ostatnią uwagę.

— Skreślona. Skończyłeś?

— Mój klient lubi polować. To wiele dla niego oznacza.

— A jego lewa ręka ma wielkie znaczenie dla nas.

— Dlatego proponuję kompromis.

— Jaki?

— Dodatkową zapłatę. Jeśli Sandy nie będzie polował, zapłacicie mu pod koniec roku dwadzieścia tysięcy dolarów.

Śmiech w słuchawce.

— Zwariowałeś.

— No to wykreśl łowiectwo z umowy. To niestandardowa klauzula i my jej nie chcemy.

Chwila namysłu.

— Pięć kawałków. I ani grosza więcej.

— Piętnaście.

— Wypchaj się, Myron. Osiem.

— Piętnaście — powtórzył Myron.

— Chyba zapominasz o zasadach tej gry — rzekł Bob. — Ja trochę podnoszę stawkę. Ty odrobinę opuszczasz. Spotykamy się pośrodku.

— Piętnaście, Bob.

— To ostatnie słowo.

Win otworzył drzwi i wszedł. Usiadł bez słowa, założył nogę na nogę i zaczął oglądać swoje wypielęgnowane paznokcie.

— Dziesięć — powiedział Bob.

— Piętnaście.

Negocjacje trwały. Win wstał i przyjrzał się swojemu odbiciu w lustrze za drzwiami. Pięć minut później, gdy Myron zakończył rozmowę, Win wciąż poprawiał włosy. Wprawdzie wszystkie blond loczki były idealnie ułożone, lecz to nigdy nie zrażało Wina.

— Na ilu stanęło? — zapytał.

— Trzynastu i pół.

Win kiwnął głową. Uśmiechnął się do swojego odbicia.

— Wiesz, o czym myślę?

— O czym?

— To okropne być brzydkim.

— Uhm. Możesz na moment odkleić się od tego lustra?

Win westchnął.

— To nie będzie łatwe.

— Bądź dzielny.

— Chyba zawsze mogę popatrzeć w nie później.

— Właśnie. Przynajmniej będziesz miał na co czekać.

Win po raz ostatni przygładził włosy, odwrócił się i usiadł.

— Co się dzieje?

— Ten szaroniebieski cadillac wciąż za mną jeździ.

Win uśmiechnął się z zadowoleniem.

— I chcesz, żebym się dowiedział, kto w nim siedzi?

— Coś w tym rodzaju — odparł Myron.

— Wspaniale.

— Jednak nie zabieraj się do nich beze mnie.

— Nie ufasz moim umiejętnościom oceny sytuacji?

— Po prostu zróbmy to razem, dobrze?

Win wzruszył ramionami.

— Jak udała się wizyta u Van Slyke'ów?

— Poznałem Kennetha. To była miłość od pierwszego wejrzenia.

— Wyobrażam sobie.

— Znasz go?

— Och tak.

— Czy naprawdę jest takim dupkiem, za jakiego go uważam?

Win szeroko rozłożył ramiona.

— Monstrualnym.

— Wiesz o nim coś więcej?

— Nic ciekawego.

— A możesz go sprawdzić?

— Oczywiście. Czego jeszcze się dowiedziałeś?

Myron opowiedział mu o tym, co usłyszał u Van Slyke'ów i od Jake'a.

— Robi się coraz ciekawiej — orzekł Win, kiedy Myron skończył.

— Owszem.

— Co zamierzasz teraz?

— Chcę przeprowadzić zmasowany atak.

— A dokładnie?

— Przede wszystkim porozmawiać z lekarzem Valerie.

— Który będzie w kółko gledził o tajemnicy lekarskiej — rzekł Win, niedbale machnąwszy ręką. — Strata czasu. Z kim jeszcze?

— Matka Curtisa Yellera widziała, jak zastrzelono jej syna. Ona jest również ciotką Errola Swade'a. Może w związku z tym wpadła na jakiś pomysł.

— Na przykład na jaki?

— Może wie, co się stało z Errolem.

— I co? Spodziewasz się, że ci powie?

— Nigdy nie wiadomo.

Win skrzywił się.

— Tak więc w zasadzie twój plan sprowadza się do błądzenia po omacku.

— Mniej więcej. Będę też chciał porozmawiać z senatorem Crossem. Sądzisz, że zdołasz załatwić mi to spotkanie?

— Mogę spróbować — odparł Win. — Tylko że od niego też niczego się nie dowiesz.

— Chłopie, jesteś dziś ucieleśnieniem optymizmu.

— Mówię, jak jest.

— Dowiedziałeś się czegoś w „Plaza"?

— Skoro o tym mowa, to i owszem. — Win odchylił się w krześle i złączył czubki palców. — W ciągu ostatnich czterech dni Valerie przeprowadziła tylko cztery rozmowy telefoniczne. Wszystkie z twoim biurem.

— Raz zadzwoniła, żeby umówić się na spotkanie — powiedział Myron. — Potem dzwoniła trzy razy tego dnia, kiedy ją zastrzelono.

Win gwizdnął przeciągle.

— To robi wrażenie. Najpierw odkryłeś, że Kenneth jest dupkiem, a teraz to.

— Tak, czasem sam się siebie boję. Masz jeszcze coś?

— Portier w „Plaza" dość dobrze zapamiętał Valerie — ciągnął Win. — Kiedy dostał ode mnie dwadzieścia dolarów napiwku, przypomniał sobie, że często wychodziła na krótkie spacery. Uznał, że to dziwne, ponieważ goście zazwyczaj wybierają się na kilka godzin, a nie minut.

Myron ożywił się.

— Dzwoniła z budki telefonicznej.

Win skinął głową.

— Porozmawiałem z Lisą z NYNEKS-u. Nawiasem mówiąc, jesteś jej winien dwa bilety na turniej Open.

Wspaniale.

— I co odkryła?

— W dniu poprzedzającym morderstwo z budki telefonicznej na rogu Piątej i Pięćdziesiątej Dziewiątej dwukrotnie telefonowano do mieszkania niejakiego Duane'a Richwooda.

Myron zdrętwiał.

— Cholera.

— Istotnie.

— Zatem Valerie nie tylko dzwoniła do Duane'a — powiedział Myron — ale w dodatku zadała sobie sporo trudu, żeby nikt się o tym nie dowiedział.

— Na to wygląda.

Milczeli przez chwilę. W końcu Win rzekł:

— Będziesz musiał z nim porozmawiać.

— Wiem.

— Zaczekaj z tym do końca turnieju — dodał Win. — Ze względu na udział w turnieju Open i tę wielką kampanię reklamową Nike'a lepiej go teraz nie denerwować. To może zaczekać.

Myron pokręcił głową.

— Porozmawiam z Duane'em jutro. Po meczu.

11

François, maître d'hotel w „La Reserve", kręcił się wokół ich stolika niczym sęp czekający na zgon ofiary albo gorzej — jak nowojorski szef sali spodziewający się bardzo dużego napiwku. Odkrywszy, że Myron jest serdecznym przyjacielem Windsora Horne'a Lockwooda Trzeciego, François zaprzyjaźnił się z Myronem w taki sam sposób, w jaki pies przyjaźni się z człowiekiem mającym kawał surowego mięsa w kieszeni.

Polecił im na przekąskę cienko pokrojonego łososia oraz wątłusza, będącego specjalnością szefa kuchni. Myron skorzystał z obu sugestii. To samo zrobiła wciąż milcząca pani Crane. Jej mąż zamówił zupę cebulową i wątróbkę. Myron z pewnością nie zamierzał całować go w najbliższym czasie. Eddie zdecydował się na ślimaki po prowansalsku i sałatkę z krabów. Dzieciak szybko się uczył.

— Czy mogę polecić wino, panie Bolitar?

— Proszę.

Osiemdziesiąt pięć dolców diabli wzięli.

Pan Crane upił łyk. Z aprobatą skinął głową. Jeszcze ani razu się nie uśmiechnął i wypowiedział zaledwie kilka słów. Na szczęście dla Myrona Eddie był sympatycznym chłopcem. Bystrym. Uprzejmym. Przyjemnie się z nim rozmawiało. Jednak ilekroć pan Crane kaszlnął — tak jak teraz — Eddie milkł.

— Pamiętam pana z czasów, gdy grał pan w koszykówkę w Duke, panie Bolitar — zaczął Crane.

— Proszę mówić mi Myron.

— Świetnie. — Zamiast odwzajemnić uprzejmość, Crane zmarszczył brwi. Rzucały się w oczy: niezwykle gęste, nastroszone i w nieustannym ruchu. Wyglądały jak dwie małe łasiczki, gnieżdżące się na jego czole. — Był pan kapitanem drużyny Duke?

— Przez trzy lata — odparł Myron.

— I dwukrotnie zdobył pan mistrzostwo NCAA?

— Raczej moja drużyna, ale owszem.

— Kilka razy widziałem, jak pan grał. Był pan całkiem niezły.

— Dziękuję.

Crane nachylił się do Myrona. Jeszcze bardziej nastroszył krzaczaste brwi.

— Jeśli dobrze pamiętam — ciągnął — drużyna Celtics wystawiła pana w pierwszej turze.

Myron skinął głową.

— Jak długo pan u nich grał? Zdaje się, że niezbyt długo.

— Po pierwszym roku odniosłem kontuzję kolana w towarzyskim meczu tuż przed rozpoczęciem sezonu.

— I już nigdy więcej pan nie grał? — zapytał Eddie. Z szeroko otwartych oczu wyzierała troska.

— Nigdy — odparł spokojnie Myron.

To było lepsze, niż gdyby wygłosił długi i nudny wykład. Niczym mowa pogrzebowa nad grobem szkolnego kolegi, który umarł z przedawkowania.

— I co pan wtedy zrobił? — spytał Crane. — Po tej kontuzji?

Wywiad. Część rytuału. Jako były sportowiec musiał znosić to częściej niż przeciętny agent. Ludzie z góry zakładali, że jest głupi.

— Przeszedłem długą rehabilitację — odparł Myron. — Myślałem, że wbrew prawdopodobieństwu i lekarzom zdołam powrócić na boisko. Kiedy w końcu spojrzałem prawdzie w oczy, zacząłem studiować prawo.

— Na jakiej uczelni?

— Na Harvardzie.

— To robi wrażenie.

Myron starał się robić skromną minę. O mało nie zatrzepotał rzęsami.

— Starał się pan o aplikanturę?

— Nie.

— Zrobił pan magisterium?

— Nie.

— A co pan robił po studiach?

— Zostałem agentem.

Pan Crane zmarszczył brwi.

— Ile lat pan studiował?

— Pięć.

— Dlaczego tak długo?

— Jednocześnie pracowałem.

— W jakim charakterze?

— Pracowałem dla rządu.

Gładka i niejasna odpowiedź. Miał nadzieję, że Crane nie zechce rozwijać tego tematu.

— Rozumiem. — Crane znowu zmarszczył brwi. Zresztą cały się zmarszczył. Usta, czoło, a nawet uszy. — Dlaczego został pan agentem reprezentującym sportowców?

— Ponieważ pomyślałem, że to mi się spodoba. A także, że będę w tym dobry.

— Pańska agencja jest niewielka.

— Zgadza się.

— Nie ma pan takich kontaktów jak większe agencje.

— To prawda.

— Nie ma pan takich możliwości jak ICM, TruPro lub Advantage.

— Racja.

— Nie ma pan wielu dobrych graczy w tenisa.

— Zgadza się.

Crane z dezaprobatą zmarszczył brwi.

— Proszę więc mi wyjaśnić, panie Bolitar, dlaczego mielibyśmy skorzystać z pańskich usług?

— Ponieważ jestem duszą towarzystwa.

Pan Crane nie uśmiechnął się, w przeciwieństwie do Eddiego. Ten zaraz zreflektował się i zasłonił dłonią usta.

— To ma być dowcip? — zapytał Crane.

— Pozwoli pan, że zadam panu pytanie, panie Crane. Mieszka pan na Florydzie, prawda?

— W St. Petersburgu.

— Jak dostaliście się państwo do Nowego Jorku?

— Przylecieliśmy.

— Nie o to pytam, tylko kto zapłacił za bilety?

Małżonkowie wymienili czujne spojrzenia.

— TruPro opłaciła przelot, prawda?

Pan Crane ostrożnie skinął głową.

— Przysłali na lotnisko limuzynę? — ciągnął Myron.

Znów kiwnięcie głową.

— Pani żakiet, pani Crane. Jest nowy?

— Tak — zapytana odezwała się po raz pierwszy.

— Czy kupiła go pani jedna z dużych agencji?

— Tak.

— W tych wielkich agencjach mają pracownice lub żony, które oprowadzają gości po mieście, pokazują widoki i zapraszają na zakupy, prawda?

— Owszem.

— Do czego pan zmierza? — przerwał mu Crane.

— Takie podejście to nie w moim stylu — rzekł Myron.

— Jakie podejście?

— Całowanie tyłków. Ja nie całuję tyłków moim klientom. I jestem do niczego w dziedzinie całowania tyłków ich rodzicom. Eddie?

— Tak?

— Czy te wielkie agencje obiecywały, że ich przedstawiciel będzie na każdym twoim meczu?

Chłopiec przytaknął.

— Tego również nie robię — rzekł Myron. — W razie potrzeby jestem do dyspozycji dwadzieścia cztery godziny na dobę, siedem dni w tygodniu. Jednak nie mogę być przy tobie przez całą dobę i każdego dnia. Jeśli chcesz, żeby ktoś przez cały czas trzymał cię za rękę, ponieważ tak prowadzą Agassiego lub Changa, to powinieneś skorzystać z propozycji jednej z dużych agencji. Są w tym znacznie lepsze ode mnie. Jeżeli potrzebujesz kogoś, kto byłby na twoje posyłki albo nosił ci pranie do pralni, to ja się do tego nie nadaję.

Małżonkowie znowu wymienili porozumiewawcze spojrzenia.

— Cóż — powiedział pan Crane. — Jak słyszę, mówi pan bez ogródek, panie Bolitar. Najwidoczniej reputacja, jaką się pan cieszy, jest w pełni uzasadniona.

— Pytał pan, na czym polega różnica między mną a innymi agentami.

— Pytałem.

Myron skupił uwagę na Eddiem.

— Moja agencja jest mała i działa w prosty sposób. Będę prowadził w twoim imieniu wszelkie negocjacje: wysokości opłat za udział w turniejach, wystawach, reklamach i tak dalej. Jednak niczego nie podpiszę bez twojej zgody. Nie zawrę żadnej umowy, jeśli jej nie przeczytasz, nie zrozumiesz i nie zaaprobujesz. Na razie pasuje?

Eddie kiwnął głową.

— Jak przypomniał mi twój ojciec, nie jestem dyplomowanym prawnym doradcą. Jednak współpracuję z takim. Nazywa się Win Lockwood i jest uważany za jednego z najlepszych doradców finansowych w kraju. Win jest zwolennikiem teorii podobnej do mojej: chce, abyś rozumiał i aprobował każdą dokonywaną przez niego inwestycję. Będę nalegał, żebyś spotykał się z nim co najmniej pięć razy w roku, albo częściej, byśmy mogli ułożyć i zrealizować długofalowy plan finansowo-podatkowy. Chcę, żebyś w każdej chwili wiedział, co dzieje się z twoimi pieniędzmi. Zbyt wielu sportowców straciło majątki

w wyniku kiepskich inwestycji, machinacji nieuczciwych doradców i tym podobnych nieszczęść. Tobie się to nie przydarzy,
ponieważ ty sam — nie ja, nie Win, nie twoi rodzice — ale
właśnie ty sam na to nie pozwolisz.

François przyszedł z zakąskami. Uśmiechał się promiennie,
podczas gdy młodsi kelnerzy podawali do stołu. Zniecierpliwionym tonem wydawał im polecenia po francusku, jakby bez jego
marudzenia nie wiedzieli, jak postawić talerz przed klientem.

— Czy to już wszystko? — spytał François.

— Tak sądzę.

Szef sali ukłonił się.

— Gdybym w jakikolwiek sposób mógł jeszcze bardziej
umilić państwu posiłek, proszę bez wahania dać mi znać, panie
Bolitar.

Myron spojrzał na plasterki łososia.

— Może odrobina keczupu?

François zbladł.

— Pardon?

— To był żart, François.

— Bardzo zabawny, panie Bolitar.

François majestatycznie oddalił się. Myron Dowcipniś znów
w akcji.

— A ta młoda dama, która umówiła nas na spotkanie? —
spytała pani Crane. — Panna Diaz. Jaką ona pełni rolę w pańskiej agencji?

— Esperanza jest moją współpracownicą. Moją prawą ręką.

— Jakie ma doświadczenie?

— Obecnie uczęszcza na wieczorowe studia prawnicze.
Dlatego nie mogła nam dziś towarzyszyć. Była również zawo-
dową zapaśniczką.

To zaciekawiło Eddiego.

— Naprawdę? Jaki miała pseudonim?

— Mała Pocahontas.

— Indiańska Księżniczka? Ona i Wielka Szefowa tworzyły
niepokonany zespół.

— Zgadza się.

— Człowieku, ona jest klasa!

— Uhm.

Pani Crane skubała łososia. Pan Crane na chwilę zapomniał o zupie cebulowej.

— Niech mi pan powie — zagadnął — jaką strategię zamierzałby pan przyjąć, gdyby miał pan zająć się karierą Eddiego?

— To zależy — odparł Myron. — Nie stosuję schematów. W przypadku państwa syna w grę wchodzą dwa istotne czynniki. Przede wszystkim Eddie ma dopiero siedemnaście lat. Jest jeszcze chłopcem. Tenis nie powinien absorbować go w takim stopniu, żeby stał się znienawidzonym zajęciem. Eddie powinien mieć czas na rozrywki, próbować robić to, co zwykle robią siedemnastoletni młodzieńcy. Byłoby jednak naiwnością sądzić, że tenis będzie dla niego tylko grą. Albo że Eddie pozostanie „normalnym" dzieckiem. Tu idzie o pieniądze. Duże pieniądze. Jeśli Eddie zrobi to jak należy, jeśli się postara i spędzi trochę czasu z Winem, może być ustawiony finansowo na całe życie. To delikatna sprawa. Należy starannie rozważyć, w ilu turniejach i konkursach powinien zagrać, ile razy się pojawić, jakie firmy reklamować.

Brwi Crane'a poruszyły się zgodliwie. Wydawały się potakiwać. Myron znów skupił uwagę na Eddiem.

— Będziesz chciał jak najszybciej zgarnąć duże pieniądze, ponieważ nigdy nie wiadomo, co może się stać. Ja jestem najlepszym tego dowodem. Jednak nie chcę, żebyś się wypalił. Czasem najtrudniej oprzeć się nadzwyczaj zyskownym propozycjom. Ostateczna decyzja należy do ciebie, nie do mnie. To twoje pieniądze. Jeśli zechcesz grać w każdym turnieju i brać udział w każdych zawodach, ja nie mogę cię powstrzymać. Jednak nie zdołasz wytrzymać takiego tempa, Eddie. Nikt nie zdoła. Jesteś dobrym dzieciakiem. Masz głowę na karku. Zostałeś dobrze wychowany. Jeśli jednak za bardzo spróbujesz się ugiąć, załamiesz się. Zbyt często widziałem takie przypadki.

Chcę, żebyś zarobił mnóstwo pieniędzy. Jednak nie każdego centa, jaki jest do zdobycia. Nie zamierzam robić z ciebie maszyny do produkowania pieniędzy. Wolę, żebyś miał czas na przyjemności. Żebyś dobrze się bawił. Chcę, żebyś zdał sobie sprawę z tego, jakie miałeś szczęście.

Małżonkowie słuchali go w nabożnym skupieniu.

— Oto moja teoria, Eddie, jeśli tak można ją nazwać. Możesz zgarnąć większe pieniądze, współpracując z dużymi agencjami. Nie mogę temu zaprzeczyć. Jednak sądzę, że na dłuższą metę, po długiej, pełnej sukcesów i starannie zaplanowanej karierze, wyniesiesz znacznie większe korzyści ze współpracy z MB SportsReps.

Myron spojrzał na pana Crane'a.

— Czy chce pan wiedzieć coś jeszcze?

Crane upił łyk wina, ocenił jego kolor i odstawił kieliszek. Jego brwi znów odtańczyły mambę.

— Bardzo nam pana polecano, panie Bolitar. A właściwie powinienem powiedzieć, że był pan rekomendowany Eddiemu.

— Ach tak? — rzekł Myron. — Przez kogo?

Eddie umknął spojrzeniem. Pani Crane położyła dłoń na jego ramieniu. Pan Crane odpowiedział:

— Przez Valerie Simpson.

Myron zdziwił się.

— Valerie poleciła mnie państwu?

— Uważała, że pan dobrze zajmie się Eddiem.

— Tak powiedziała?

— Tak.

Myron spojrzał na Eddiego. Ten nie płakał, ale wydawał się bliski łez.

— Co jeszcze powiedziała, Eddie?

Chłopiec wzruszył ramionami.

— Sądziła, że pan jest uczciwy. I że będzie mnie pan dobrze traktował.

— Skąd znałeś Valerie?

— Spotkali się na obozie Pavela na Florydzie — odpowie-

109

dział za syna pan Crane. — Miała wtedy szesnaście lat. On miał dziewięć. Myślę, że trochę się nim opiekowała.

— Bardzo się przyjaźnili — dodała pani Crane. — To straszna tragedia.

— Czy mówiła coś jeszcze, Eddie?

Chłopiec ponownie wzruszył ramionami, ale w końcu podniósł głowę. Myron spojrzał mu prosto w oczy.

— To ważne — nalegał.

— Powiedziała, żebym nie podpisywał kontraktu z Tru-Pro — rzekł Eddie.

— Dlaczego?

— Nie wyjaśniła.

— Moim zdaniem — wtrącił pan Crane — obwiniała ich o swoje niepowodzenia.

— A co ty sądzisz, Eddie? — spytał Myron.

Kolejne wzruszenie ramion.

— Możliwe. Nie wiem.

— Jednak nie uważasz, żeby tak było.

Brak reakcji. Pani Crane oznajmiła:

— Myślę, że na tym powinniśmy poprzestać. Eddie bardzo przeżył śmierć Valerie.

Rozmowa znowu zeszła na interesy. Jednak Eddie stał się milczący. Co jakiś czas otwierał usta, jakby chciał coś powiedzieć, ale zaraz znów je zamykał. Kiedy wstali od stołu, przysunął się do Myrona i szepnął:

— Dlaczego tak pan wypytywał o Valerie?

Myron postanowił powiedzieć prawdę.

— Usiłuję się dowiedzieć, kto ją zabił.

Chłopiec szeroko otworzył oczy. Obejrzał się. Jego rodzice żegnali się z François. Szef sali ucałował dłoń pani Crane.

— Myślę, że ty mógłbyś mi w tym pomóc — rzekł Myron.

— Ja? — rzekł Eddie. — Ja nic nie wiem.

— Znałeś ją. Przyjaźniliście się.

— Eddie? — zawołała pani Crane.

— Muszę iść, panie Bolitar. Dziękuję za wszystko.

— Tak, dziękujemy panu — dodał pan Crane. — Mamy się jeszcze spotkać z przedstawicielami kilku innych agencji, ale będziemy w kontakcie.

Kiedy odeszli, François przyszedł z rachunkiem.

— Ma pan bardzo twarzowy krawat, panie Bolitar.

Facet umiał lizać tyłki.

— Powinieneś zostać agentem, François.

— Dziękuję panu.

Myron dał mu swoją kartę Visa i czekał. Włączył telefon komórkowy. Przeczytał wiadomość od Wina. Zadzwonił do niego.

— Gdzie jesteś? — zapytał.

— Na Dwudziestej Szóstej, w pobliżu Ósmej — odparł Win. — W cadillacu siedzieli dwaj dżentelmeni. Zaznaczam, że użyłem tego określenia w bardzo szeroko pojętym znaczeniu. Jechali za tobą do „La Reserve", przez jakiś czas siedzieli na zewnątrz i odjechali pół godziny temu. Właśnie weszli do lokalu cieszącego się raczej nie najlepszą reputacją.

— Nie najlepszą reputacją?

— Nazywają go „Łowca Skalpów". Wystarczy?

— Nie spuszczaj ich z oka. Już jadę.

12

Win czekał po drugiej stronie ulicy, naprzcciw „Łowcy Skalpów". Wokół panował spokój, zakłócany jedynie cichymi dźwiękami muzyki, płynącymi z baru. Duży neon nad wejściem głosił: „TOPLESS!".

— Jest ich dwóch — powiedział Win. — Kierowcą był biały, około metr dziewięćdziesiąt. Ma nadwagę, ale jest dobrze zbudowany. Sądzę, że spodoba ci się jego gust.

— Dlaczego?

— Zobaczysz. Towarzyszy mu czarnoskóry mężczyzna. Ponad metr osiemdziesiąt. Spora blizna na prawym policzku. Myślę, że można by go opisać jako chudego i żylastego.

Myron rozejrzał się po ulicy.

— Gdzie zaparkowali?

— Na parkingu przy Ósmej Alei.

— Dlaczego nie na ulicy? Jest tu mnóstwo miejsca.

— Sądzę, że nasz człowiek jest bardzo przywiązany do swego czarującego pojazdu — uśmiechnął się Win. — Założę się, że byłby bardzo wzburzony, gdyby ktoś mu go uszkodził.

— Czy trudno byłoby się włamać do tego wozu?

Win zrobił urażoną minę.

— Udam, że tego nie słyszałem.

— No dobrze, ty zajmiesz się samochodem. Ja wejdę do środka.

Win zasalutował.

— Rozkaz.

Rozdzielili się. Win ruszył w kierunku parkingu, a Myron do baru. Wolałby zamienić się z nim rolami, szczególnie że tamci dwaj najwyraźniej wiedzieli, jak wygląda, ale taki podział ról był zgodny z ich predyspozycjami. Win znacznie lepiej włamywał się do samochodów i radził sobie z wszelkimi mechanizmami. Natomiast Myron był lepszy... no cóż, w tym.

Wszedł do baru, na wszelki wypadek ze spuszczoną głową. Niepotrzebnie. Nikt nie zwrócił na niego uwagi. Nie pobierano opłaty za wstęp. Myron rozejrzał się wokół. Na usta cisnęły mu się dwa słowa: okropna nora. Głównym motywem wystroju lokalu były dawne gatunki amerykańskiego piwa. Ściany ozdobiono neonami reklamującymi piwo. Blaty stolików i baru pokrywały niezliczone ślady po kuflach. Za barem wznosiły się piramidy butelek piwa z całego kraju.

Oczywiście, były tu też tancerki topless. Leniwie wiły się na niewielkich podwyższeniach, wyglądających jak stare rekwizyty z *Wonderamy*. Większość tancerek nie grzeszyła urodą. Wprost przeciwnie. Szaleństwo aerobiku najwidoczniej jeszcze nie dotarło do „Łowcy Skalpów". Wszędzie widać było fałdy obwisłego ciała. Ten lokal bardziej przypominał klub ofiar cellulitis niż miejsce zaspokajania rozbuchanych męskich fantazji.

Myron usiadł sam przy stoliku w kącie sali. Zauważył kilku facetów w garniturach, ale większość klienteli stanowili robotnicy. Lepiej sytuowani zazwyczaj oglądali tańce topless w „Goldfingers" lub „Score", gdzie kobiety wyglądały znacznie estetyczniej, aczkolwiek ich wydatne biusty były równie prawdziwe, jak ich nadmuchiwanych sióstr z sex shopu.

Dwaj mężczyźni głośno śmiali się przy środkowym podium. Jeden czarny, drugi biały. Pasowali do opisu podanego przez Wina. Kiedy tancerki zamieniały się miejscami, tańcząca przed nimi zeszła ze sceny. Widocznie skończyła pracę. Faceci zaczęli z nią negocjować. W takich miejscach jak „Goldfingers" lub

„Score" płaci się dwadzieścia do dwudziestu pięciu dolarów za taniec przy stoliku. I dokładnie to otrzymuje się za te pieniądze. Dziewczyna zdejmuje górę i przez około pięć minut tańczy przy waszym stoliku. Żadnego dotykania czy macania. W „Łowcy Skalpów" specjalnością lokalu było najnowsze szaleństwo, zwane *lap dance*, któremu oddawano się w ciemnych kątach baru. Ten taniec, określany przez małolatów „numerkiem na sucho", polegał na tym, że tancerka ocierała się o krocze klienta tak długo, aż doznał... hm... orgazmu. Pomijając zastrzeżenia natury moralnej, Myron miał poważne wątpliwości związane z technicznymi aspektami takich wyczynów. Na przykład jak facet bawi się przez resztę wieczoru? Czy przynosi sobie bieliznę na zmianę?

Tyle pytań. Tak mało czasu. Tamci dwaj i tancerka ruszyli w kierunku tego kąta sali, w którym siedział Myron. Teraz stało się jasne, o czym mówił Win. Biały facet rzeczywiście miał potężne bicepsy, ale także wydatny brzuch i sflaczałą pierś. Te wady można było przynajmniej częściowo zamaskować odpowiednim ubiorem, ale białas miał na sobie ciasną siatkową koszulkę. Siatkową. Z mnóstwem dziur. Tak ażurową, że niemal niewidoczną. Włosy na piersiach — a miał ich mnóstwo — sterczały przez siatkę. Te włosy wydawały się nadzwyczaj długie i poskręcane — dosłownie zaplątane — w liczne złote łańcuszki, które nosił na szyi. Kiedy gość przechodził obok, Myron — mimo woli — ujrzał w całej okazałości jego plecy, jeszcze bardziej niż pierś owłosione i lśniące od potu.

Zrobiło mu się niedobrze.

— Piętnaście dolarów za pierwsze dziesięć minut — powiedziała dziewczyna. — Taniej nie mogę.

— Nie naciągaj nas, zdziro — rzekł Siatkowa Koszulka. — Jest nas dwóch. Daj nam zniżkę.

— Taak — wtrącił czarnoskóry. — Daj nam zniżkę.

— Nie mogę — upierała się dziewczyna.

Jeśli poczuła się obrażona epitetem, to nie dała tego po sobie poznać. Mówiła zmęczonym i obojętnym głosem jak kelnerka na nocnej zmianie.

Siatkowa Koszulka był niezadowolony.

— Posłuchaj, suko, nie denerwuj mnie.

— Zawołam kierownika — ostrzegła.

— Nikogo nie zawołasz. Nie ruszysz się stąd, dopóki nie zrobisz mi dobrze.

— Taa — dodał czarny. — Mnie też. Zdziro.

— Posłuchajcie, biorę dodatkową opłatę za świńskie gadki.

Siatkowa Koszulka spojrzał na nią z niedowierzaniem.

— Co powiedziałaś?

— Za świńskie gadki jest dodatkowa opłata.

— Dodatkowa opłata! — wykrzyknął Siatkowa Koszulka. Był wściekły. — Może to cię zdziwi, ty głupia kurwo, ale żyjemy w USA. W kraju wolnych i odważnych ludzi. Mogę mówić, co mi się żywnie podoba, zdziro! A może nie słyszałaś o wolności słowa?

Prawdziwy legalista, pomyślał Myron. Miło zobaczyć człowieka, który z takim zapałem broni pierwszej poprawki do konstytucji.

— Słuchajcie — powiedziała dziewczyna. — Cena wynosi dwanaście dolarów za pięć minut, dwadzieścia dolarów za dziesięć. Plus napiwek. Tyle się płaci.

— A może — zaproponował Siatkowa Koszulka — zatańczysz na nas obu jednocześnie.

— Co?

— Na przykład zatańczysz na mnie, ale popieścisz jego. Jak ci się to podoba, świnio?

— Taa — wtrącił czarnoskóry. — Świnio.

— Słuchajcie, chłopaki, nie ma rabatów — powiedziała tancerka. — Chcecie, to zawołam drugą dziewczynę. Dobrze się wami zajmiemy.

Myron wszedł w ich pole widzenia.

— Może ja?

Zdrętwieli.

— O rany — powiedział Myron. — Obaj jesteście tacy przystojni. Po prostu nie mogę się zdecydować.

Siatkowa Koszulka spojrzał na swojego kompana. Ten na niego.

Myron zwrócił się do dziewczyny.

— Podoba ci się któryś z nich?

Przecząco potrząsnęła głową.

— Zatem ja zajmę się tym. — Myron wskazał na Siatkową Koszulkę. — Podobam mu się. Poznaję to po sterczących sutkach.

— Hej, co on tu robi? — spytał czarnoskóry.

Siatkowa Koszulka posłał mu ostrzegawcze spojrzenie.

— Chciałem powiedzieć, co to za facet?

Myron pokiwał głową.

— Szybka reakcja. Błyskotliwa.

— Czego pan chce? — zapytał Siatkowa Koszulka.

— Prawdę mówiąc, skłamałem.

— Co takiego?

— Mówiąc, po czym poznaję, że ci się podobam. Nie tylko po sterczących sutkach, chociaż są tego tak widocznym, aczkolwiek paskudnym, dowodem.

— O czym pan gada, do cholery?

— Jeździsz za mną od dwóch dni, oto co cię zdradziło. Następnym razem spróbuj metody cichego wielbiciela. Przysyłaj mi anonimowo kwiaty. Ładne kartki z życzeniami. Takie rzeczy.

— Chodź, Jim — zwrócił się Siatkowa Koszulka do kompana. — Ten facet to świr. Wynośmy się stąd.

— Nie chcecie, żebym zatańczyła? — spytała dziewczyna.

— Nie. Musimy iść.

— Ktoś musi zapłacić za mój czas — powiedziała tancerka. — Inaczej kierownik weźmie mnie za dupę.

— Spadaj, zdziro. Albo cię zdzielę.

— O, jaki odważny — skomentował Myron.

— Posłuchaj pan, nic do pana nie mam. Zejdź mi pan z drogi.

— Może ja dla was zatańczę?

— Jesteś stuknięty.

— Mogę zaproponować specjalną taryfę — obiecał Myron.

Siatkowa Koszulka zacisnął pięści. Kazano mu śledzić Myrona, a nie dać się zdemaskować i sprowokować do bójki.

— Chodź, Jim.

— Dlaczego mnie śledziliście? — zapytał Myron.

— Nie wiem, o czym pan mówi.

— Czy to ze względu na moje wielkie niebieskie oczy? Wyraziste rysy twarzy? Kształtny tyłeczek? Przy okazji, co sądzicie o tych spodniach? Nie są zbyt obcisłe, prawda?

— Pedał.

Wyminęli go.

— Powiecie mi, dla kogo pracujecie, a ja obiecuję, że nie wydam was szefowi.

Szli w kierunku wyjścia.

— Obiecuję! — zawołał Myron.

Nawet nie zwolnili kroku. Następny dzień, następny przyjaciel. Myron miał dar zjednywania sobie ludzi.

Wyszedł za nimi na ulicę. Siatkowa Koszulka i Jim pośpiesznie oddalali się na zachód.

Win wyłonił się z cienia po drugiej stronie ulicy.

— Tędy — powiedział.

Poszli skrótem przez boczną uliczkę i przybyli na parking przed Siatkową Koszulką i Jimem. Samochody parkowały pod gołym niebem. Dozorca siedział w budce, oglądając powtórkę *Roseanne* w maleńkim czarno-białym telewizorku. Win pokazał Myronowi cadillaca. Schowali się za zaparkowanym dwa rzędy dalej oldsmobilem i czekali.

Siatkowa Koszulka i Jim pojawili się przy budce. Wciąż oglądali się za siebie. Jim panikował:

— W jaki sposób on nas znalazł, Lee? Co?

— Nie mam pojęcia.

— I co teraz zrobimy?

— Nic. Zmienimy samochody. Spróbujemy znowu.

— Masz drugi samochód, Lee?

— Nie — odrzekł Siatkowa Koszulka. — Wynajmiemy jakiś.

117

Zapłacili, otrzymali rachunek i kluczyki. Siatkowa Koszulka uparł się, że sam wyprowadzi samochód.

— To powinno być zabawne — stwierdził Win.

Tamci podeszli do cadillaca i Siatkowa Koszulka wetknął kluczyk do zamka. Zamarł, wybałuszył oczy i zaczął wrzeszczeć.

— O kurwa! Ja pierdolę!

Myron i Win wyszli z cienia.

— Co za wyrażenia — rzekł karcąco Myron.

Siatkowa Koszulka z niedowierzaniem spoglądał na swój samochód. Win wywiercił otwór pod zamkiem, żeby włamać się do środka. Rzadko stosował tę metodę, gdyż był zwolennikiem czystej roboty, ale tym razem wcale mu na tym nie zależało. W trakcie borowania kilkakrotnie „omsknęła" mu się wiertarka, pozostawiając długie zadrapania na obu drzwiczkach po stronie kierowcy.

— Ty! — wrzasnął Siatkowa Koszulka. Wycelował palec w Myrona, czerwony i bliski apopleksji. — Ty!

Win rzekł do Myrona:

— Jaki bogaty słownik!

— Owszem, a akcent po prostu wprawia mnie w euforię.

— Ty! — ryczał Siatkowa Koszulka. — Ty tak załatwiłeś mój samochód?!

— To nie on — powiedział Win. — To ja. I pozwól, że ci powiem, iż miałeś wyjątkowo dobrze utrzymaną tapicerkę. Okropnie się czułem, kiedy polewałem te zamszowe fotele syropem klonowym.

Siatkowej Koszulce oczy wyszły z orbit. Zajrzał do środka, pomacał ręką i krzyknął. Ogłuszająco. Wrzeszczał tak potwornie, że dozorca parkingu o mało nie oderwał oczu od ekranu telewizora.

Myron spojrzał na Wina.

— Syrop klonowy?

— Wyprodukowany przez „Chatę z Bali".

— Ja zawsze wolałem ten „Ciotki Jemimy" — rzekł Myron.

— Każdy ma swoje upodobania.

— Znalazłeś coś w wozie?

— Niewiele — odparł Win. — W schowku na rękawiczki było kilka kwitów parkingowych.

Podał je Myronowi. Ten szybko przejrzał kwity.

— No cóż — rzekł do tamtych dwóch. — Dla kogo pracujecie?

Siatkowa Koszulka ruszył w ich kierunku.

— Mój samochód! — bełkotał, czerwony jak burak. — Ty...! Mój samochód! Mój samochód!

Win westchnął.

— Czy naprawdę musimy tego słuchać? To zaczyna być nudne.

— Ty skurwielu! Ty... — Siatkowa Koszulka znów zacisnął pięści. Z krzywym uśmiechem podchodził do Wina. Pod każdym względem był to nieprzyjemny uśmiech. — Zaraz rozkwaszę ci tę pieprzoną facjatę, chłoptasiu.

Win spojrzał na Myrona.

— Chłoptasiu?

Myron wzruszył ramionami.

Jim trzymał się tuż za Siatkową Koszulką. Myron widział, że żaden z tych dwóch nie ma broni. Niewykluczone, że mieli noże, ale tym się nie przejmował.

Siatkowa Koszulka znalazł się pół metra od Wina. Nic zaskakującego. Źli faceci zawsze nacierali na Wina. Był prawie piętnaście centymetrów niższy od Myrona i siedemnaście kilo lżejszy. Co więcej, Win wyglądał jak bogaty zdechlak, który z trudem potrafi skinąć palcem na lokaja — jednym słowem, idealny worek treningowy dla agresywnego napastnika.

Siatkowa Koszulka zrobił kolejny krok i zacisnął pięść. Ktokolwiek wynajął tych facetów, najwyraźniej ich nie ostrzegł.

Pięść pomknęła w kierunku nosa Wina. Ten uchylił się. Myron czasem mawiał, że Win rusza się zwinnie jak kot. Jednak nie było to precyzyjne określenie. Win poruszał się jak duch. W jednym ułamku sekundy był tutaj, a w następnym gdzie indziej. Siatkowa Koszulka spróbował jeszcze raz. Tym razem Win zablokował cios. Jedną ręką chwycił pięść przeciwnika, a kantem drugiej dłoni uderzył go w kark. Siatkowa Koszulka zatoczył się w tył. Jim zrobił krok naprzód.

— Nawet o tym nie myśl — ostrzegł go Myron.

Jim rzucił się do ucieczki.

Myron Bolitar. Myron Groźny.

Siatkowa Koszulka złapał równowagę. Ze spuszczoną głową rzucił się na Wina, usiłując pochwycić go w niedźwiedzi uścisk. Poważny błąd. Win nienawidził, kiedy przeciwnik próbował wykorzystać przewagę, jaką daje większy ciężar ciała. Już na pierwszym roku studiów nauczył Myrona podstaw taekwondo, ale sam ćwiczył karate, od kiedy skończył pięć lat. Spędził nawet trzy lata na Dalekim Wschodzie, ucząc się pod kierunkiem jednego z największych mistrzów tego stylu walki.

— Aaaaa! — ryknął Siatkowa Koszulka.

Win ponownie zszedł z linii ataku, zwinnie jak matador uskakujący przed szarżującym bykiem. Z półobrotu kopnął napastnika w splot słoneczny i poprawił uderzeniem nasadą dłoni w nos. Rozległ się głośny trzask i trysnęła krew. Siatkowa Koszulka z wrzaskiem padł na ziemię. Nie podnosił się.

Win pochylił się nad nim.

— Dla kogo pracujesz?

Siatkowa Koszulka spojrzał na swoją zakrwawioną dłoń.

— Złamałeś mi nos! — wybełkotał.

— To zła odpowiedź — rzekł Win. — Pozwól, że powtórzę pytanie. Dla kogo pracujesz?

— Nic ci nie powiem!

Win błyskawicznie wyciągnął rękę i złapał go dwoma palcami za nos. Siatkowa Koszulka wybałuszył oczy.

— Nie rób tego — mruknął Myron.

Win zerknął na niego.

— Jeśli nie możesz na to patrzeć, to odejdź. — Znów skupił uwagę na Siatkowej Koszulce. — To twoja ostatnia szansa. Potem zacznę przekręcać. Kto cię wynajął?

Siatkowa Koszulka nie odpowiedział. Win wykręcił mu nos. Kości otarły się o siebie z odgłosem przypominającym bębnienie kropel deszczu o szybę. Siatkowa Koszulka wyprężył się konwulsyjnie. Win wolną dłonią stłumił jego krzyk.

— Wystarczy — powiedział Myron.

— Jeszcze nic nam nie powiedział.

— Jesteśmy dobrymi facetami, pamiętasz?

Win skrzywił się.

— Mówisz jak typowy prawnik.

— Niczego nie musi nam mówić.

— Co?

— To zwykły śmieć. Sprzedałby rodzoną matkę za miedziaka.

— Co chcesz powiedzieć?

— To, że bardziej niż bólu boi się otworzyć usta.

Win uśmiechnął się.

— Mogę sprawić, że zmieni zdanie.

Myron pokazał mu jeden z kwitów parkingowych.

— Ten parking znajduje się na rogu Pięćdziesiątej Czwartej i Madison. Pod budynkiem TruPro. Nasz koleś pracuje dla braci Ache. Tylko ich może się tak bać.

Siatkowa Koszulka miał twarz białą jak kreda.

— Lub Aarona — rzekł Win.

Aaron.

— Dlaczego akurat jego? — spytał Myron.

— Być może bracia Ache korzystają z jego usług. On potrafi tak wystraszyć człowieka.

Aaron.

— On już nie pracuje dla Franka Ache — powiedział Myron. — A przynajmniej tak słyszałem.

Win spojrzał na Siatkową Koszulkę.

— Czy imię „Aaron" jest ci znane?

— Nie! — wykrzyknął zapytany. Pośpiesznie. Zbyt pośpiesznie.

Myron pochylił się nad leżącym.

— Zacznij mówić albo powiem Frankowi Ache, że wszystko nam wygadałeś.

— Niczego nie powiedziałem o żadnym Franku Ache!

— Potrójne przeczenie — zauważył Win. — To robi wrażenie.

Było dwóch braci Ache. Herman i Frank. Herman, starszy z nich, był szefem, socjopatą odpowiedzialnym za niezliczone morderstwa i zbrodnie. Jednak w porównaniu ze swoim niezrównoważonym bratem Frankiem Herman Ache był niewinny jak Mary Poppins. Niestety, to Frank rządził TruPro.

— Nic nie powiedziałem — powtórzył Siatkowa Koszulka. Tulił swój nos, jakby pocieszał zbitego psa. — Ani cholernego słowa.

— Tylko skąd Frank może to wiedzieć? — spytał Myron. — Widzisz, powiem Frankowi, że śpiewałeś radośnie jak szczygiełek. I wiesz co? On w to uwierzy. Bo inaczej skąd wiedziałbym, że to Frank cię wynajął?

Twarz Siatkowej Koszulki zmieniła kolor. Z białej jak kreda zrobiła się sinozielona.

— Jeśli jednak okażesz chęć współpracy — rzekł Myron — wszyscy będziemy udawali, że to nigdy się nie zdarzyło. Wcale nie zauważyłem, że mnie śledzicie. Będziesz bezpieczny. Frank nie musi się dowiedzieć, że spieprzyliście sprawę.

Siatkowa Koszulka nie namyślał się długo.

— Co chcecie wiedzieć?

— Wynajął was jeden z ludzi braci Ache?

— Taak.

— Aaron?

— Nie. Jakiś inny facet.

— Co mieliście zrobić?

— Śledzić pana. Obserwować, dokąd pan chodzi.

— Z jakiego powodu?

— Nie wiem.

— Kiedy was wynajęto?

— Wczoraj po południu.

— O której?

— Nie pamiętam. O drugiej, trzeciej godzinie. Powiedziano mi, że jest pan na meczu tenisa, i kazano natychmiast tam jechać. Najwidoczniej tuż po zamordowaniu Valerie.

— To wszystko, co wiem, przysięgam na Boga. To wszystko.

— Bzdura — warknął Win.

Myron machnął ręką. Siatkowa Koszulka nie mógł powiedzieć im już niczego interesującego.

— Puść go — powiedział Myron.

13

Myron obudził się wcześnie. Wyjął z kredensu paczkę płatków na zimno. Nazywały się Nutri-Grain. Smakowita nazwa. Przeczytał wydrukowane na odwrocie pouczenie o znaczeniu błonnika. Pycha.

Tęsknił za płatkami z czasów swego dzieciństwa: Cap'n Crunch, Froot Loops, Quisp, Quisp Cereal. Czy ktoś mógłby zapomnieć Quispa, tego cudownego ufoludka, który w reklamach telewizyjnych rywalizował z jakimś smętnym górnikiem zwanym Quake? Quisp kontra Quake. Przybysz z kosmosu przeciwko panu Robociarzowi. Ciekawy pomysł. Co się stało z tymi dwoma rywalami? Czy nawet cudowny Quisp odszedł w przeszłość tak samo jak The Motels?

Myron westchnął. Był o wiele za młody na takie przypływy nostalgii.

Esperanza zdołała ustalić adres matki Curtisa Yellera. Deanna Yeller mieszkała sama w niedawno kupionym domu w Cherry Hill, w stanie New Jersey, czyli na przedmieściach Filadelfii. Myron poszedł do samochodu. Jeśli wyruszy natychmiast, zdąży dotrzeć do Cherry Hill, spotkać się z Deanną Yeller i wrócić do Nowego Jorku na mecz Duane'a.

Tylko czy zastanie Deannę Yeller w domu? Lepiej się upewnić.

Myron podniósł słuchawkę telefonu i wybrał numer. Usłyszał kobiecy głos — zapewne Deanny Yeller.

— Halo?

— Czy jest tam Orson? — spytał Myron.

Ostrzeżenie: zaraz zostanie zaprezentowany przykład błyskotliwej dedukcji. Osoby szukające w tej książce fachowych porad powinny się skupić.

— Kto? — zapytała kobieta.

— Orson.

— To chyba pomyłka.

— Przepraszam.

Myron rozłączył się. Wydedukował, że Deanna Yeller jest w domu.

Podjechał pod skromny, lecz nowy domek przy typowej podmiejskiej ulicy New Jersey. Każdy dom wyglądał tu mniej więcej tak samo. Może różniły się kolorami. Kuchnia mogła znajdować się po prawej, a nie po lewej stronie. Jednak wszystkie wyglądały jak sklonowane. Przytulne. Krzykliwe dzieci na ulicy. Krzykliwe kolory rowerów. Kilka wiewiórek. Obraz w niczym nieprzypominający zachodniej Filadelfii. To dało mu do myślenia.

Myron przeszedł po ceglanym chodniku i zapukał do drzwi. Otworzyła mu bardzo atrakcyjna czarnoskóra kobieta, z miłym uśmiechem na ustach. Włosy miała związane w kok, podkreślający wydatne kości policzkowe. Kurze łapki w kącikach oczu i ust, ale niezbyt widoczne. Była dobrze ubrana, w konserwatywnym stylu. Anne Klein Druga. Nosiła godną uwagi, lecz nierzucającą się w oczy biżuterię. Ogólne wrażenie: klasa.

Na jego widok jej uśmiech lekko przygasł.

— W czym mogę pomóc?

— Pani Yeller?

Powoli skinęła głową, jakby nie była pewna.

— Nazywam się Myron Bolitar. Chciałbym zadać pani kilka pytań.

Uśmiech zgasł zupełnie.

— Na jaki temat?

Jej głos też trochę się zmienił. Teraz nie był już miły i uprzejmy. Raczej zaniepokojony i podejrzliwy.

— Pani syna.

— Nie mam syna.

— Curtisa — dodał Myron.

Zmrużyła oczy.

— Jest pan policjantem?

— Nie.

— Nie mam czasu. Właśnie wychodzę.

— To nie potrwa długo.

Oparła dłonie na biodrach.

— I po co mi to?

— Przepraszam?

— Curtis nie żyje.

— Zdaję sobie z tego sprawę.

— Zatem co to da, że o nim porozmawiamy? On pozostanie martwy, prawda?

— Proszę, pani Yeller, zajmę pani tylko chwilkę.

Zastanowiła się sekundę czy dwie, rozejrzała na boki, a potem ze znużeniem wzruszyła ramionami. Spojrzała na zegarek. Piaget, zanotował w myślach Myron. Może podróbka, ale bardzo w to wątpił.

Mieszkanie było urządzone ze smakiem. Mnóstwo bieli. Mnóstwo sosnowego drewna. Kute żyrandole. Styl Ikei. Na półkach i na stoliczku do kawy nie dostrzegł żadnych fotografii. Niczego osobistego. Deanna Yeller nie usiadła. I nie zachęciła do tego Myrona.

Posłał jej swój najcieplejszy, budzący zaufanie uśmiech. Jedna trzecia Harry'ego Smitha, dwie trzecie Johna Tesha. Założyła ręce na piersi.

— Z czego się pan śmieje, do licha?

Taak, jeszcze chwilka i będzie jeść mu z ręki.

— Chcę spytać o tamtą noc, kiedy zginął Curtis — powiedział Myron.

126

— Dlaczego? Co to pana obchodzi?

— Usiłuję coś wyjaśnić.

— Co?

— Co naprawdę stało się tej nocy, kiedy umarł pani syn.

— Jest pan prywatnym detektywem?

— Nie. Niezupełnie.

Milczała chwilę.

— Ma pan dwie minuty — powiedziała w końcu. — To wszystko.

— Policja twierdzi, że pani syn sięgnął po broń.

— Tak mówią.

— A zrobił to?

Wzruszyła ramionami.

— Pewnie tak.

— Czy Curtis miał broń?

Znów wzruszenie ramion.

— Pewnie miał.

— Widziała ją pani tamtej nocy?

— Nie pamiętam.

— A kiedykolwiek przedtem?

— Może. Nie pamiętam.

O rany, to mu naprawdę pomożę.

— Dlaczego pani syn i Errol włamali się do klubu „Old Oaks"?

Skrzywiła się.

— Poważnie?

— Tak.

— A jak pan myśli? Chcieli coś ukraść.

— Curtis często to robił?

— Co?

— Kradł.

Znów wzruszyła ramionami.

— Okradał ludzi, mieszkania, wszystko.

Powiedziała to zupełnie obojętnie. Bez zawstydzenia, zdziwienia, odrazy.

— Curtis miał czystą kartotekę — powiedział Myron.

Kolejne wzruszenie ramion. Wkrótce zaczną ją boleć.

— Chyba wychowałam sprytnego chłopca. Przynajmniej do tamtej nocy. — Demonstracyjnie popatrzyła na zegarek. — Muszę już wyjść.

— Pani Yeller, czy miała pani jakieś wiadomości o Errolu Swadzie?

— Nie.

— Czy wie pani, gdzie się podział po tym, jak pani syn został zastrzelony?

— Nie.

— Jak pani sądzi, co się stało z Errolem?

— Nie żyje. — Znowu obojętnym tonem. — Nie wiem, czego pan szuka, ale to zamknięty rozdział. Historia zakończona dawno temu. Nikogo to już nie obchodzi.

— A panią, pani Yeller? Czy panią to obchodzi?

— Było, minęło.

— Czy była pani przy tym, jak policja zastrzeliła pani syna?

— Nie. Zjawiłam się chwilę później.

Jej głos lekko przycichł.

— I zobaczyła go pani nieżywego?

Skinęła głową. Myron podał jej swoją wizytówkę.

— Gdyby przypomniała pani sobie coś jeszcze...

Nie wzięła od niego wizytówki.

— Niczego sobie nie przypomnę.

— Jednak gdyby...

— Curtis nie żyje. Nic tego nie zmieni. Lepiej po prostu o tym zapomnieć.

— Czy to takie łatwe?

— Minęło sześć lat. Nikt nie tęskni za Curtisem.

— A pani, pani Yeller? Czy pani za nim tęskni?

Otworzyła usta, zamknęła je i znów otworzyła.

— Curtis nie był dobrym dzieckiem. Sprawiał same kłopoty.

— To jeszcze nie oznacza, że należało go zabić — rzekł Myron.

128

Spojrzała mu w oczy.

— To nieważne. Nie żyje i koniec. Nie da się tego zmienić.

Myron nic nie powiedział.

— Czy pan może to zmienić, panie Bolitar? — spytała wyzywająco.

— Nie.

Deanna Yeller kiwnęła głową, odwróciła się i podniosła torebkę.

— Muszę już wyjść. Lepiej, żeby pan też już sobie poszedł.

14

Henry Hobman był jedynym obecnym w loży zawodników.

— Cześć, Henry — powitał go Myron.

Jeszcze nikt nie grał, ale Henry już był na swoim trenerskim posterunku. Nie odrywając oczu od kortu, wymamrotał:

— Słyszałem, że wczoraj wieczorem spotkałeś się z Pavelem Menansim?

— I co?

— Jesteś niezadowolony z tego, jak trenuję Duane'a?

— Nie.

Henry ledwie dostrzegalnie skinął głową. Koniec rozmowy.

Duane i jego przeciwnik, finalista French Open, niejaki Jacques Potiline, wyszli na boisko. Duane wyglądał zupełnie normalnie. Żadnych oznak stresu. Posłał Myronowi i Henry'emu szeroki uśmiech, skłonił głowę. Pogoda była idealna. Słońce świeciło, ale chłodny wietrzyk łagodnie owiewał stadion, przeganiając duchotę.

Myron rozejrzał się wokół. W sąsiedniej loży siedziała piersiasta blondynka. Wbiła się w obcisłą i kusą białą bluzeczkę. Można ją było scharakteryzować jednym celnym słowem: wydekoltowana. Bardzo. Mnóstwo mężczyzn gapiło się na nią bezwstydnie. Oczywiście nie Myron. On był na to zanadto światowy. Blondynka nagle obejrzała się i pochwyciła jego spojrzenie. Uśmiechnęła się zachwycająco i pomachała mu. Myron odpowiedział tym samym. Nie zamierzał niczego próbować, ale rany!

Win zmaterializował się na sąsiednim krześle.

— Ona uśmiechała się do mnie, wiesz?

— Możesz sobie pomarzyć.

— Kobiety nie mogą mi się oprzeć — ciągnął Win. — Jak tylko mnie zobaczą, muszą mnie mieć. To klątwa, której brzemię dźwigam przez całe życie.

— Proszę — powiedział Myron. — Dopiero co jadłem.

— Zazdrość. Paskudne uczucie.

— No to startuj do niej, ogierze.

Win przyjrzał się blondynce.

— Nie w moim typie.

— Śliczne blondynki nie są w twoim typie?

— Ma za duży biust. Mam na ten temat pewną teorię.

— Jaką?

— Im większe piersi, tym gorsza obłapka.

— Słucham?

— Tylko pomyśl — rzekł Win. — Dobrze wyposażone kobiety (mam na myśli te o wydatnych biustach) zazwyczaj leżą i czekają, przyzwyczajone polegać na swoich... hm... walorach. Wysiłki przeważnie okazują się niewarte zachodu. A co ty o tym myślisz?

Myron pokręcił głową.

— Różne myśli przychodzą mi do głowy — odparł — ale poprzestanę na pierwszej.

— Jakiej?

— Jesteś świntuch.

Win uśmiechnął się i usiadł wygodniej.

— Jak tam wizyta u pani Yeller?

— Ona też coś ukrywa.

— No, no. Atmosfera się zagęszcza.

Myron skinął głową.

— Z mojego doświadczenia wynika — rzekł Win — że tylko jedno może uciszyć matkę zabitego chłopca.

— Co takiego?

— Gotówka. Duża ilość gotówki.

Pan Idealista. Jednak prawdę mówiąc, Myronowi też to przyszło do głowy.

— Deanna Yeller mieszka teraz w Cherry Hill. Ma dom.

Win natychmiast ruszył tym tropem.

— Samotna wdowa ze slumsów zachodniej Filadelfii przeniosła się na bogate przedmieście? Może mi powiesz, jak mogła sobie na to pozwolić?

— Naprawdę sądzisz, że została przekupiona?

— A masz inne wyjaśnienie? Z tego, co wiemy, ta kobieta nie ma żadnych stałych dochodów. Przez całe życie mieszkała w ubogiej dzielnicy. Teraz nagle stała się właścicielką pięknego domku z ogródkiem.

— Może jest inne wytłumaczenie.

— Na przykład?

— Facet.

Win prychnął.

— Czterdziestodwuletnia kobieta z etnicznego getta nie znajdzie nadzianego jelenia. Takie rzeczy się nie zdarzają.

Myron milczał.

— A teraz — ciągnął Win — dodaj do tego równania Kennetha i Helen Van Slyke'ów, pogrążonych w żalu rodziców innego martwego dziecka.

— Co z nimi?

— Trochę ich sprawdziłem. Oni też nie mają żadnych stałych źródeł utrzymania. Rodzina Kennetha była zrujnowana, kiedy się pobierali. Co do Helen, nawet jeśli miała jakieś pieniądze, to Kenneth stracił je wszystkie w swoich nieudanych interesach.

— Chcesz powiedzieć, że są spłukani?

— Kompletnie — odparł Win. — Bądź więc tak dobry i powiedz mi, drogi przyjacielu, w jaki sposób stać ich na utrzymanie Brentman Hall?

Myron pokręcił głową.

— Musi być jakieś inne wyjaśnienie.

— Dlaczego?

— Mógłbym kupić teorię o jednej matce przekupionej przez zabójcę. Ale dwie?

— Chyba zbyt optymistycznie spoglądasz na ludzką naturę — zauważył Win.

— A ty zbyt pesymistycznie.

— I dlatego w takich sprawach zazwyczaj mam rację — rzekł Win.

Myron zmarszczył brwi.

— A co z powiązaniem TruPro z tą sprawą?

— No co?

— Zaraz po morderstwie wynajęto Siatkową Koszulkę, żeby mnie śledził. Dlaczego?

— Bracia Ache bardzo dobrze zdążyli cię poznać. Może obawiają się twojego dochodzenia.

— Ach tak? A jaki mieli w tym interes?

Win zastanawiał się chwilę.

— Czy TruPro reprezentowała kiedyś Valerie?

— To było sześć lat temu — przypomniał Myron. — Jeszcze zanim bracia Ache przejęli agencję.

— Hm. Może obszczekujesz niewłaściwe drzewo.

— Co masz na myśli? — spytał Myron.

— Może nie ma żadnego powiązania. TruPro jest zainteresowana kontraktem z Eddiem Crane'em, zgadza się?

Myron skinął głową.

— A trener Eddiego, ten cały Pavel, jest mocno powiązany z TruPro. Może uznali, że wszedłeś na ich teren.

— Co nie spodobałoby się braciom Ache — dodał Myron.

— Właśnie.

To było możliwe. Myron spróbował rozważyć taką ewentualność, ale coś mu tu nie pasowało.

— Och, jeszcze jedno — dodał Win.

— Co?

— Aaron jest w mieście.

Zimny dreszcz przebiegł Myronowi po krzyżu.

— Po co przyjechał?

— Nie wiem.

— Zapewne to tylko zbieg okoliczności — mruknął Myron.

— Zapewne.

Zamilkli.

Win usiadł wygodnie i złączył czubki palców. Zaczął się mecz. Gry Duane'a nie można było nazwać inaczej jak widowiskową. Z łatwością wygrał pierwszy set z wynikiem 6:2. W drugim trochę zwolnił tempo, ale zwyciężył 7:5. Jacques Potiline miał dość. Duane pokonał go, wygrywając trzeci set 6:1.

Następne imponujące zwycięstwo.

Kiedy zawodnicy zeszli z kortu, Henry Hobman wstał. Jego twarz nie zmieniła ponurego wyrazu. Lekko przygryzał dolną wargę.

— Lepiej — rzucił lakonicznie — ale nie wspaniale.

— Przestań się zachwycać, Henry. To krępujące.

Ned Tunwell zbiegł po schodach, prosto do Myrona. Wymachiwał rękami jak dzieciak robiący orła na śniegu. Za nim podążało kilku przedstawicieli firmy Nike. Ned miał łzy w oczach.

— Wiedziałem! — wykrzyknął radośnie. Uścisnął dłoń Myrona, objął go, odwrócił się do Wina i jemu też uścisnął rękę. Win dyskretnie otarł ją zaraz o spodnie. — Po prostu wiedziałem!

Myron tylko skinął głową.

— Szybko! Tak szybko! — zawołał Ned. — Zaczyna się kampania promocyjna! Nazwisko Duane'a Richwooda będzie na ustach wszystkich! Był fantastyczny, absolutnie fantastyczny! Nie mogę w to uwierzyć. Przysięgam, że jeszcze nigdy w życiu nie byłem tak podniecony!

— Chyba nie dostaniesz znów orgazmu, Ned?

— Och, Myronie! — Żartobliwie szturchnął Wina łokciem w żebra. — On żartuje, no nie?

134

— To prawdziwy komediant — przytaknął Win.

Ned poklepał go po ramieniu. Win skrzywił się, ale nie złamał mu ręki. Zdumiewająca powściągliwość z jego strony.

— Słuchajcie, chłopcy — rzekł Ned. — Chciałbym tak tu stać i gawędzić cały dzień, ale muszę uciekać.

Win jakoś zdołał ukryć rozczarowanie.

— No to na razie. Myronie, porozmawiamy później, dobrze?

Myron skinął głową.

— Na razie, chłopaki.

Ned poleciał — niemal dosłownie. Lekko zaszokowany Win odprowadził go wzrokiem.

— Co to było? — zapytał.

— Zły sen. Spotkamy się w biurze.

— Dokąd idziesz?

— Porozmawiać z Duane'em. Muszę zapytać go o telefon od Valerie.

— Poczekaj z tym do końca turnieju.

Myron pokręcił głową.

— Nie mogę.

15

Myron zaczekał, aż skończy się konferencja prasowa. Trwała przez jakiś czas. Duane brylował, najwyraźniej w swoim żywiole. Media miały nowego ulubieńca. Duane'a Richwooda. Zadziornego, ale nie aroganckiego. Pewnego siebie, lecz uprzejmego. Przystojnego. Typowego Amerykanina.

Kiedy hordzie pismaków w końcu zabrakło pytań, Myron poszedł z Duane'em do szatni. Usiadł na krześle obok jego szafki. Duane zdjął ciemne okulary i położył je na najwyższej półce.

— Niezły mecz, no nie?

Myron kiwnął głową.

— Hej, ci od Nike'a powinni być zadowoleni.

— Dostali orgazmu — potwierdził Myron.

— Zamierzają puścić reklamę podczas mojego następnego meczu, prawda?

— Uhm.

Duane potrząsnął głową.

— Ćwierćfinały US Open — rzekł z zachwytem. — Nie mogę w to uwierzyć, Myronie. Pniemy się na szczyt.

— Duane?

— Taak?

— Wiem, że Valerie do ciebie dzwoniła — powiedział Myron.

Duane zastygł.

— Co takiego?

— Dwa razy dzwoniła do twojego mieszkania. Z budki telefonicznej w pobliżu hotelu.

— Nie mam pojęcia, o czym mówisz.

Duane pośpiesznie sięgnął po ciemne okulary, znalazł je i założył.

— Chcę ci pomóc, Duane.

— Nie potrzeba mi żadnej pomocy.

— Duane...

— Po prostu zostaw mnie w spokoju, do cholery.

— Tego nie mogę zrobić.

— Posłuchaj, Myron, nie wolno mi się teraz rozpraszać. Po prostu daj temu spokój.

— Ona nie żyje, Duane. Nic tego nie zmieni.

Duane zdjął koszulkę i zaczął wycierać ręcznikiem pierś.

— Zastrzelił ją jakiś maniak — powiedział. — Widziałem to w wiadomościach. To nie ma nic wspólnego ze mną.

— Dlaczego do ciebie dzwoniła, Duane?

Raz po raz zaciskał pięści.

— Pracujesz dla mnie, prawda?

— Zgadza się.

— No więc zostaw tę sprawę albo cię zwolnię.

— Nie — odparł krótko Myron.

Duane opadł na krzesło i ukrył twarz w dłoniach.

— Niech to szlag, przepraszam. Nie chciałem tego powiedzieć. To przez cały ten stres. Turniej, ten cały Dimonte, który mnie oskarżał, i w ogóle. Posłuchaj, zapomnij, że to powiedziałem, dobrze? Po prostu zapomnij o całej tej rozmowie.

— Nie.

— Co mówisz?

— Dlaczego do ciebie zadzwoniła, Duane?

— Nie słyszysz, człowieku?

— Niezbyt dobrze.

— Trzymaj się od tego z daleka.

137

— Nie.

— To nie miało nic wspólnego z morderstwem.

— A więc przyznajesz, że do ciebie dzwoniła?

Duane wstał, odwrócił się plecami do Myrona i oparł o szafkę.

— Duane?

— Taak, dzwoniła do mnie — odrzekł cicho. — I co z tego?

— Dlaczego?

— Przypuśćmy, że się znaliśmy. Bardzo dobrze się znaliśmy, jeśli rozumiesz, co chcę przez to powiedzieć.

— Ty i Valerie...? — Myron wykonał znaczący gest.

Duane niechętnie kiwnął głową.

— To nie było nic wielkiego. Tylko kilka razy.

— Kiedy to się zaczęło?

— Parę miesięcy temu.

— Gdzie się poznaliście?

Ze zdziwieniem spojrzał na Myrona.

— Na turnieju.

— Którym?

— Nie pamiętam. Chyba w New Haven. Jednak to szybko się skończyło.

— Dlaczego okłamałeś policję?

— A jak sądzisz? Wanda przysłuchiwała się naszej rozmowie. Kocham ją, człowieku. Popełniłem błąd. Nie chciałem jej zranić. Czy to taka zbrodnia?

— A dlaczego nie chciałeś mi powiedzieć?

— Co?

— Kiedy zapytałem cię przed chwilą. Czemu nie powiedziałeś mi prawdy?

— Z tego samego powodu.

— Przecież Wandy tu nie ma.

— Wstydziłem się, rozumiesz?

— Wstydziłeś?

— Nie jestem dumny z tego, co zrobiłem.

Myron przyjrzał mu się. Schowana za ciemnymi okularami twarz Duane'a była wąska i nieludzka. Jednak coś tu nie pasowało. Wszystko to bardzo ładnie, ale dwudziestojednoletni zawodowy sportowiec, obojętnie jak wierny swojej dziewczynie, nie wzdraga się wyjawić takich sekretów swojemu agentowi. Wymówka była racjonalna, ale nieprzekonująca.

— Jeśli to już było skończone, to dlaczego Valerie do ciebie telefonowała?

— Nie wiem. Chciała się ze mną zobaczyć. Pewnie zamierzała się pożegnać.

— Zgodziłeś się z nią spotkać?

— Nie. Powiedziałem, że z nami już koniec.

— I co jeszcze jej mówiłeś?

— Nic.

— A co ona na to?

— Też nic.

— Na pewno? Nic więcej nie pamiętasz?

— Nie, nic.

— Czy sprawiała wrażenie przestraszonej?

— Niczego takiego nie wyczułem.

Drzwi szatni otworzyły się i do środka zaczęli wchodzić zawodnicy. Niektórzy chłodno gratulowali Duane'owi. Wschodzące gwiazdy nie cieszą się popularnością w szatni. Jeśli ktoś nowy wdziera się do supereksluzywnego klubu znanego jako „dziesiątka najlepszych", ktoś inny zostaje usunięty. Tak to już jest. Tutaj nie ma mowy o żadnych sentymentach. Wszyscy są rywalami. Wszyscy rywalizują o pieniądze i sławę. Nie ma miejsca na przyjaźń.

Duane nagle wydał się Myronowi bardzo samotny.

— Jesteś głodny?

— Jak wilk — odpowiedział chłopak.

— Masz ochotę na coś konkretnego?

— Na pizzę — odparł Duane. — Z dodatkowym serem i papryką.

— Ubierz się. Zaczekam na ciebie na zewnątrz.

16

— Myron Bolitar?

To telefon w samochodzie. Myron dopiero co wysadził Duane'a przed jego domem.

— Tak.

— Mówi Gerard Courter z nowojorskiej policji. Syn Jake'a.

— Ach tak. Jak leci, Gerardzie?

— Nie narzekam. Wątpię, żebyś pamiętał, ale kiedyś graliśmy przeciwko sobie.

— Michigan State — rzekł Myron. — Pamiętam. Do dziś noszę sińce, które pozostały mi po tym spotkaniu.

Gerard roześmiał się. Śmiał się tak samo jak jego ojciec.

— Cieszę się, że zrobiłem na tobie wrażenie.

— To łagodne określenie.

Znów wybuch Jake'owego śmiechu.

— Ojciec mówił, że potrzebne ci informacje o morderstwie tej Simpson.

— Byłbym bardzo zobowiązany.

— Pewnie słyszałeś, że mają głównego podejrzanego. Niejakiego Rogera Quincy'ego.

— Maniaka.

— Taak.

— Czy są dowody na to, że jest powiązany z tym morderstwem? — spytał Myron. — Oprócz tego, że kiedyś ją nękał?

— Przede wszystkim to, że się ukrywa. Kiedy weszli do jego mieszkania, okazało się, że spakował rzeczy i czmychnął. Nikt nie wie, gdzie się podział.

— Może po prostu się przestraszył — podsunął Myron.

— Miał powody.

— Dlaczego tak twierdzisz?

— Roger Quincy był na stadionie w tym dniu, kiedy popełniono morderstwo.

— Macie na to świadków?

— Kilku.

To dało Myronowi do myślenia.

— Co jeszcze?

— Ofiarę zastrzelono z trzydziestkiósemki. Z bardzo bliskiej odległości. Znaleźliśmy broń w koszu na śmieci, pięć metrów od miejsca zbrodni. Smith and Wesson. W torbie od Ferona. W torbie była dziura po kuli.

Feron. Następny sponsor turnieju. Uzyskali licencję na sprzedaż „artykułów pamiątkowych" w trakcie trwania turnieju. Mieli co najmniej pół tuzina stoisk, z których zaopatrywali niezliczone tłumy miłośników tenisa. Policja w żaden sposób nie zdoła ustalić, do kogo należała torba.

— A więc morderca podszedł do niej — powiedział Myron — strzelił przez torbę, ruszył dalej, wrzucił broń do kosza na śmieci i znikł.

— Tak wywnioskowaliśmy — potwierdził Gerard.

— Zimnokrwisty drań.

— Bardzo.

— Jakieś ślady na broni?

— Żadnych.

— Jacyś świadkowie strzelaniny?

— Kilkuset. Niestety, wszyscy pamiętają tylko huk wystrzału i widok padającej dziewczyny.

Myron pokręcił głową.

— Morderca bardzo ryzykował. Strzelać w takim tłumie...

— Taak. Musi mieć nerwy ze stali.

— Masz jeszcze coś?

— Tylko jedno pytanie — odparł Gerard.

— Strzelaj.

— Jakie będziemy mieli miejsca w następną sobotę?

17

Esperanza ułożyła na biurku Myrona dwa równe stosiki wycinków prasowych sprzed sześciu lat. Kupka po prawej — ta wyższa — zawierała artykuły na temat Alexandra Crossa. Mniejsza — wzmianki na temat leczenia Valerie Simpson.

Myron zignorował trzeci stosik — z wiadomościami dla niego — i zaczął przeglądać ten dotyczący Valerie. Już znał tę historię. Rodzina Valerie twierdziła, że dziewczyna przebywa na wakacjach, lecz dobrze poinformowane źródło ujawniło prawdę: w rzeczywistości gwiazda tenisa była pacjentką słynnej kliniki psychiatrycznej Dilwortha. Rodzina zaprzeczała temu przez kilka dni, dopóki w prasie nie zamieszczono zdjęcia Valerie przechadzającej się po szpitalnym parku. Wówczas rodzina podała do wiadomości, że Valerie „dochodzi do siebie, wyczerpana nieustannym napięciem" — cokolwiek to oznaczało.

Cała ta sprawa cieszyła się umiarkowanym zainteresowaniem mediów. Valerie stała się już byłą znakomitością w tenisowym świecie, tak więc dziennikarze byli zaciekawieni, ale nie wzburzeni. Pomimo to pojawiły się różne plotki, szczególnie w trzeciorzędnych gazetach. W jednej z nich napisano, że załamanie nerwowe Valerie było spowodowane molestowaniem seksualnym. W innej, że została napadnięta przez maniaka. Jeszcze inna sugerowała, że Valerie zamordowała kogoś z zimną krwią, chociaż autor artykułu nie fatygował się podawaniem takich szczegółów, jak nazwisko ofiary, powód i sposób zabójstwa, ani nie wyjaśniał, dlaczego policja nie aresztowała Valerie.

Jednak najbardziej interesująca plotka, która przykuła uwagę Myrona, pojawiła się w dwóch różnych gazetach. Według kilku „poufnych źródeł" Valerie Simpson ukrywała się ze względu na swoją ciążę.

Może coś w tym było, a może nie. Kiedy dziewczyna się ukrywa, zawsze pojawiają się plotki o ciąży. Mimo wszystko...

Zajął się artykułami dotyczącymi śmierci Alexandra Crossa. Esperanza ograniczyła poszukiwania do periodyków z okolic Filadelfii, ale i tak był to bogaty materiał. Przeważnie przyjmowano wersję podaną przez policję. Alexander Cross brał udział w przyjęciu, które odbywało się w ekskluzywnym klubie tenisowym. Natknął się na dwóch włamywaczy, Errola Swade'a i Curtisa Yellera. Zaryzykował i próbował ich zatrzymać, przy czym został pchnięty nożem przez Errola Swade'a. Ostrze przebiło mu serce. Zginął na miejscu.

Senator Cross i jego rodzina nie komentowali wydarzenia. Według rzecznika prasowego senatora, rodzina „nie udzielała się publicznie" i „polegała na sprawności organów ścigania oraz wymiaru sprawiedliwości" — cokolwiek to oznaczało.

Prasa skupiła się na poszukiwaniach Errola Swade'a. Policja była głęboko przekonana, że aresztowanie Swade'a jest kwestią kilku godzin. Tymczasem godziny zmieniły się w dni. Prasa ostro krytykowała policję, która nie była w stanie złapać jednego dziewiętnastoletniego narkomana, lecz rodzina Crossów zachowywała powściągliwe milczenie. Jak zwykle w takich wypadkach, cała ta historia wywołała oburzenie opinii publicznej, domagającej się wyjaśnienia, dlaczego Errol Swade w ogóle został zwolniony warunkowo.

Jednak oburzenie powoli przycichło, jak to zwykle się dzieje. Inne sensacje znalazły się na pierwszych stronach gazet. Morderstwo syna senatora zeszło na dalsze strony, a potem prasa zupełnie przestała się nim zajmować.

Myron ponownie przejrzał wycinki. Śmierć Curtisa Yellera nie wywołała żadnych reperkusji. Nie było żadnej wzmianki na temat dochodzenia prowadzonego przez wydział spraw wewnętrznych. Żaden etatowy opozycjonista nie oprotestował „brutalności" policji — co było bardzo dziwne. W takich wypadkach zawsze jakiś czubek występuje przed kamerami, aby potępiać, nie zważając na fakty, szczególnie jeśli biały policjant zastrzeli czarnego nastolatka. Jednak nie tym razem. A przynajmniej nie pisano o tym w gazetach.

Chwileczkę.

Artykuł na temat Curtisa Yellera. Myron ominął go za pierwszym razem, ponieważ został opublikowany nazajutrz po morderstwie. Bardzo szybko jak na tego rodzaju materiał. Zapewne zamieszczono go, zanim senator Cross wyciszył sprawę — chociaż takie podejrzenie mogło być przejawem paranoi Myrona. Trudno powiedzieć.

Była to krótka notatka w dolnym rogu na dwunastej stronie miejskiego działu gazety. Myron przeczytał ją dwukrotnie. A potem jeszcze raz. Autor artykułu nie zajmował się strzelaniną w zachodniej Filadelfii ani nawet rolą, jaką odegrała w niej policja. Pisał o samym Curtisie Yellerze.

Artykuł zaczynał się jak list pochwalny. Curtisa Yellera nazwano „wyróżniającym się uczniem". Nic nadzwyczajnego. Psychotycznego pedofila o ilorazie inteligencji cytrusa też można by nazwać „wyróżniającym się uczniem", gdyby ktoś zastrzelił go za młodu. *Targowisko próżności*. Jednak autor tego artykułu nie poprzestał na tym. Pani Lucinda Elright, ucząca Curtisa Yellera historii, opisała go jako „najlepszego ucznia" i „chłopca, którego nigdy nie musiała choćby skarcić". Pan Bernard Johnson, jego nauczyciel angielskiego, powiedział, że Curtis był „niezwykle bystry i dociekliwy", „jeden na milion", a także „jak syn".

Zwyczajne wychwalanie zmarłego?

Możliwe. Jednak dziennik szkolny potwierdzał opinie nauczycieli. Curtis nigdy nie otrzymał nagany. Miał najmniej opuszczonych zajęć w swojej klasie. Ponadto uzyskał średnią powyżej 3,9, przy czym najlepsze oceny otrzymał z przedmiotów wiodących. Nauczyciele byli przekonani, że Curtis Yeller nie był zdolny do użycia przemocy. O to, co się stało, pani Elright obwiniała kuzyna Curtisa, Errola Swade'a, ale nie precyzowała zarzutów.

Myron podniósł głowę znad wycinków. Popatrzył na wiszące naprzeciw na ścianie zdjęcie z *Casablanki*. Sam grał Bogartowi i Bergman, gdy do knajpy wchodzili naziści. Patrzę na ciebie, mała. Zawsze będziemy mieli Paryż. Polecisz tym samolotem. Myron zastanawiał się, czy młody Curtis Yeller widział kiedyś ten film, czy miał okazję ujrzeć celuloidowy obraz Ingrid Bergman, stojącej ze łzami w oczach na zasnutym mgłą lotnisku.

Wyjął zza biurka piłkę do koszykówki i zaczął kręcić nią na palcu. Uderzał ją dłonią pod odpowiednim kątem, nadając coraz szybszy ruch obrotowy, lecz nie zmieniając jego osi. Spoglądał na swoje dzieło jak Cyganka w kryształową kulę. Widział alternatywny świat, w którym jego młodsza wersja zdobywa trzy punkty na parkiecie Boston Garden, tuż przed gwizdkiem oznaczającym koniec meczu. Starał się nie myśleć o tym zbyt długo, lecz ten obraz wciąż tkwił mu przed oczami, nie chcąc zniknąć.

Weszła Esperanza. Usiadła i czekała w milczeniu.

Myron przestał kręcić piłką. Schował ją za biurko i podał Esperanzy wycinek.

— Spójrz na to.

Przeczytała artykuł.

— Dwoje nauczycieli powiedziało dobre słowo o dzieciaku. I co z tego? Pewnie i tak przekręcili ich słowa.

— Tyle że to nie są tylko luźne uwagi. Curtis Yeller nie był notowany, nigdy nie otrzymał nagany w szkole, uczęszczał na wszystkie zajęcia i miał średnią bliską czterech. Dla większości dzieci byłyby to całkiem niezłe osiągnięcia. A on w dodatku pochodził z jednej z najgorszych dzielnic Filadelfii.

Esperanza wzruszyła ramionami.

— Nie widzę żadnego związku. Co za różnica, czy Yeller był Einsteinem, czy idiotą?

— Żadna. Tyle że to jeszcze jeden szczegół, który nie pasuje do całości. Dlaczego matka Curtisa powiedziała, że był nicponiem i złodziejem?

— Może znała go lepiej niż nauczyciele.

Myron pokręcił głową. Myślał o Deannie Yeller. O tej dumnej i pięknej kobiecie, która otworzyła mu drzwi. I o tym, jak nagle zmieniła się w wrogo nastawioną i nieufną, kiedy wspomniał o jej martwym synu.

— Kłamała.

— Dlaczego?

— Nie wiem. Win uważa, że została przekupiona.

— To wydaje się całkiem prawdopodobne — powiedziała Esperanza.

— To że matka bierze łapówkę i osłania mordercę jej syna?

Esperanza ponownie wzruszyła ramionami.

— Jasne, czemu nie?

— Naprawdę sądzisz, że matka...? — Myron urwał. Twarz Esperanzy nie zdradzała żadnych uczuć. Jeszcze jedna, która zawsze wierzy w najgorsze. — Po prostu przez moment zastanów się nad scenariuszem — próbował ją przekonać. — Curtis Yeller i Errol Swade włamują się w nocy do ekskluzywnego klubu. Po co? Żeby coś ukraść? Niby co? Była ciemna noc. Na pewno nie spodziewali się zgarnąć wypchanych portfeli z szatni. Co więc zamierzali ukraść? Parę tenisówek? Jakąś rakietę? Bardzo dużo zadali sobie zachodu, żeby zdobyć sprzęt sportowy.

— Może chodziło im o sprzęt stereo — podpowiedziała Esperanza. — W klubie mógł być panoramiczny telewizor.

— Świetnie. Załóżmy, że masz rację. Rzecz w tym, że ci chłopcy nie mieli samochodu. Używali publicznych środków transportu lub chodzili pieszo. Jak zamierzali zabrać łup? Nieść go przez miasto?

— Może chcieli ukraść jakiś samochód.

— Z klubowego parkingu?

Wzruszyła ramionami.

— Możliwe — odparła. I zaraz dodała: — Będziesz miał coś przeciwko temu, że na chwilę zmienię temat?

— Mów.

— Jak poszło ci wczoraj wieczorem z Eddiem Crane'em?

— Jest gorącym wielbicielem Małej Pocahontas. Powiedział, że jesteś „klasa"!

— Klasa?

— Taa.

Wzruszyła ramionami.

— Chłopak ma dobry gust.

— I jest miły. Spodobał mi się. Jest niegłupi i ma głowę na karku. Piekielnie fajny dzieciak.

— Zamierzasz go adoptować?

— Hm, nie.

— A co z kontraktem?

— Powiedzieli, że będą w kontakcie.

— Myślisz, że się zgłoszą?

— Trudno powiedzieć. Dzieciak mnie polubił. Jego rodzice martwili się, że nasza agencja jest mała. — Po chwili milczenia dodał: — A jak tobie poszło z Burger City?

Wręczyła mu kilka kartek papieru.

— Wstępna umowa dla Phila Sorensona.

— Reklama telewizyjna?

— Taak, tylko będzie musiał się przebrać za przyprawę do hamburgera.

— Jaką?

— Zdaje się, że za keczup. Jeszcze o tym porozmawiamy.

— Świetnie. Tylko nie zgódź się na majonez lub pikle. — Przejrzał umowę. — Dobra robota. Niezła sumka.

Esperanza obrzuciła go bacznym spojrzeniem.

— Nawet bardzo duża.

Uśmiechnął się do niej. Szeroko.

— Czy dochodzimy do momentu, w którym powinnam szaleć z radości po usłyszeniu twojej pochwały? — zapytała.

— Zapomnij, że w ogóle coś mówiłem.

Wskazała na stosik wycinków.

— Udało mi się znaleźć lekarkę psychiatrę, która leczyła Valerie w Dilworth. Nazywa się Julie Abramson. Ma prywatny gabinet na Siedemdziesiątej Trzeciej Ulicy. Oczywiście, nie zechce cię widzieć. Odmówi wszelkich komentarzy na temat swojej pacjentki.

— Kobieta lekarz — głośno myślał Myron. Założył ręce za głowę. — Może zdołam oczarować ją moim ostrym jak rapier umysłem i muskularnym ciałem.

— Być może — powiedziała Esperanza — ale na wypadek, gdyby nie była ślepa jak kret, wymyśliłam alternatywny plan.

— Jaki?

— Zadzwoniłam do jej gabinetu, zmieniłam głos i umówiłam cię na wizytę. Masz spotkać się z nią jutro rano. O dziewiątej.

— Co mi dolega?

— Priapizm * — odparła. — Przynajmniej moim zdaniem.

— Zabawne.

— Chociaż wyraźnie ci się polepszyło, odkąd ta Jak-jej-tam opuściła miasto.

Tą „Jak-jej-tam" była Jessica, którą Esperanza znała bardzo dobrze. Esperanza nie przepadała za miłością życia Myrona. Postronny obserwator mógłby uznać, że powodem była zazdrość, ale trafiłby jak kulą w płot. To prawda, że Esperanza była nadzwyczaj piękną kobietą. Oczywiście, oboje czasem miewali pokusy, lecz zawsze wykazywali dość rozsądku, aby zgasić płomień namiętności, zanim wyrządził jakieś szkody. Ponadto Esperanza lubiła odrobinę urozmaicenia w swoich

---

* Priap — (mit. gr. i rz.), syn Dionizosa i Afrodyty, bóg urodzaju i płodności natury, symbolizujący męski element płodności (przyp. red.).

związkach i nie tylko w kwestii wzrostu, tuszy czy koloru skóry. Na przykład teraz umawiała się z fotografem o imieniu Lucy. Właśnie Lucy. Tym, którzy mają kłopoty ze zrozumieniem wyjaśniam, że to kobiece imię.

Nie, powód jej niechęci był znacznie prostszy. Esperanza była przy tym, jak Jessica opuściła Myrona po raz pierwszy. Widziała, co się z nim działo. A Esperanza potrafiła długo żywić urazę.

Myron powtórzył pytanie.

— Powiedziałaś im, że co jest ze mną nie tak?

— Nie precyzowałam — odparła. — Słyszysz głosy. Masz paranoję, schizofrenię, omamy, halucynacje... co tylko chcesz.

— W jaki sposób udało ci się tak szybko załatwić wizytę?

— Jesteś słynną gwiazdą filmu.

— I nazywam się...?

— Nie odważyłam się podać im nazwiska — powiedziała Esperanza. — Jesteś zbyt sławny.

18

Gabinet doktor Julie Abramson znajdował się na rogu Siedemdziesiątej Trzeciej i Central Park West. Ekskluzywna okolica. Jedną przecznicę dalej, tuż obok parku, wznosił się kompleks San Remo. Mieszkali w nim Dustin Hoffman i Diane Keaton. Madonna próbowała się wprowadzić, ale zarząd zdecydował, że nie nadaje się na lokatorkę San Remo. Win mieszkał przecznicę na południe, w kompleksie Dakota, gdzie żył i umarł John Lennon. Przechodząc przez dziedziniec budynku, trzeba było minąć miejsce, w którym go zastrzelono. Od tamtego czasu Myron przechodził tamtędy ze sto razy, a mimo to wciąż robiło na nim wrażenie.

Drzwi doktor Abramson były zaopatrzone w kutą żelazną kratę. Dla ozdoby czy ochrony? Myron nie wiedział, lecz uznał za śmieszne to, że gabinet psychiatry jest zamykany kratą z kutego żelaza.

No dobrze, może nie śmieszne, ale zabawne.

Nacisnął przycisk dzwonka. Usłyszał brzęczyk i wszedł do środka. Na tę wizytę założył swoją najlepszą parę okularów przeciwsłonecznych, chociaż dzień był dość pochmurny. Pan Gwiazdor Filmowy.

Recepcjonista — elegancki mężczyzna w okularach o modnych oprawkach — splótł dłonie i powiedział „dzień dobry" głosem, który miał być łagodny, a brzmiał jak wrzask duszonego kota.

— Przyszedłem do doktor Abramson. Jestem umówiony na dziewiątą.

— Rozumiem.

Recepcjonista z zaciekawieniem wpatrywał się w twarz przybysza, usiłując odgadnąć, z którą z gwiazd filmowych ma do czynienia. Myron poprawił okulary, ale ich nie zdjął. Recepcjonista miał ochotę zapytać go o nazwisko, ale dyskrecja wzięła górę. Obawiał się obrazić sławnego człowieka.

— Zechciałby pan tymczasem wypełnić kwestionariusz?

Myron udał lekko zirytowanego.

— To zwykła formalność — rzekł recepcjonista. — Z pewnością pan to rozumie.

Myron westchnął.

— No cóż, trudno.

Potem recepcjonista poprosił o wypełniony przez Myrona kwestionariusz.

— Wolałbym oddać go osobiście doktor Abramson — rzekł Myron.

— Zapewniam pana, że...

— Chyba nie wyraziłem się dostatecznie jasno.

Rzekł pan Nadęty. Jak prawdziwa gwiazda filmowa.

— Osobiście oddam go doktor Abramson.

Recepcjonista zapadł w ponure milczenie. Kilka minut później zadzwonił interkom. Recepcjonista podniósł słuchawkę i odłożył ją po wysłuchaniu polecenia.

— Tędy, proszę.

Doktor Abramson była niska i drobna — miała najwyżej metr pięćdziesiąt i ważyła ze czterdzieści kilo w ubraniu. Wszystko w niej wydawało się miniaturowe. Oprócz oczu. Te lśniły w maleńkiej twarzyczce jak dwa wielkie, jasne reflektory, którym nie umknie żaden szczegół.

Umieściła swoją dziecinną rączkę w jego dłoni. Jej uścisk był zaskakująco mocny.

— Proszę usiąść — powiedziała.

Myron zrobił to. Doktor Abramson zajęła miejsce naprzeciwko. Stopami ledwie sięgała podłogi.

— Mogę zobaczyć pańską kartę? — poprosiła.

— Oczywiście.

Myron wręczył jej formularz. Zerknęła na rubrykę z nazwiskiem.

— Pan Bruce Willis?

Myron posłał jej krzywy uśmiech. Jak ze *Szklanej pułapki*.

— Nie poznała mnie pani w tych okularach, co?

— Wcale nie jest pan podobny do Bruce'a Willisa.

— Wpisałbym „Harrison Ford", ale on jest za stary.

— Jednak byłby to lepszy wybór. — Przyjrzawszy mu się dokładniej, dodała: — A jeszcze lepszy byłby Liam Neeson.

Doktor Abramson nie wyglądała na rozzłoszczoną żartem Myrona. W końcu była psychiatrą i przywykła do kontaktów z chorymi umysłami.

— Może wyjawi mi pan swoje prawdziwe nazwisko?

— Myron Bolitar.

Drobna twarzyczka rozjaśniła się w uśmiechu równie promiennym jak jej oczy.

— To dlatego wydawało mi się, że skądś pana znam. Jest pan gwiazdą koszykówki.

— Nie nazwałbym się „gwiazdą".

Teraz powinien się zarumienić.

— Proszę, panie Bolitar, niech pan nie będzie taki skromny. Pańska drużyna jako pierwsza zdobywała mistrzostwo USA przez kolejne trzy lata. Dwa puchary NCAA. Raz został pan wybrany akademickim sportowcem roku. Ósme miejsce na liście najlepszych koszykarzy.

— Jest pani miłośniczką koszykówki?

— I bystrą obserwatorką. — Odchyliła się jak dziecko na bujanym fotelu. — Jeśli dobrze pamiętam, pana zdjęcie dwukrotnie zamieszczono na okładce *Sports Illustrated*. Niezwykłe osiągnięcie jak na akademickiego zawodnika. Ponadto był pan zdolnym studentem, dobrym sportowcem, cieszył się pan popularnością mediów i był uważany za dość przystojnego. Mam rację?

— Owszem — rzekł Myron. — Może tylko należałoby pominąć określenie „uważany za".

Roześmiała się. Robiła to uroczo. Śmiała się całym ciałem.

— Zechce mi pan powiedzieć, o co właściwie chodzi, panie Bolitar.

— Proszę mówić mi Myron.

— Świetnie. A pan niech mówi mi „doktor Abramson". No cóż, na czym polega pański problem?

— Nic mi nie dolega.

— Rozumiem — powiedziała ze sceptyczną miną, ale Myron wyczuł, że zacna pani doktor bawi się jego kosztem. — A zatem problem ma pana „przyjaciel". Proszę mi o tym opowiedzieć.

— To przyjaciółka — powiedział Myron. — Valerie Simpson.

Spojrzała na niego uważnie.

— Co takiego?

— Chcę porozmawiać z panią o Valerie Simpson.

Jej szczera twarz zmieniła się w nieruchomą maskę.

— Nie jest pan reporterem, prawda?

— Nie.

— Zdaje się, że gdzieś wyczytałam, że został pan agentem sportowym.

— Zgadza się. Valerie Simpson miała być moją klientką.

— Rozumiem.

— Kiedy ostatni raz widziała pani Valerie? — zapytał Myron.

Doktor Abramson pokręciła głową.

— Nie mogę potwierdzić ani zaprzeczyć, że Valerie Simpson kiedykolwiek była moją pacjentką.

— Wcale nie musi pani potwierdzać lub zaprzeczać. Ja wiem, że była.

— Powtarzam: nie mogę potwierdzić ani zaprzeczyć, że Valerie Simpson kiedykolwiek była moją pacjentką. — Przyglądała mu się przez chwilę. — Może mógłby mi pan wyjaśnić, dlaczego to pana interesuje.

— Jak już powiedziałem, miałem ją reprezentować.

— To nie wyjaśnia, dlaczego przybył pan do mnie incognito.

— Prowadzę śledztwo w sprawie jej morderstwa.

— Śledztwo?

Myron kiwnął głową.

— Kto pana wynajął?

— Nikt.

— A więc dlaczego się pan tym zajmuje?

— Mam własne powody.

Skinęła głową.

— Jakie powody, Myronie? Chciałabym je poznać.

Psychiatrzy.

— Mam pani powiedzieć o tym, jak się czułem, kiedy nakryłem tatusia i mamusię w łóżku?

— Jeśli pan chce.

— Nie chcę. Natomiast chcę się dowiedzieć, co było powodem załamania nerwowego Valerie.

— Nie mogę potwierdzić ani zaprzeczyć, że Valerie Simpson kiedykolwiek była moją pacjentką — powtórzyła jak katarynka.

— Tajemnica lekarska?

— Właśnie.

— Przecież Valerie Simpson nie żyje.

— To w najmniejszym stopniu nie zwalnia mnie z obowiązku dochowania tajemnicy.

— Została zamordowana. Zastrzelona z zimną krwią.

— Tak słyszałam. Ta tragedia również nie zwalnia mnie z obowiązku.

— Pani może znać jakieś istotne fakty.

— Istotne dla kogo?

— Dla zdemaskowania mordercy.

Złożyła małe rączki na podołku. Jak dziewczynka w kościele.

— Właśnie to próbuje pan zrobić? Zdemaskować mordercę tej kobiety?

— Tak.

— A co z policją? Słyszałam w wiadomościach, że już mają podejrzanego.

— Nie ufam autorytetom — powiedział Myron.

— Ach tak?

— To jeden z powodów, dla których chcę rozwiązać tę sprawę.

Doktor Abramson zmierzyła go tymi swoimi wielkimi oczami.

— Nie sądzę, Myronie.

— Nie?

— Mam wrażenie, że powodem jest twój kompleks zbawcy. Jesteś człowiekiem, który wciąż musi grać rolę bohatera i postrzega siebie jako rycerza w lśniącej zbroi. Co o tym myślisz?

— Myślę, że analizę mojej psychiki powinniśmy odłożyć na inną okazję.

Wzruszyła ramionami.

— Ja tylko wyrażam moje zdanie. Bez dodatkowej opłaty.

— Świetnie.

Dodatkowej opłaty?

— Nie jestem pewien, czy policja ściga właściwego człowieka.

— Dlaczego?

— Miałem nadzieję, że pani pomoże mi rozwiązać tę zagadkę. Valerie z pewnością mówiła o tym, że Roger Quincy ją prześladuje. Czy uważała, że może być niebezpieczny?

— Po raz ostatni powtarzam, że nie mogę potwierdzić ani zap...

— I wcale o to nie proszę. Pytam tylko o Rogera Quincy'ego. Wobec niego nie ma pani żadnych zobowiązań, prawda?

— I wcale go nie znam.

— Może więc zechce pani wyrazić swoją zwięzłą opinię. Tak jak na mój temat.

Potrząsnęła głową.

— Przykro mi.

— W żaden sposób nie zdołam pani przekonać, żeby porozmawiała pani ze mną?

— O pacjencie lub pacjentce? Nie.

— Załóżmy, że uzyskałbym zgodę jej rodziców.

— Nie uzyska pan.

Myron czekał, obserwując ją. Była w tym lepsza od niego. Jej twarz niczego nie zdradzała, lecz nie mogła cofnąć raz wypowiedzianych słów.

— Skąd pani wie? — zapytał.

Nie odpowiedziała. Wbiła wzrok w podłogę. Myron zastanawiał się, czy nie wygadała się celowo.

— Już do pani dzwonili, prawda? — spytał.

— Nie wolno mi omawiać spraw moich...

— Jej rodzina dzwoniła do pani. Zamknęli pani usta.

— Nie mogę potwierdzić...

— Jej ciało jeszcze nie ostygło, a oni już chcą wyciszyć sprawę — ciągnął Myron. — Nie widzi pani w tym niczego złego?

Doktor Abramson odkaszlnęła.

— Nie wiem, o czym pan mówi, ale powiem panu coś. W takich sytuacjach jak ta, którą mi pan opisał, nie ma niczego dziwnego w tym, że rodzice chcą chronić pamięć swojej zmarłej córki.

— Chronić jej pamięć? — Myron wstał i spojrzał na nią z udawanym prawniczym oburzeniem. — Czy też jej mordercę?

Król Sceny.

— Teraz mówi pan głupstwa — powiedziała. — Chyba nie podejrzewa pan rodziny tej młodej kobiety.

Myron usiadł. Pokręcił głową w sposób mówiący, że wszystko jest możliwe.

— Córka Helen Van Slyke została zamordowana. Kilkanaście godzin po zabójstwie jej pogrążona w żalu matka dzwoni do pani, żeby zamknąć pani usta. Nie uważa pani, że to trochę dziwne?

— Nie mogę potwierdzić ani zaprzeczyć, że kiedykolwiek słyszałam nazwisko Van Slyke.

— Rozumiem — rzekł Myron. — Zatem uważa pani, że sprawę należy jak najszybciej zamknąć. Wyciszyć. Wszystko w imię zachowania pozorów. Jakoś nie wydaje mi się, żeby to pani odpowiadało, pani doktor.

Milczała.

— Pani pacjentka nie żyje — dodał Myron. — Nie sądzi pani, że ma pani zobowiązania raczej wobec niej niż jej matki?

Doktor Abramson zacisnęła maleńkie piąstki, ale zaraz je otworzyła. Nabrała tchu, wstrzymała oddech i powoli wypuściła powietrze z płuc.

— Załóżmy, tylko załóżmy, że leczyłam tę młodą kobietę. Czy mogłabym zawieść jej zaufanie i wyjawić to, co wyznała mi w tajemnicy? Jeśli pacjentka nie chciała ujawniać prawdy za życia, czy nie powinnam uszanować tej decyzji również po jej śmierci?

Myron zmierzył ją wzrokiem. Doktor Abramson odpowiedziała równie nieustępliwym spojrzeniem.

— Ładnie powiedziane — rzekł. — Może jednak Valerie zamierzała coś ujawnić. I może ktoś zabił ją dlatego, żeby temu zapobiec.

— Myślę, że powinien pan już wyjść.

Nacisnęła przycisk interkomu. W drzwiach pojawił się recepcjonista. Założył ręce na piersi i usiłował robić groźną minę. Tę próbę trudno byłoby uznać za uwieńczoną sukcesem.

Myron wstał. Wiedział, że zasiał ziarno wątpliwości. Teraz powinien zaczekać, aż wykiełkuje.

— Zechce pani przynajmniej zastanowić się nad tym? — dorzucił.

— Żegnam.

Recepcjonista odsunął się na bok, przepuszczając Myrona.

19

Z trzech świadków zamordowania Alexandra Crossa, jego szkolnych kolegów, tylko jeden mieszkał w pobliżu Nowego Jorku. Gregory Caufield junior był teraz młodszym wspólnikiem w firmie prawniczej swego ojca. Stillen, Caufield i Weston była liczącą się i szacowną kancelarią, której filie znajdowały się w kilku stanach, jak również za granicą.

Myron zadzwonił i zapytał o młodszego Gregory'ego Caufielda. Kazano mu czekać. Po kilku sekundach odezwał się kobiecy głos i powiedział:

— Już łączę z panem Caufieldem.

Sygnał. Jeden. Potem entuzjastyczny głos powiedział:

— No, cześć!

No, cześć?

— Czy mówię z Gregorym Caufieldem?

— Jasne. Co mogę dziś dla pana zrobić?

— Nazywam się Myron Bolitar.

— Uhm.

— I chciałbym się z panem spotkać.

— Jasne. Kiedy?

— Jak najszybciej.

— Może za pół godziny? Pasuje?

— Byłoby świetnie, dziękuję.

— Super, Myronie. Czekam z niecierpliwością.

Trzask odkładanej słuchawki. Super?

Piętnaście minut później Myron był już w drodze. Przeszedł po Park Avenue, obok schodów meczetu, na których lubili z Winem siadywać w ciepłe dni. Doskonały punkt obserwacyjny. W Nowym Jorku mieszkają chyba najpiękniejsze kobiety na świecie. Noszą uprzejme uśmiechy, sportowe buty i przeciwsłoneczne okulary. Pośpiesznie przemykają po chodnikach, nie mając ani chwili czasu do stracenia. To zdumiewające, ale żadna z tych pięknych kobiet nie patrzyła na Myrona. Zapewne z wrodzonej dyskrecji. Pewnie pożerały go wzrokiem zza tych ciemnych okularów.

Myron przeszedł na zachód, do Madison Avenue. Minął kilka sklepów z elektroniką, na których już co najmniej od roku widniały wywieszki „wyprzedaż z powodu likwidacji". Wszystkie te tabliczki wyglądały identycznie: białe tło, czarne litery. Niewidomy wyciągał rękę z kubkiem. W dzisiejszych czasach już nawet nie rozdają ołówków. Jego pies przewodnik leżał nieruchomo, jak zdechły. Dwaj policjanci śmiali się na rogu. Zajadali francuskie rogaliki. Nie pączki. Następny stereotyp diabli wzięli.

Przy windzie w holu stał strażnik.

— Tak?

— Myron Bolitar do Gregory'ego Caufielda.

— Ach tak, pan Bolitar. Dwudzieste pierwsze piętro.

Nie dzwonił. Nie sprawdzał listy. Hm.

Drzwi windy otworzyły się i stanęła w nich mile uśmiechnięta kobieta.

— Dzień dobry, panie Bolitar. Pan pozwoli za mną.

Szli długim korytarzem wyłożonym różowym chodnikiem, o białych ścianach, na których wisiały oprawione w ramki plakaty McKnighta. Nie było słychać stukania maszyn do pisania, tylko cichy pomruk drukarek laserowych. Ktoś wybierał numer telefonu. Popiskiwały faksy, przesyłając swój tęskny zew. Kiedy minęli zakręt korytarza, podeszła do nich druga kobieta o równie sympatycznym uśmiechu.

— Dzień dobry, panie Bolitar — powiedziała. — Cieszę się, że pana widzę.

— Ja również się cieszę, że panią widzę.

Co za błyskotliwa odpowiedź.

Pierwsza kobieta przekazała go drugiej. Jak pałeczkę w sztafecie.

— Pan Caufield czeka na pana w sali konferencyjnej C — powiedziała druga kobieta ściszonym głosem, jakby sala konferencyjna C była centrum dowodzenia tajnych operacji w podziemiach Pentagonu.

Podprowadziła go do drzwi, które różniły się od innych tylko umieszczoną na nich wielką mosiężną literą „C". Myron w mgnieniu oka wydedukował, że prowadziły do sali konferencyjnej C. Istne *Przygody Sherlocka Bolitara*. Drzwi otworzył im młody mężczyzna. Miał gęstą czuprynę w stylu Stephanopoulosa. Entuzjastycznie uścisnął dłoń Myrona.

— Cześć, Myron.

— Cześć, Gregory.

Jakby naprawdę się znali.

— Wejdź, proszę. Jest tu ktoś, kogo chciałbym ci przedstawić.

Myron wszedł do pokoju. Wielki stół z orzechowego drewna i drogie, obite ciemną skórą fotele, z rodzaju tych ze złotymi guzikami. Na ścianach olejne portrety ludzi o surowych twarzach. W pokoju nie było nikogo prócz mężczyzny siedzącego na końcu stołu. Chociaż nigdy się nie spotkali, Myron natychmiast go rozpoznał. Powinien być zdziwiony, ale nie był.

Senator Bradley Cross.

Gregory nie fatygował się przedstawianiem ich sobie. Prawdę mówiąc, nawet nie pozostał w pokoju. Wymknął się za drzwi i zamknął je za sobą. Senator wstał. Wcale nie miał klasycznej urody patrycjusza, jaką zwykle kojarzy się z zawodowym politykiem. Powiadają, że ludzie upodabniają się do swoich domowych zwierząt. W takim przypadku senator Bradley Cross musiałby być właścicielem basseta. Miał pociągłą twarz o obwisłych policzkach. Dobrze skrojony garnitur nie zdołał zamaskować zbyt szerokich bioder. Gdyby senator był kobietą, mówiono by, że doskonale nadają się do rodzenia dzieci. Rzadkie kosmyki siwych włosów sterczały jak naelektryzowane. Miał okulary i krzywy uśmiech. Pomimo wszystko był to krzepiący uśmiech i sympatyczna, godna zaufania twarz. Z rodzaju tych, które zdobywają głosy wyborców.

Senator Cross powoli wyciągnął rękę.

— Przepraszam za ten teatralny efekt — powiedział — ale uznałem, że powinniśmy się spotkać.

Uścisnęli sobie dłonie.

— Zechce pan usiąść. Proszę się rozgościć. Czy mogę czymś pana poczęstować?

— Nie, dziękuję — odparł Myron.

Usiedli naprzeciw siebie. Myron czekał. Wydawało się, że senator nie wie, od czego zacząć. Kilkakrotnie odkaszlnął, zasłaniając dłonią usta. Za każdym razem lekko podrygiwały mu przy tym obwisłe policzki.

— Czy pan wie, dlaczego chciałem się z panem zobaczyć? — zapytał.

— Nie — odparł Myron.

— O ile mi wiadomo, wypytuje pan o mojego syna. Ściśle mówiąc, o morderstwo, jakiego na nim dokonano.

— Gdzie pan to słyszał?

— Gdzieś. Tu i ówdzie. Mam własne źródła informacji. — Przechylił głowę jak basset, kiedy usłyszy dziwny dźwięk. — Chciałbym wiedzieć dlaczego.

— Valerie Simpson miała być moją klientką — powiedział Myron.

— Tak mi mówiono.

— Usiłuję znaleźć jej mordercę.

— I sądzi pan, że może istnieć związek między śmiercią Valerie i Alexandra?

162

Myron wzruszył ramionami.

— Mój syn został przypadkowo zabity przez złodzieja-szka, sześć lat temu, na przedmieściach Filadelfii. Valerie została zastrzelona w gangsterskim stylu podczas turnieju US Open w Nowym Jorku. Co może łączyć te dwa zabójstwa?

— Może nic.

Cross odchylił się na krześle i zaczął kręcić młynka kciukami.

— Będę z panem szczery, Myronie. Przed tą rozmową starałem dowiedzieć się czegoś o panu. Wiem, czym się pan zajmował. Oczywiście, nie znam szczegółów, ale znam pańską reputację. Nie próbuję wywierać żadnej presji. To nie w moim stylu. Nigdy nie odpowiadała mi rola twardego faceta.

Znów się uśmiechnął. Oczy lekko mu się zaszkliły, a głos wyraźnie zadrżał.

— Rozmawiam z panem nie jako senator Stanów Zjednoczonych, lecz zasmucony ojciec. Pogrążony w żałobie ojciec, który chce tylko, żeby jego syn spoczywał w spokoju. Bardzo proszę, niech pan przestanie to robić.

W głosie senatora było słychać nieskrywany ból. Myron nie spodziewał się czegoś takiego.

— Nie wiem, czy mogę, senatorze.

Cross energicznie potarł dłońmi twarz.

— Widzisz dwoje młodych ludzi... — zaczął ze znużeniem. — Widzisz dwoje młodych ludzi, przed którymi świat stoi otworem. Prawie zaręczonych. I co się dzieje? Oboje zostają zamordowani w odstępie kilku lat. Ten zbieg okoliczności wydaje się zbyt okropny. Pana też to zastanowiło, prawda, Myronie?

Myron skinął głową.

— Dlatego zaczął pan badać szczegóły tej sprawy. Szukać czegoś, co mogłoby wyjaśnić powody tej tragedii. I w trakcie poszukiwań wyszły na jaw pewne niekonsekwencje. Szczegóły, które nie pasują do całości.

— Owszem.

— I te drobiazgi każą sądzić, że istnieje związek między śmiercią Alexandra i Valerie.

— Możliwe.

Cross spojrzał na sufit i przyłożył wskazujący palec do ust.

— Czy przyjmie pan moje słowo honoru, że te niekonsekwencje nie mają nic wspólnego z Valerie Simpson?

— Nie — odparł Myron. — Tego nie mogę zrobić.

Senator Cross skinął głową, bardziej do swoich myśli niż do niego.

— Tak przypuszczałem — powiedział. — Nie ma pan dzieci, prawda, Myronie?

— Nie.

— To nieistotne. Nawet ludzie mający dzieci tego nie rozumieją. Nie mogą. To, co się stało... Nie chodzi tylko o cierpienie. Śmierć jest nieodwołalna. Nigdy cię nie opuszcza, nie daje ci chwili wytchnienia. Moja żona do dziś codziennie zażywa środki uspokajające. Jakby ktoś zabrał całe jej wnętrze i pozostawił tylko pustą skorupę. Nie może pan sobie wyobrazić, co czuję, kiedy widzę ją w takim stanie.

— Nie chcę nikogo skrzywdzić, senatorze.

— Jednak nie chce pan również zaniechać śledztwa. Pomimo wszelkich środków ostrożności, ktoś dowie się o tym dochodzeniu, tak samo jak ja.

— Spróbuję być dyskretny.

— Pan wie, że tego nie da się ukryć.

— Nie mogę się wycofać. Przykro mi.

Senator ponownie potarł twarz.

— Nie pozostawia mi pan wyboru. Będę musiał powiedzieć panu, co się stało. Może wtedy poniecha pan śledztwa.

Myron czekał.

— Jest pan prawnikiem, prawda?

— Tak.

— Członkiem nowojorskiej palestry?

— Tak.

Bradley Cross sięgnął do kieszeni garnituru. Fałdy pożółkłej skóry na jego policzkach obwisły jeszcze bardziej. Wyjął książeczkę czekową.

— Chciałbym zatrudnić pana jako mojego prawnika — powiedział. — Czy wystarczy czek na pięć tysięcy dolarów?

— Nie rozumiem.

— Jako mój adwokat będzie pan zobowiązany do zachowania w tajemnicy tego, co powiem. Nie będzie pan mógł tego ujawnić, nawet przed sądem.

— Nie musi mnie pan wynajmować tylko w tym celu.

— Wolę zrobić to w ten sposób.

— Świetnie. Zatem wystarczy sto dolarów.

Bradley Cross wypisał czek i wręczył go Myronowi.

— Mój syn zażywał narkotyki — rzekł bez żadnych wstępów. — Głównie kokainę. Heroinę także, ale dopiero co zaczął. Wiedziałem, że coś bierze, ale szczerze mówiąc, nie sądziłem, że to coś poważnego. Widywałem go na haju. Widziałem przekrwione oczy. Myślałem, że to tylko marihuana. No cóż, ja też kiedyś tego próbowałem. Nawet paliłem.

Nikły uśmiech. Myron odpowiedział takim samym.

— Tamtej nocy Alexander i jego koledzy wybrali się na spacer po terenie klubu — rzekł senator. — Zamierzali dać sobie w żyłę. W kieszeni Alexandra znaleziono strzykawkę. W krzakach niedaleko miejsca zabójstwa policja znalazła kokainę. I oczywiście ślady kokainy i heroiny odkryto w ciele Alexandra. Nie tylko w płynach ustrojowych, ale i w tkankach. Powiedziano mi, że to oznacza, iż zażywał narkotyki od dłuższego czasu.

— Sądziłem, że nie przeprowadzono sekcji — powiedział Myron.

— Zachowano to w tajemnicy. Nie sporządzono protokołu ani notatki. I tak nie miało to żadnego znaczenia. Alexander stracił życie w wyniku pchnięcia nożem, a nie przedawkowania. Fakt, że zażywał nielegalne środki pobudzające, był nieistotny.

Być może, pomyślał Myron z niewzruszoną miną.

Cross przez moment spoglądał w dal. Po chwili zapytał:

— O czym mówiłem?

— Wyszli z przyjęcia, żeby dać sobie w żyłę.

— Racja, dziękuję. — Odkaszlnął i usiadł prosto. — Reszta tej opowieści jest powszechnie znana. Na jednym z trawiastych kortów chłopcy natknęli się na Errola Swade'a i Curtisa Yellera. Gazety podawały, jaki dzielny był Alexander, który próbował schwytać złodziei, nie bacząc na własne bezpieczeństwo. To wersja sprzedawana przez moich ludzi. W rzeczywistości był naćpany i postąpił zupełnie irracjonalnie. Rzucił się na tych opryszków, jakby był Supermanem. Ten cały Yeller, którego później zastrzelili policjanci, porzucił łup i uciekł. Jednak Errol Swade był groźniejszym przeciwnikiem. Wyjął nóż sprężynowy i przebił serce mojego syna jak balon. Mówiono, że z zimną krwią. Nonszalancko.

Senator Cross zamilkł. Myron czekał, aż podejmie opowieść. Kiedy stało się jasne, że powiedział już wszystko, Myron zapytał:

— Po co przyszli do klubu?

— Kto?

— Swade i Yeller.

Senator Cross zrobił zdumioną minę.

— Byli złodziejami.

— Skąd pan to wie?

— A co innego mogli tam robić, jak nie kraść?

Myron wzruszył ramionami.

— Na przykład sprzedawać narkotyki pańskiemu synowi. Takie wyjaśnienie wydaje się bardziej przekonujące niż próba nocnej kradzieży w klubie tenisowym.

Cross pokręcił głową.

— Mieli przy sobie różne rzeczy. Rakiety tenisowe. Piłki.

— Kto tak twierdził?

— Gregory i pozostali. Te rzeczy znaleziono na miejscu zbrodni.

— Rakiety tenisowe i piłki?

— Może było tam jeszcze coś, nie pamiętam.

— I po to tam przyszli? — rzekł Myron. — Kraść sprzęt do tenisa?

— Policja uważa, że mój syn zaskoczył ich w trakcie dokonywania przestępstwa.

— Przecież pański syn natknął się na nich na zewnątrz. Jeśli ukradli jakiś sprzęt, to oznaczałoby, że już byli w środku.

— Co pan chce zasugerować? — zapytał ostro senator. — Że mój syn został zamordowany w wyniku sprzeczki przy transakcji narkotykowej?

— Jak tylko usiłuję ustalić fakty.

— Czy gdyby to było morderstwo w trakcie transakcji narkotykowej, jego związek ze śmiercią Valerie byłby bardziej prawdopodobny?

— Nie.

— A zatem czego chce pan dowieść?

— Niczego. Ja tylko rozważam różne możliwości. I co stało się potem? Zaraz po morderstwie.

Senator znów spojrzał przed siebie, tym razem w kierunku jednego z portretów, ale Myron nie sądził, żeby Cross widział ten obraz.

— Gregory i pozostali chłopcy wrócili biegiem na przyjęcie — powiedział głuchym głosem. — Wyszedłem za nimi na zewnątrz. Z ust Alexandra płynęła pienista krew. Zanim do niego dobiegłem, nie żył.

Milczał chwilę.

— Może pan sobie wyobrazić resztę. Działałem jak automat. Właściwie niewiele robiłem. Wyręczyli mnie moi pomocnicy. I ojciec Gregory'ego, który jest tutaj starszym wspólnikiem. Ja tylko stałem i machinalnie kiwałem głową. Nie będę pana okłamywał. Nie zamierzam twierdzić, że nie wiedziałem, co się dzieje. Wiedziałem. Trudno pozbyć się zakorzenionych nawyków, Myronie. Nie ma bardziej samolubnego stworzenia od polityka. Tak łatwo usprawiedliwiamy nasz egoizm „dobrem ogółu". Dlatego wyciszono sprawę.

— A gdyby prawda wyszła teraz na jaw?

Uśmiechnął się.

— Byłbym skończony. Jednak już się tego nie obawiam. A może i to jest kłamstwem, kto wie? — Rozłożył ręce i znów je opuścił. — Jednak moja żona nigdy nie dowiedziała się prawdy. Nie wiem, co by się stało, gdyby poznała ją teraz. Naprawdę nie wiem. Alexander był dobrym dzieciakiem, panie Bolitar. Nie chcę, żeby szargano jego pamięć. Narkotyki wcale nie czynią Errola Swade'a czy Curtisa Yellera mniej, a mojego syna bardziej winnym. Nie prosił się o pchnięcie nożem.

Myron odczekał chwilę. Potem zadał najważniejsze pytanie:

— A co z Deanną Yeller?

Zdziwienie.

— Z kim?

— Z matką Curtisa Yellera.

— Co z nią?

— Nie utrzymuje pan z nią żadnych kontaktów?

Jeszcze większe zdziwienie.

— Oczywiście, że nie. Dlaczego pan pyta?

— Nigdy nie płacił jej pan za milczenie?

— O czym?

— O okolicznościach śmierci pańskiego syna.

— Nie. Dlaczego miałbym to robić?

— Nigdy nie przeprowadzono sekcji zwłok Curtisa Yellera. To dziwne, nie sądzi pan?

— Jeśli sugeruje pan, że policja nie postępowała w tej sprawie ściśle według przepisów, nie mogę odpowiedzieć na to pytanie, ponieważ nie wiem. I nie obchodzi mnie to. Owszem, sam zastanawiałem się nad strzelaniną. Może tamtej nocy ukryto nie tylko fakty dotyczące mojego syna. Jeśli tak było, ja nie miałem z tym nic wspólnego. Co więcej, nie widzę żadnego ewentualnego związku ze śmiercią Valerie Simpson. Prawdę mówiąc, w ogóle nie dostrzegam jakiegokolwiek powiązania tej sprawy z Valerie.

— Czy ona tamtej nocy była na przyjęciu?

— Valerie? Oczywiście.

— Czy pan wie, gdzie była w chwili, kiedy zamordowano Alexandra?

— Nie.

— A pamięta pan, jak zareagowała na wiadomość o jego śmierci?

— Była załamana. Jej narzeczony właśnie został zamordowany z zimną krwią. Była rozkojarzona i zła...

— Aprobował pan ich związek?

— Tak, jak najbardziej. Uważałem, że Valerie jest trochę za poważna. Zbyt smutna. Jednak lubiłem ją. Ona i Alexander tworzyli ładną parę.

— Jej nazwisko nie zostało nigdzie wymienione w powiązaniu z morderstwem pana syna. Dlaczego?

Obwisłe policzki znów zadrgały.

— Sam pan wie dlaczego — rzekł senator. — Valerie Simpson wciąż była znakomitością. Uważaliśmy, że i tak jest dość zamieszania i nie ma potrzeby wplątywać jej w tę historię. Nie chodziło o to, czy ją lubimy, czy nie. Po prostu chcieliśmy jak najbardziej wyciszyć tę sprawę. Nie dopuścić do tego, żeby znalazła się na pierwszych stronach gazet.

— Poszczęściło się wam.

— Co ma pan na myśli?

— Yeller został zabity. Swade zniknł.

Cross kilkakrotnie zamrugał oczami.

— Nie jestem pewien, czy zrozumiałem.

— Gdyby żyli, byłby proces. A ten znów przyciągnąłby uwagę prasy. Może w takim stopniu, że pańscy ludzie nie zdołaliby już sobie z tym poradzić.

Cross uśmiechnął się.

— Rozumiem. Słyszał pan plotki.

— Plotki?

— O tym, że kazałem zabić Errola Swade'a, a mafia oddała mi tę przysługę, i tym podobne bzdury.

— Musi pan przyznać, senatorze, że ta sprawa zakończyła się w sposób bardzo wygodny dla pana jako osoby publicznej. Nie pozostał nikt, kto mógłby podważyć wersję sprzedawaną przez pańskich ludzi.

— Nie opłakuję Curtisa Yellera i nie sądzę, żebym ronił łzy, gdyby Errol Swade został zamordowany. Jednak nie znam żadnych gangsterów. Może to głupio zabrzmi, ale nawet nie wiedziałbym, w jaki sposób zapewnić sobie pomoc mafii. Aczkolwiek wynająłem detektywów, żeby szukali Swade'a.

— Odkryli coś?

— Nie. Uważają, że Swade nie żyje. Policja też jest tego zdania. To był śmieć. Jeszcze przed tym wypadkiem staczał się po równi pochyłej.

Myron zadał mu jeszcze kilka pytań, ale nie dowiedział się niczego więcej. Po kilku kolejnych minutach obaj wstali.

— Miałby pan coś przeciwko temu, gdybym przed wyjściem porozmawiał z Gregorym Caufieldem? — zapytał Myron.

— Wolałbym, żeby pan tego nie robił.

— Jeśli nie ma niczego do ukrycia...

— Nie chcę, by się dowiedział, że panu o tym opowiedziałem. Tajemnica zawodowa, pamięta pan? I tak nie rozmawiałby otwarcie.

— Zrobiłby to, gdyby mu pan kazał.

Cross potrząsnął głową.

— Gregory słucha ojca. Nie zechciałby mówić.

Myron wzruszył ramionami. Senator zapewne miał rację. Mógłby nacisnąć Gregory'ego tylko dzięki informacjom, jakie uzyskał od senatora. A Cross zręcznie pozbawił go tej możliwości. Myron będzie musiał znaleźć jakiś sposób, żeby obejść ten ślepy zaułek. Caufield był naocznym świadkiem. Warto zadać mu kilka pytań.

Wymienili uścisk dłoni, patrząc sobie w oczy. Czy senator Cross był miłym starym piernikiem, usiłującym chronić pamięć swojego syna? Czy też wykalkulował sobie, że taka taktyka będzie najbardziej skuteczna w przypadku Myrona? Był sprytny, sympatyczny, czy jedno i drugie?

Cross ponownie posłał mu krzepiący, krzywy uśmiech.

— Mam nadzieję, że zaspokoiłem pańską ciekawość — powiedział.

Wcale nie. Wprost przeciwnie. Jednak Myron nie zamierzał mu o tym mówić.

20

Myron opuścił budynek i pomaszerował Madison Avenue. Samochody stały w korku. Nic nadzwyczajnego na Manhattanie. Na Pięćdziesiątej Czwartej Ulicy z pięciu pasów robił się jeden. Cztery pozostałe były zablokowane przez nieustannie trwające w Nowym Jorku roboty drogowe. Ze studzienek kanalizacyjnych unosiły się kłęby pary. Obraz kojarzący się z piekłem Dantego. Skąd brało się tyle pary?

Już miał przejść przez Pięćdziesiątą Trzecią, kiedy poczuł silne szturchnięcie w żebra.

— Daj mi tylko jakiś powód, dupku.

Myron rozpoznał ten głos, zanim jeszcze zauważył oklejony plastrem nos i podbite oczy. Siatkowa Koszulka. Przyciskał pistolet do boku Myrona, zasłaniając broń własnym ciałem przed oczami przechodniów.

— Masz na sobie tę samą koszulkę — rzekł Myron. — Jezu Chryste, nawet się nie przebrałeś.

Siatkowa Koszulka mocniej wbił mu lufę między żebra.

— Pożałujesz, że się urodziłeś, dupku. Wsiadaj do samochodu.

Samochód — szaroniebieski cadillac z mocno zarysowanym bokiem — zatrzymał się obok nich. Za kierownicą siedział Jim, partner Siatkowej Koszulki, ale Myron ledwie na niego spojrzał.

172

Skupił wzrok na znajomej postaci na tylnym siedzeniu. Pasażer uśmiechnął się i pomachał do niego.

— Cześć, Myron — zawołał. — Jak leci?

Aaron.

— Posadź go tutaj, Lee — powiedział Aaron.

Lee Siatkowa Koszulka szturchnął Myrona lufą pistoletu.

— Wsiadaj, dupku.

Myron usiadł na tylnym siedzeniu obok Aarona. Lee Siatkowa Koszulka obok swojego kumpla. Oba przednie fotele, które Win polał syropem klonowym, były nakryte folią.

Aaron był ubrany tak jak zwykle. Śnieżnobiały garnitur, białe buty. Bez skarpetek. Bez koszuli. Aaron nigdy nie nosił koszuli, lubiąc pokazywać swoją opaloną klatkę piersiową. Lśniła jak namaszczona jakimś olejkiem lub maścią. Zawsze wyglądał tak, jakby właśnie wyszedł z salonu piękności, ze skórą gładką jak pupa niemowlaka. Był ogromnym mężczyzną — miał metr dziewięćdziesiąt wzrostu i ważył prawie sto dwadzieścia kilo. Na ten ciężar składały się głównie mięśnie. Ponadto to wielkie cielsko potrafiło poruszać się bardzo szybko i zwinnie. Czarne włosy nosił zaczesane do tyłu i związane w kucyk.

Posłał Myronowi promienny uśmiech gospodarza teleturnieju.

— Ładny uśmiech, Aaronie — pochwalił Myron. — Mnóstwo zębów.

— Dbam o higienę jamy ustnej. To moja pasja.

— Powinien podzielać ją Lee — zauważył Myron.

Siatkowa Koszulka obrócił głowę.

— Co powiedziałeś, dupku?

— Nie odwracaj się, Lee — rzekł Aaron do Siatkowej Koszulki. Ten jeszcze przez moment przeszywał Myrona gniewnym wzrokiem. Myron ziewnął. Jim prowadził. Aaron siedział spokojnie. Nic nie mówił, tylko się uśmiechał. Cały wydawał się błyszczeć w słońcu. Kiedy przejechali dwie przecznice, Myron wskazał na dekolt Aarona.

— Podczas elektrolizy przegapili kilka włosów na piersi.

173

Trzeba przyznać Aaronowi, że nawet nie spojrzał na swój tors.

— Musimy pogadać, Myron.

— O czym?

— O Valerie Simpson. Sądzę, że po raz pierwszy jesteśmy po tej samej stronie.

— Ach tak?

— Ty chcesz złapać mordercę Valerie Simpson. My też.

— Wy też?

— Właśnie. Pan Ache zamierza postawić jej zabójcę przed sądem.

— To cały Frank. Jak zwykle dobry samarytanin.

Aaron zachichotał.

— Wciąż straszny z ciebie zgrywus, co, Myron? Cóż, przyznaję, że to brzmi trochę dziwnie, ale chcielibyśmy ci pomóc.

— W jaki sposób?

— Obaj wiemy, że to Roger Quincy zabił Valerie Simpson. Pan Ache zamierza użyć swoich znacznych wpływów, aby pomóc ustalić miejsce jego pobytu.

— Czego za to chce?

Aaron udał zaszokowanego. Przycisnął do piersi dłoń wielkości klapy od sedesu.

— Ranisz mnie, Myron. Naprawdę. Wyciągamy do ciebie przyjazną dłoń, a ty ją odtrącasz.

— Uhm.

— To jedna z tych rzadkich sytuacji, gdy współpraca może wszystkim przynieść korzyści — rzekł Aaron. — Chcemy ci pomóc schwytać zabójcę.

— A co za to dostaniecie?

— Nic. Jeśli morderca zostanie schwytany, policja zajmie się innymi sprawami. My zajmiemy się innymi sprawami. I ty, Myronie, również powinieneś zająć się innymi sprawami.

— Aha.

— No cóż, nie ma powodu robić z tego problemu — dodał Aaron. Kiedy słońce padało na jego pierś pod pewnym kątem, odbijało się od niej, rażąc w oczy. — Tym razem jest inaczej, niż bywało w przeszłości. Obaj chcemy tego samego. Obaj pragniemy jak najszybciej zapomnieć o tym tragicznym wydarzeniu. Dla ciebie oznacza to złapanie zabójcy i postawienie go przed obliczem sprawiedliwości. Dla nas jak najszybsze zakończenie dochodzenia.

— Załóżmy jednak, że ja wcale nie jestem przekonany, że to zrobił Roger Quincy — powiedział Myron.

Aaron uniósł brew.

— Daj spokój, Myron. Widziałeś dowody.

— Poszlakowe.

— Od kiedy przejmujesz się takimi sprawami? Och, tak przy okazji, pojawił się nowy świadek. Dopiero co się o tym dowiedzieliśmy.

— Jaki świadek? — spytał Myron.

— Świadek, który widział, jak Roger Quincy rozmawiał z twoją ukochaną Valerie dziesięć minut przed jej śmiercią.

Myron milczał.

— Nie wierzysz mi?

— Kim jest ten świadek, Aaronie?

— To jakaś kura domowa. Poszła na mecz z dzieciakami. I odpowiadając na twoje następne pytanie, mówię ci, że nie mieliśmy z tym nic wspólnego.

— No to skąd ta panika?

— Jaka panika?

— Czym Ache tak się martwi? Po co wynajął Starsky'ego i Hutcha, żeby mnie śledzili?

Siatkowa Koszulka znów obrócił głowę.

— Jak mnie nazwałeś, dupku?

— Nie odwracaj się, Lee — rzekł Aaron.

— Och, daj spokój, Aaron, pozwól mi trochę mu dołożyć. Widziałeś, co tamten pojeb zrobił z moim samochodem? I spójrz na mój pierdolony nos.

Najpierw samochód, a dopiero potem nos. Właściwe priorytety.

175

— On i ten jego pedalski kumpel napadli na mnie. Dwaj na jednego. Znienacka. Pozwól, żebym nauczył go szacunku.

— Nie dałbyś rady, Lee. Nawet razem z Jimem.

— Gówno prawda. Gdyby nie ten złamany nos...

— Zamknij się, Lee — powiedział Aaron.

Natychmiast zapadła cisza.

Aaron spojrzał na Myrona i przewrócił oczami, rozkładając ręce.

— Zwyczajni amatorzy — wyjaśnił. — Frank zawsze usiłuje redukować koszty. Zaoszczędzić na tym i na tamtym. W rezultacie wszystko kosztuje jeszcze więcej.

— Myślałem, że już nie pracujesz dla braci Ache — powiedział Myron.

— Teraz jestem wolnym strzelcem.

— Zatem Frank po prostu cię wynajął?

— Skoro świt.

— To musi być duża sprawa — rzekł Myron. — Nie jesteś tani.

Aaron ponownie pokazał w uśmiechu wszystkie zęby i poprawił marynarkę.

— To co najlepsze musi kosztować.

— Dlaczego Frank tak przejmuje się tym zabójstwem?

— Nie mam pojęcia. Jednak żebyśmy się dobrze zrozumieli: Frank chce, żebyś natychmiast zakończył swoje śledztwo. Natychmiast. Bez wykrętów. Posłuchaj, Myron, obaj wiemy, że dla Franka zawsze byłeś jak wrzód na tyłku. On cię nie lubi. Szczerze mówiąc, chciałby cię załatwić. Nie ma co ukrywać. Rozmawiamy jak mężczyźni. Jak przyjaciele. Bo jesteśmy przyjaciółmi, no nie? Kumplami?

— Najlepszymi — dodał Myron, szuflując ten kit.

— Mimo wszystko Frank okazuje niewiarygodną powściągliwość. A nawet wielkoduszność. Na przykład wie, że zaprosiłeś na kolację Eddiego Crane'a. Już choćby tylko z tego powodu Frank mógłby trochę cię przycisnąć. Jednak nie chce. W rzeczy samej zdecydował, że jeśli Eddie Crane wybierze twoją agencję, on nie będzie się wtrącał.

— To ładnie z jego strony.

— Naprawdę ładnie — przytaknął Aaron. — W końcu trener tego dzieciaka jest własnością Franka. Tak więc TruPro ma wszelkie prawo do tego chłopaka. Mimo to Frank jest gotowy go odpuścić i pomóc ci złapać Rogera Quincy'ego. To dwie wielkie przysługi. Po prostu prezenty. A ty w zamian niczego nie musisz robić.

Myron rozłożył ręce.

— Jakże mógłbym nie skorzystać z tak szczodrej propozycji?

— Czyżbym wyczuwał odrobinę sarkazmu?

Myron wzruszył ramionami.

— Frank usiłuje być wielkoduszny, Myron.

— Taak, ten facet to prawdziwy dobrodziej.

— Nie upieraj się. Nie warto.

— Mogę już wysiąść?

— Najpierw chciałbym usłyszeć twoją odpowiedź.

— Muszę się zastanowić — rzekł Myron. — Jednak odpuściłbym znacznie chętniej, gdybym wiedział, co Frank próbuje ukryć.

Aaron potrząsnął głową.

— Zawsze ten sam stary Myron, co? Nigdy się nie zmienisz. Dziwię się, że jeszcze nikt cię nie skasował.

— Nie tak łatwo mnie zabić — obiecał Myron.

— Może i nie.

— A ponadto jestem świetnym tancerzem. Nikt nie lubi zabijać świetnego tancerza. Tak niewielu nas pozostało.

Aaron położył dłoń na kolanie Myrona i nachylił się do niego.

— Możemy na moment dać sobie spokój z tymi głupotami?

Myron zerknął na swoje kolano, a potem na Aarona.

— Hm, możesz zabrać tę rękę?

— Znasz to powiedzenie o kiju i marchewce, Myron?

— O czym?

— O kiju i marchewce.

Nie zabrał dłoni z kolana Myrona.

— Ach tak. Pewnie. Kij i marchewka. — Co takiego?

— Na razie pokazywałem ci tylko marchewkę. Chyba pora, żebym pokazał ci także kawałek kija.

Siedzący na przednich fotelach Siatkowa Koszulka i Jim zachichotali.

Aaron lekko zacisnął palce. Jak jastrząb szpony.

— Znasz mnie. Nie lubię używać kija. Jestem delikatny. Uprzejmy. Miły. Jestem...

Zamilkł, jakby szukał właściwego słowa.

— Jak marchewka — dokończył Myron.

— Właśnie. Jak marchewka.

Myron widział, jak Aaron zabił człowieka. Skręcił mu kark, jakby łamał patyk. Widywał także efekty pracy Aarona w różnych miejscach, poczynając od bokserskiego ringu po kostnice. Ładna mi marchewka.

— Mimo wszystko muszę pokazać kawałek kija. Dla formalności, sam rozumiesz. Wiem, że w twoim wypadku to nie jest potrzebne. Mówię o kiju.

— Słucham cię — rzekł Myron.

— Taak — wtrącił Siatkowa Koszulka. — Powiedz mu, Aaronie.

Siatkowa Koszulka i Jim znów zaczęli chichotać. Tym razem głośniej.

— Zamknijcie się — rzekł łagodnie Aaron.

Ponownie natychmiast zamilkli. Jakby każdemu wpakował po kuli w głowę. Aaron przeniósł wzrok na Myrona. Jego spojrzenie nagle stało się bardzo mroczne i napastliwe.

— Nie będzie dalszych ostrzeżeń. Po prostu uderzymy. Wiem, że niełatwo cię nastraszyć. Wyjaśniłem to Frankowi. Nie przejął się tym. Zaproponował taki rodzaj ataku, który kto inny uważałby za naruszenie tabu.

— Na przykład?

— O ile mi wiadomo, Duane Richwood dobrze gra. Nie chciałbym, żeby jego kariera nagle się skończyła. — Mocniej ścisnął kolano Myrona. — Albo weźmy na przykład tę piękną Jessicę. Przebywa za granicą. W Atenach, gdybyś nie wiedział.

178

W hotelu „Grand Bretagne". Pokój dwieście siedem. Frank ma przyjaciół w Grecji.

Myron zdrętwiał.

— Nawet o tym nie myśl, Aaronie.

— Decyzja nie należy do mnie, lecz do Franka. — W końcu puścił kolano Myrona. — Bardzo nalega. Chce, żebyś natychmiast się wycofał. Wiesz, co mówią o trzymaniu tygrysa za ogon.

— Jeśli ją tknie...

Aaron machnął ręką.

— Proszę, Myron, żadnych gróźb. Nie ma powodu grozić. Nie możesz wygrać. Dobrze to wiesz. Cena zwycięstwa byłaby zbyt wysoka. Jest was tylko dwóch: ty i Win. Jesteście dobrzy. Jedni z najlepszych. Jesteście twardymi przeciwnikami. Jednak Frank ma, na przykład, mnie. I wielu innych. Bardzo wielu. Tylu, ilu będzie potrzebował. Ludzi bez skrupułów, którzy mogliby włamać się do pokoju Jessiki, zabawić się z nią, a potem poderżnąć jej gardło. Ludzi, którzy mogliby napaść na idącą do pracy Esperanzę. Ludzi, którzy mogliby zrobić okropne rzeczy twojej matce.

Myron spojrzał Aaronowi w oczy. Aaron nawet nie mrugnął.

— Nie zdołasz wygrać, Myronie. Choćbyś był nie wiem jak twardy, nie dasz rady. Obaj to wiemy.

Zapadła cisza. Cadillac zatrzymał się przed domem Myrona.

— Mogę usłyszeć teraz twoją odpowiedź? — zapytał Aaron.

Myron wysiadł z samochodu, starając się nie trząść. Nie oglądając się za siebie, wszedł do domu.

21

Win obrabiał worek treningowy. Zadawał błyskawiczne boczne kopnięcia, od których czterdziestokilogramowy worek zginał się wpół. Wymierzał uderzenia w różne miejsca. Na wysokości kolan przeciwnika. Brzucha. Karku. Twarzy. Uderzał piętami, mocno podkurczywszy palce. Myron rozpoczął ćwiczenia, skupiając się na precyzji uderzeń, wyobrażając sobie, że wymierza je w konkretnego przeciwnika, a nie w powietrze. Czasem tym przeciwnikiem był Aaron.

Znajdowali się w nowej sali ćwiczeń mistrza Kwona, w centrum miasta. Dodżang był podzielony na dwie części. Jedna wyglądała jak sala balowa. Parkiet z twardego drewna i mnóstwo luster. W drugiej na podłodze leżały maty, ponadto znajdowały się gruszki i worki treningowe, ciężarki i skakanki. Na półce leżały gumowe noże i pistolety do ćwiczeń w rozbrajaniu przeciwnika. Opodal drzwi wisiały dwie flagi: amerykańska i koreańska. Każdy wchodzący i wychodzący uczeń składał im pokłon. Na zawieszonym na ścianie plakacie wymieniono zasady szkoły. Myron znał je na pamięć. Jego ulubioną była zasada numer dziesięć: „Zawsze kończ to, co zacząłeś".

Hm. Dobra rada? Teraz trudno było to ocenić.

Wszystkich zasad było czternaście. Co jakiś czas mistrz

Kwon dodawał nową. Zasadę numer czternaście dopisał przed dwoma miesiącami. „Nie przejadać się".

— Uczniowie za grube — wyjaśnił mistrz Kwon. — Za dużo wkładać w usta.

W ciągu tych dwudziestu lat, jakie upłynęły, od kiedy Win pomógł Kwonowi przenieść się do Stanów Zjednoczonych, angielszczyzna mistrza ustawicznie się pogarszała. Myron podejrzewał, iż była to część jego wizerunku mądrego starca z Dalekiego Wschodu. Odgrywał pana Miyagi z filmów *Karate Kid*.

Win przerwał ćwiczenia.

— Masz — powiedział, wskazując na worek. — Potrzebujesz go bardziej niż ja.

Myron zaczął uderzać w worek. Mocno. Zaczął od kilku prostych. Postawa adepta taekwondo jest nieskomplikowana i praktyczna, niewiele różniąca się od postawy boksera. Ktoś, kto na ulicy próbowałby tych głupot z pozycją żurawia, prawdopodobnie dostałby niezły łomot. Myron przeszedł do uderzeń łokciami i kolanami. Łokcie i kolana bardzo się przydają, szczególnie w walce z bliska. Na filmach o sztukach walki pokazują mnóstwo kopnięć z półobrotu w głowę, z wyskoku w pierś i tym podobne rzeczy. Tymczasem na ulicy walka przebiega znacznie prościej. Celujesz w krocze, kolano, kark, nos i usta. Czasami w splot słoneczny. Reszta to marnowanie sił. W prawdziwej walce na śmierć i życie kopiesz przeciwnika w jądra. Wbijasz mu palce w oczy. Uderzasz łokciem w krtań.

Win podszedł do wysokiego lustra.

— Powtórzymy to wszystko, czego dowiedzieliśmy się dotychczas — powiedział takim tonem, jakby przemawiał do grupy przedszkolaków. Zaczął udawać, że gra w golfa, ćwicząc uderzenie przed lustrem. Robił to bardzo często. — Po pierwsze, powszechnie szanowany senator z Pensylwanii żąda, żebyś zostawił tę sprawę. Po drugie, potężny nowojorski gangster domaga się, żebyś zostawił tę sprawę. Po trzecie, twój klient, zdobywca kobiecych serc Duane Richwood, chce, żebyś zostawił tę sprawę. Czy o kimś zapomniałem?

— O Deannie Yeller — odparł Myron. — I Helen Van Slyke. Jest także Kenneth, nie zapominaj o nim. Oraz Pavel Menansi. — Myron zastanawiał się przez chwilę. — Myślę, że to już wszyscy.

— Ten policjant — dorzucił Win. — Detektyw Dimonte.

— No tak, racja. Zapomniałem o Rollym.

Win poprawił chwyt na wyimaginowanym kiju.

— Tak więc — ciągnął — w tej sprawie masz zapewnione poparcie takie jak zawsze, czyli żadne.

Myron wzruszył ramionami i zadał serię naprzemiennych ciosów rękami i nogami.

— Nie można zadowolić wszystkich, więc trzeba zadowolić siebie.

Win skrzywił się.

— Cytujesz Ricky'ego Nelsona?

— Stara bajka.

— Jeszcze jak.

Myron wymierzył kopniaka w tył. Dobra obrona przed niemal każdym rodzajem ataku.

— Dlaczego wszyscy tak się obawiają Valerie Simpson? Senator Stanów Zjednoczonych spotyka się ze mną w tajemnicy. Frank Ache sprowadza Aarona.. Duane grozi, że mnie zwolni. Dlaczego?

Win ponownie udał, że uderza kijem. Popatrzył w dal, mrużąc oczy, jakby spoglądał w ślad za wyimaginowaną piłką. Sprawiał wrażenie niezadowolonego. Golfiarze.

W drzwiach dodżangu pojawiła się Wanda. Zajrzała do środka i nieśmiało do nich pomachała.

— Cześć — powiedział Myron.

— Cześć.

Myron uśmiechnął się. Miło było mu ją widzieć. Wreszcie ktoś, kto chciał, żeby nadal prowadził to dochodzenie. Była ubrana we wzorzystą letnią sukienkę, niemal dziewczęcą. Sukienka nie miała rękawów i odsłaniała kształtne ramiona. Wanda nie nosiła wielkiego kapelusza, chociaż byłoby jej w nim dobrze.

Jej makijaż był ledwie widoczny. Z uszu zwisały duże złote kolczyki. Wyglądała młodo, zdrowo i bardzo pięknie.

Tabliczka obok drzwi głosiła: „Nie wchodzić w obuwiu". Wanda zastosowała się do przepisu i przed wejściem do dodżangu zdjęła sandałki.

— Esperanza powiedziała, że cię tu znajdę — zaczęła. — Naprawdę mi przykro, że znowu zakłócam ci spokój po pracy.

— Nie ma o czym mówić — rzekł. — Znasz Wina.

— Tak — potwierdziła, odwracając się do niego. Zdobyła się na uśmiech. — Miło pana poznać.

Win obdarzył ją niemal niedostrzegalnym skinieniem głowy. Ze stoickim spokojem. Grał wiernego Watsona. Nerwowo wykręcając palce, Wanda zapytała:

— Możemy chwilę porozmawiać?

Wina nie trzeba było zachęcać. Podszedł do drzwi, nisko się skłonił i wyszedł. Zostali sami. Powoli podeszła do Myrona, rozglądając się wokół, jakby oglądała dom, którego wcale nie miała zamiaru kupić.

— Często tu przychodzisz? — zapytała.

— Tutaj albo do któregoś innego dodżangu mistrza Kwona.

— Myślałam, że to nazywa się dodżo.

— Dodżo to po japońsku. Po koreańsku to dodżang.

Skinęła głową, jakby ta informacja miała dla niej jakieś głębsze znaczenie. Ponownie rozejrzała się wokół.

— Od dawna ćwiczysz?

— Tak.

— A Win?

— Jeszcze dłużej.

— Nie wygląda na takiego, dopóki nie spojrzy mu się w oczy.

Myron już nieraz to słyszał. Czekał w milczeniu.

— Ja tylko chciałam zapytać, czy zdołałeś się czegoś dowiedzieć — powiedziała. Błądziła wzrokiem w lewo, w prawo, w górę, w dół.

— Niewiele — odparł Myron, niezupełnie szczerze, ale nie zamierzał wspominać jej o związku Duane'a z Valerie.

Ponownie skinęła głową. Jej dłonie bezustannie poruszały się, szukając jakiegoś zajęcia.

— Duane zachowuje się jeszcze dziwniej — oznajmiła.

— Jak to?

— Domyślam się, że wciąż chodzi o to samo. Przez cały czas jest w stresie. Wciąż są do niego jakieś telefony, które odbiera w drugim pokoju. Kiedy ja podnoszę słuchawkę, dzwoniący rozłącza się. Zeszłej nocy Duane znowu zniknął. Powiedział, że musiał zaczerpnąć świeżego powietrza, ale nie było go dwie godziny.

— Masz jakieś podejrzenia? — zapytał.

Przecząco pokręciła głową.

Myron powiedział swoim najłagodniejszym tonem:

— Czy może chodzić o inną kobietę?

Przestała umykać wzrokiem i spojrzała mu w oczy.

— Nie jestem dziwką, którą poderwał na ulicy.

— Wiem o tym.

— Kochamy się.

— O tym również wiem. Jednak wielu zakochanych facetów robi różne głupie rzeczy.

Kobiety również. Na przykład Jessica. Przed czterema laty z niejakim Dougiem. Wciąż go to bolało. Facet imieniem Doug. Pomyślcie tylko.

Wanda ponownie stanowczo potrząsnęła głową. Chcąc przekonać siebie czy Myrona?

— Z nami jest inaczej. Wiem, że to brzmi głupio i naiwnie, ale tak po prostu jest. Nie potrafię tego wyjaśnić.

— Nie musisz. Chciałem się tylko dowiedzieć, co sądzisz o takiej możliwości.

— Duane nie ma romansu.

— W porządku.

Zaszkliły jej się oczy. Wzięła kilka głębokich wdechów.

— Nie sypia po nocach. Chodzi po mieszkaniu. Pytam go, co się stało, ale nie chce mi powiedzieć. Próbowałam podsłuchiwać jego rozmowy, ale usłyszałam tylko twoje nazwisko.

— Moje nazwisko?

Kiwnęła głową.

— Wymienił je dwukrotnie, ale nic więcej nie słyszałam.

Myron zastanawiał się przez chwilę.

— A gdybym założył podsłuch na wasz telefon?

— Zrób to.

— Nie masz nic przeciwko temu?

— Nie.

Z oczu popłynęły jej łzy, a z ust wyrwał się cichy szloch, ale zaraz wzięła się w garść.

— Jest coraz gorzej, Myronie. Musimy się dowiedzieć, o co chodzi.

— Zrobię, co będę mógł.

Uścisnęła go. Myron miał ochotę pogładzić ją po głowie i powiedzieć coś pocieszającego. Nie zrobił tego. Wyszła powoli, z podniesioną głową. Myron odprowadził ją wzrokiem. Gdy tylko znikła mu z oczu, wrócił Win.

— I co? — zapytał.

— Ona mi się podoba — rzekł Myron.

Win kiwnął głową.

— Bardzo kształtny tyłeczek.

— Nie to miałem na myśli. To porządna kobieta. I boi się.

— To oczywiste, że się boi. Może stracić swoją dojną krowę. Powrót pana Cynika.

— Nie o to jej chodzi, Win. Ona go kocha.

Win zanucił kilka taktów, imitując dźwięki skrzypiec. Na te tematy nie warto było z nim rozmawiać. Po prostu nie było sensu.

— Czego chciała?

Myron streścił mu rozmowę. Win rozłożył nogi, zrobił szpagat na podłodze. Powtórzył to jeszcze kilkakrotnie, coraz szybciej. Panie i panowie, oto wasz guru, pan James Brown.

Kiedy Myron skończył, Win rzekł:

— Wygląda na to, że Duane próbuje ukryć coś więcej niż skok w bok.

— Też tak sobie pomyślałem.

— Chcesz, żebym go obserwował?

— Możemy się zmieniać.

Win pokręcił głową.

— On cię zna.

— Ciebie też.

— Owszem — przytaknął Win — ale ja jestem niewidzialny. Jak wiatr.

— Pewnie chciałeś powiedzieć „zmienny jak wiatr"?

Win skrzywił się.

— Świetny dowcip. Na pewno będę śmiał się przez kilka dni.

W rzeczy samej, Win mógłby przez tydzień mieszkać w twojej łazience i nawet byś go nie zauważył.

— Możesz zacząć dziś wieczorem? — zapytał Myron.

Win skinął głową.

— Już tam jestem.

22

Myron grał w kosza na kawałku asfaltu obok podjazdu. Długi letni dzień nareszcie przechodził w wieczór, lecz kosz był oświetlony panelowymi lampami. Myron był w szóstej klasie, kiedy zainstalował je razem z ojcem. Tuzin zapachów grilla rywalizowało ze sobą w nieruchomym powietrzu. Kurczaki od Dempseya. Hamburgery z Weinsteina. Kebab od Ruskina.

Myron rzucił, złapał odbitą piłkę i rzucił jeszcze raz. Wszedł w rytm i piłka raz po raz przechodziła przez obręcz. Zapomniał o całym świecie. Mokry od potu, szary podkoszulek przylepił mu się do piersi. Tutaj zawsze najlepiej mu się myślało, lecz teraz miał pustkę w głowie. Nie było niczego prócz obręczy, piłki oraz cudownego łuku, jakim leciała w powietrzu. Czuł się wspaniale.

— Cześć, Myron.

To Timmy z sąsiedniego domu. Timmy miał dziesięć lat.

— Spadaj, dzieciaku. Narzucasz mi się.

Chłopiec roześmiał się i złapał odbitą piłkę. To był ich prywatny żart. Matka Timmy'ego była przekonana, że jej syn narzuca się Myronowi, który powinien natychmiast odsyłać go do domu. To nie powstrzymywało Timmy'ego. On i jego koledzy przychodzili popatrzeć, jak Myron rzuca. Od czasu do czasu, kiedy brakowało im gracza, pukali do jego drzwi i pytali matkę, czy Myron mógłby wyjść zagrać.

Razem z Timmym rzucali przez jakiś czas. Rozmawiali o sprawach ważnych dla chłopców. Pojawiło się jeszcze kilkoro dzieci. Chłopcy Daleyów. Dziewczynka Cohenów. Inni. Rowery zaparkowali na końcu podjazdu. Rozpoczął się mecz. Myron grał raz po jednej, raz po drugiej stronie. Nikt nie liczył punktów. Wszyscy często się śmiali. Kilku ojców przyszło i włączyło się do gry. Arnie Stollman. Fred Dempsey. Od dawna tego nie robili. Dla niektórych może było to zbyt sielankowe, ale Myronowi to odpowiadało.

Dochodziła dziesiąta, kiedy matki zaczęły wołać dzieci. Z frontowych schodów uśmiechały się przyjaźnie i machały do Myrona. On machał w odpowiedzi. Dzieci niechętnie, ale usłuchały i poszły.

Lato i wakacje. Czas niewinności. Podobno teraz dzieci są inne. Mają do czynienia z bronią, narkotykami, przestępstwami i AIDS. Jednak letni wieczór na przedmieściu niwelował przepaść międzypokoleniową i sprawiał, że tacy ludzie jak Aaron i bracia Ache wydawali się nierealni. Równie nierealni jak morderstwo popełnione na młodej kobiecie.

Valerie świetnie by się bawiła w taki wieczór.

Matka Myrona otworzyła tylne drzwi.

— Telefon — rzuciła.

— Kto dzwoni?

— Jessica — odparła przez zaciśnięte zęby, lekko się przy tym krzywiąc, jakby to imię miało przykry smak.

Myron starał się nie biec. Potruchtał po schodach i do kuchni, która w zeszłym roku została całkowicie odnowiona. Myron nie miał pojęcia po co. Nikt w tym domu niczego nie gotował, jeśli nie liczyć rozmrażania pizzy w mikrofalówce.

— Odbiorę w przyziemiu — powiedział.

Matka mruknęła coś pod nosem. Z pewnością nic pochlebnego. Podobnie jak Esperanza, matka też długo chowała urazę. Szczególnie jeśli ktoś skrzywdził jej małego chłopca.

Myron zamknął drzwi, podniósł słuchawkę i usłyszał, jak matka rozłącza aparat w kuchni.

— Jess?

— Czy to „Ogiery To My"?

Jak zawsze dźwięk jej głosu wprawił go w euforię.

— Hm, no... tak. Czym możemy pani służyć?

— Szukam prawdziwego ogiera.

— Zadzwoniła pani pod właściwy numer. Ma pani jakieś szczególne upodobania?

— Powinien być wytrzymały — odparła — ale zadowolę się takim jak ty.

— Ładnie powiedziane.

W tle słyszał hałas.

— Dlaczego tak długo nie odbierałeś? — spytała.

— Byłem za domem. Grałem z Timmym i dzieciakami.

— Przerwałam wam?

— Nie. Mecz właśnie się skończył.

— Twoja mama potraktowała mnie dość ozięble.

— Czasem taka bywa.

— Kiedyś mnie lubiła.

— Nadal cię lubi.

— A Esperanza?

— Ona nigdy cię nie lubiła.

— Och tak — powiedziała Jessica.

— Nadal mieszkasz w hotelu „Grand Bretagne"? — zapytał Myron. — W pokoju dwieście siedem?

Chwila ciszy.

— Śledziłeś mnie?

— Nie.

— Więc skąd wiesz...

— To długa historia. Opowiem ci wszystko, kiedy wrócisz do domu. Gdzie jesteś?

— Na lotnisku Kennedy'ego. Właśnie wylądowałam.

Serce rosło mu w piersi.

— Wróciłaś?

189

— Wrócę, jak tylko odbiorę mój bagaż. — Zawahała się. — Przyjedziesz do mnie?

— Już jadę.

— Włóż coś, co będę mogła łatwo z ciebie zedrzeć. Będę czekała w wannie z mnóstwem egzotycznych olejków, które przywiozłam zza oceanu.

— Rozpustnica.

Znowu chwila wahania. Potem Jessica powiedziała:

— Kocham cię, wiesz. Czasem popełniam głupstwa, ale kocham cię.

— Daj spokój. Mów dalej o tych olejkach.

Zaśmiała się.

— Pośpiesz się.

Odłożył słuchawkę na widełki. Szybko rozebrał się i wziął prysznic. Zimny prysznic na chwilę go ochłodził. Pogwizdywał melodię *Tonight* z *West Side Story*. Wytarł się i zajrzał do szafy. Coś łatwego do zerwania... Znalazł. Koszula na zatrzaski. Lekko pokropił się wodą kolońską. Myron rzadko używał wodę kolońską, ale Jessica lubiła jej zapach. Kiedy wbiegał po schodach, usłyszał dzwonek do drzwi.

— Ja otworzę! — zawołał.

W progu stanęli dwaj policjanci.

— Pan nazywa się Myron Bolitar? — zapytał wyższy z nich.

— Tak.

— Przysłał nas detektyw Roland Dimonte. Bylibyśmy zobowiązani, gdyby poszedł pan z nami.

— Dokąd?

— Do komisariatu w Queens.

— Po co?

— Schwytaliśmy Rogera Quincy'ego. Jest podejrzany o zamordowanie Valerie Simpson.

— I co z tego?

Niższy gliniarz odezwał się po raz pierwszy.

— Panie Bolitar, czy pan zna Rogera Quincy'ego?

— Nie.

— Nigdy go pan nie spotkał?

— Nic mi o tym nie wiadomo.

„Nic mi o tym nie wiadomo". Prawnicze „nie".

Policjanci popatrzyli po sobie.

— Lepiej niech pan pójdzie z nami — rzekł ten wyższy.

— Dlaczego?

— Ponieważ pan Quincy odmawia złożenia zeznań, dopóki z panem nie porozmawia.

23

Myron zadzwonił do mieszkania Jessiki i zostawił wiadomość, że trochę się spóźni.

Kiedy przybyli do komisariatu, Dimonte przywitał Myrona w drzwiach. Żuł gumę, a może prymkę tytoniu. I radośnie szczerzył zęby. Tym razem miał na nogach inne buty. Także z wężowej skóry i równie odrażające. Te były jasnożółte w błękitne plamki.

— Cieszę się, że dotarłeś — rzekł Dimonte.

Myron wskazał na buty.

— Obrabowałeś cheerleaderkę, Rolly?

Dimonte roześmiał się. Zły znak.

— Chodź, spryciarzu — powiedział niemal dobrodusznie. Poprowadził Myrona korytarzem, wymijając stada znudzonych gliniarzy. Niemal każdy z nich trzymał w ręku kubek z kawą, opierając się o ścianę lub automat z napojami i referując jakąś paskudną sprawę koledze, który ze współczuciem kiwał głową.

— Nie ma dziennikarzy — zauważył Myron.

— Jeszcze nie zawiadomiono ich o schwytaniu Quincy'ego — wyjaśnił Dimonte. — Jednak niedługo się pojawią.

— Dasz im cynk?

Dimonte radośnie wzruszył ramionami.

— Opinia publiczna ma prawo wiedzieć.

— Jasne.

— Co z tobą, Bolitar? Chcesz wyjść z tego czysty?

— Wyjść czysty z czego?

Znowu wzruszenie ramion. Pan Zwisowy.

— Z czego chcesz.

— Nie znam go, Rolly.

— Pewnie znalazł twoje nazwisko w książce telefonicznej, co?

Myron nie odpowiedział. Na razie nie było sensu się spierać.

Dimonte otworzył drzwi do salki przesłuchań. Byli w niej już dwaj policjanci. Rozluźnione krawaty tak nisko wisiały na ich szyjach, że mogłyby posłużyć za paski do spodni. Najwyraźniej usiłowali zmiękczyć Rogera Quincy'ego, lecz ten wcale nie wyglądał na specjalnie tym przejętego. W filmach lub w telewizji przeważnie pokazują więźniów w pasiakach lub szarych więziennych ubraniach. W rzeczywistości ich ubrania mają jaskrawopomarańczową barwę. Dzięki temu są lepiej widoczni, jeśli próbują uciekać.

Roger Quincy wyraźnie ucieszył się na widok Myrona. Był młodszy, niż Myron oczekiwał — tuż po trzydziestce, chociaż mógłby uchodzić za dwudziestokilkulatka. Szczupły, o ładnej, nieco kobiecej twarzy. Palce miał długie i smukłe. Wyglądał jak tancerz z baletu.

Nie podnosząc się z krzesła, pomachał i powiedział:

— Dzięki, że przyszedłeś, Myronie.

Myron spojrzał na Dimonte'a. Ten uśmiechnął się.

— Nie znasz go, co? — Skinął na pozostałych dwóch policjantów. — Chodźcie, chłopcy. Zostawcie kolegów samych.

Policjanci wyszli, z szyderczymi uśmiechami na ustach. Myron usiadł na krześle naprzeciwko Rogera Quincy'ego.

— Czy ja cię znam? — zapytał.

— Nie, nie sądzę. — Quincy wyciągnął rękę. — Jestem Roger Quincy.

Jego dłoń była jak przestraszony ptak. Myron lekko ją uścisnął.

— Skąd znasz moje nazwisko?

— Och, jestem zagorzałym kibicem — odparł tamten. — Wiem, że nie wyglądam na takiego, ale byłem nim przez wiele lat. Teraz już nie śledzę tak dokładnie meczów koszykówki. Mój ulubiony sport to tenis. Grasz czasem?

— Tylko trochę.

— Ja jestem kiepski, ale się staram. — W jego oczach znów zapalił się błysk entuzjazmu. — Kiedy o tym pomyśleć, tenis to wspaniały sport. Graniczący z akrobatyką. Piłeczka leci na ciebie z niesamowitą prędkością, a ty musisz odsunąć się, ustawić jak należy i uderzyć ją rakietą. W mgnieniu oka trzeba wszystko skalkulować: prędkość nadlatującej piłki, miejsce jej upadku, jej obrót, kąt odbicia, odległość między dłonią a naciągiem rakiety, siłę uderzenia i jego kierunek. Kiedy o tym pomyśleć, to wprost zdumiewające.

Dwa słowa: kompletny świr.

— Hm, Rogerze, nie odpowiedziałeś na moje pytanie — rzekł Myron. — Skąd znasz moje nazwisko?

— Przepraszam. — Roger nieśmiało się uśmiechnął. — Czasem mnie ponosi. Niektórzy ludzie uważają to za wadę. Osobiście wolę być taki. Czy już wspominałem, że jestem również miłośnikiem koszykówki?

— Owszem.

— To stąd znam twoje nazwisko. Widziałem, jak grałeś w drużynie Duke.

Uśmiechnął się, jakby to wszystko wyjaśniało.

— W porządku — mruknął Myron, starając się zachować spokój. — A dlaczego powiedziałeś policji, że chcesz ze mną porozmawiać?

— Ponieważ chcę. Muszę z tobą porozmawiać.

— Dlaczego?

— Oni myślą, że to ja zabiłem Valerie, Myronie.

— A zrobiłeś to?

194

Ułożył usta w małe zdziwione „o".

— Oczywiście, że nie. Za kogo mnie bierzesz?

Myron wzruszył ramionami.

— Za faceta, który narzuca się młodym dziewczynom. Faceta, który nękał Valerie Simpson, wciąż się wokół niej kręcił, nieustannie do niej wydzwaniał i pisał długie listy, czym ją wystraszył.

Zbył słowa Myrona niedbałym machnięciem tych długich palców.

— Przesadzasz — powiedział. — Zalecałem się do Valerie Simpson. Kochałem ją. Życzyłem jej jak najlepiej. Byłem po prostu upartym adoratorem.

— Ona chciała, żebyś zostawił ją w spokoju.

Quincy roześmiał się.

— Nie chciała mnie. Wielkie rzeczy. Czyżbym był pierwszym adoratorem odrzuconym przez piękną kobietę? Ja tylko nie poddaję się tak łatwo jak większość mężczyzn. Posyłałem jej kwiaty. Pisałem miłosne liściki. Usiłowałem się z nią umówić. Wypróbowywałem różne sposoby. Czytujesz romanse?

— Raczej nie.

— Bohater i bohaterka zawsze najpierw się wadzą. Czy to na wojnie, czy na statku atakowanym przez piratów lub na wytwornym przyjęciu, kłócą się i spierają, na pozór nienawidząc się nawzajem. Jednak w rzeczywistości są w sobie zakochani. Po prostu tłumią swoje prawdziwe uczucia, rozumiesz? Tak było z Valerie i ze mną. Było między nami wyraźnie wyczuwalne napięcie. Iskrzyło.

— Uhm — mruknął Myron. — Roger, po co właściwie chciałeś się ze mną widzieć?

— Pomyślałem, że mógłbyś porozmawiać w moim imieniu z policją.

— I co miałbym im powiedzieć?

— Że nie zabiłem Valerie. Że to nie z mojej strony groziło jej niebezpieczeństwo.

— A z czyjej?

— Myślałem, że wiesz.

— Dlaczego tak myślałeś?

— Ponieważ powiedziała mi o tym Valerie. Na moment przed tym, zanim została zamordowana.

— Co dokładnie ci powiedziała?

— Że grozi jej niebezpieczeństwo.

— Jakiego rodzaju?

— Sądziłem, że wiesz.

Myron podniósł rękę.

— Zwolnij trochę, dobrze? Zacznijmy jeszcze raz. Byłeś na turnieju US Open.

— Tak.

— Dlaczego?

— Chodzę co roku. Jestem wiernym kibicem. Uwielbiam oglądać mecze. Są tak urzekająco...

— Myślę, że już to omówiliśmy, Roger. A zatem poszedłeś tam kibicować. Nie po to, żeby zobaczyć Valerie Simpson? Nie śledziłeś jej i nie przyszedłeś tam za nią?

— Oczywiście, że nie. Nie miałem pojęcia, że ona tam będzie.

— No dobrze. I co się stało?

— Siedziałem na stadionie i patrzyłem, jak Duane Richwood niszczy Iwana Restowicza. To był niesamowity mecz. Chcę powiedzieć, że Duane po prostu go rozniósł. — Uśmiechnął się. — Po co ja ci to mówię? Przecież jesteś jego agentem, no nie?

— Owszem.

— Możesz załatwić mi jego autograf?

— Jasne.

— Nie dzisiaj, rzecz jasna. Może jutro?

— Może.

(Ziemia wzywa Rogera).

— Na razie jednak zajmijmy się Valerie. Obserwowałeś mecz Duane'a.

— No właśnie. — Roger spoważniał. — Szkoda, że wtedy nie wiedziałem, że jesteś agentem Duane'a Richwooda. Może wszystko dobrze by się skończyło. Może Valerie nadal by żyła, a ja byłbym bohaterem, który ją ocalił. Wtedy przestałaby skrywać swoje prawdziwe uczucia i pozwoliła, żebym stał się częścią jej życia i zawsze ją chronił.

Myronowi przypomniał się cytat z *Człowieka z La Manczy:* „Widzę koko-ptaka śpiewającego w gałęziach koko--drzewa".

— I co się stało, Roger?

— Mecz praktycznie się zakończył, więc sprawdziłem program turnieju. Arantxa Sanchez-Vicario miała zaraz rozpocząć mecz na szesnastym korcie, więc pomyślałem sobie, że pójdę tam i zajmę dobre miejsce. Arantxa to wspaniała zawodniczka. Bombowa. Jej bracia, Emilio i Javier też zawodowo grają w tenisa. Nawet nieźle, ale nie mają takiego ducha walki jak ona.

— A zatem opuściłeś stadion. — Myron usiłował naprowadzić go na temat.

— Opuściłem stadion. Miałem kilka minut, więc poszedłem do budki w pobliżu głównej bramy. Tej gdzie na monitorach podają wyniki wszystkich meczów. Zobaczyłem, że Steffi już wygrała, a Michael Chang męczy piątego seta. Sprawdzałem wyniki kilku debli. Mówię o parach mężczyzn. Między innymi Kena Flacha. Chociaż nie, to był... Nie pamiętam.

— Trzymaj się tematu, Roger.

— W każdym razie właśnie wtedy zobaczyłem Valerie.

— Gdzie?

— Przy głównej bramie. Chciała wejść, ale strażnik jej nie wpuścił. Nie miała biletu. Widziałem, że była bardzo wzburzona. No wiesz, bilety na US Open zawsze trudno zdobyć. Co roku sprzedawane są wszystkie miejsca. Mimo to nie wierzyłem własnym oczom. Strażnik nie chciał jej wpuścić. Valerie Simpson. Nawet jej nie rozpoznał. Tak więc, oczywiście, przyszedłem jej z pomocą.

Oczywiście.

— I co zrobiłeś?

— Podszedłem do innego strażnika, który przybił mi pieczątkę na ręce, a potem opuściłem stadion. Następnie podszedłem do Valerie i klepnąłem ją w ramię. Kiedy się odwróciła, nie mogłem uwierzyć własnym oczom.

— Co takiego zobaczyłeś?

— Znałem Valerie Simpson — powiedział, teraz nieco wolniej. — Nawet ty musisz to przyznać. Oglądałem każdy jej mecz. Widziałem, jak pracuje. Obserwowałem, jak się bawi. Widywałem ją na ulicy, na korcie, w jej domu, podczas treningów z tym jej oślizgłym trenerem. Widziałem ją wesołą i smutną, szczęśliwą i przygnębioną, zwycięską i pokonaną. Patrzyłem, jak z radosnej nastolatki zmienia się w zawziętą zawodniczkę, a potem ponurą, zimną piękność. Nie potrafiłbym zliczyć, jak często nad tym ubolewałem. Nigdy jednak nie widziałem jej w takim stanie.

— Jakim?

— Tak przestraszonej. Była po prostu przerażona.

I nic dziwnego, pomyślał Myron. Ten pajac podkrada się do niej od tyłu i klepie w ramię.

— Poznała cię?

— Oczywiście.

— I co zrobiła?

— Poprosiła mnie o pomoc.

Myron sceptycznie uniósł brew. Nauczył się tego od Wina.

— To prawda — upierał się Roger. — Powiedziała, że grozi jej niebezpieczeństwo. Mówiła, że musi wejść na stadion i porozmawiać z tobą.

— Wymieniła moje nazwisko?

— Tak. Mówię ci, była zdesperowana. Błagała strażnika, ale nie chciał jej słuchać. Wtedy wpadłem na pewien pomysł.

— Jaki?

— Żeby kupić bilet u konika — odparł Roger. Najwyraźniej był z siebie zadowolony. — Przy wejściu na stację metra kręciły się tuziny koników. Znalazłem jednego. Czarnoskórego. Był dość miły. Chciał sto pięćdziesiąt dolarów. Powiedziałem mu, że to za dużo. Zawsze zaczynają z wysokiego pułapu. Mówię o konikach. Trzeba z nimi negocjować. Oczekują tego. Jednak Valerie nawet nie próbowała się targować. Po prostu zaakceptowała cenę, jaką podał. Oto cała ona. Nie miała głowy do interesów. Gdybyśmy się pobrali, sam musiałbym się tym zająć. Ona była zbyt impulsywna.

— Skup się, Roger. Co się stało po tym, jak kupiliście bilet? Jego spojrzenie stało się nieobecne i rozmarzone.

— Podziękowała mi — powiedział takim tonem, jakby ujrzał gorejący krzew. — Po raz pierwszy była dla mnie miła. W tym momencie zrozumiałem, że moja wytrwałość wydała owoce. Po tak długim czasie w końcu pokonałem jej opór. Zabawne, no nie? Przez całe lata tak bardzo się starałem, żeby mnie pokochała. A potem, kiedy wcale się już tego nie spodziewałem, miłość spadła na mnie jak grom z jasnego nieba.

Ja, mnie, ja, mnie i tak w kółko. Nawet śmierć Valerie postrzegał tylko przez pryzmat własnej osoby.

— I co zrobiła potem? — zapytał Myron.

— Przeprowadziłem ją przez bramę. Zapytała mnie, czy wiem, jak wyglądasz. Spytałem, czy ma na myśli Myrona Bolitara, tego koszykarza? Powiedziała, że tak. Ja na to, że owszem, wiem, jak wyglądasz. Powiedziała, że musi z tobą porozmawiać. — Nachylił się do Myrona. Poufale. — Rozumiesz, o czym mówię? Gdybym wiedział, że jesteś agentem Duane'a, od razu wiedziałbym, gdzie cię szukać. I zaprowadziłbym ją prosto do ciebie. Wtedy wszystko dobrze by się skończyło. Zapewniłbym sobie wdzięczność i bezcenny uśmiech Valerie Simpson. Uratowałbym jej życie. Byłbym jej bohaterem. — Z ubolewaniem pokręcił głową. — Byłoby wspaniale.

— A co naprawdę się stało? — naciskał Myron.

— Rozdzieliliśmy się. Poprosiła, żebym sprawdził boczne korty, podczas gdy ona rozejrzy się w restauracji i na stadionie.

Co piętnaście minut mieliśmy się spotykać przy budce z wodą Perrier. Natychmiast ruszyłem na poszukiwania. Śpieszyło mi się. Odnalezienie ciebie byłoby dowodem mojej niezmiennej miłości...

— Taak, rozumiem. — Przesłuchując tego świra, Rolly musiał mieć niezły ubaw. — I co zdarzyło się potem?

— Usłyszałem strzał — ciągnął Quincy. — A potem krzyki. Pobiegłem z powrotem do restauracji. Zanim tam dobiegłem, już zebrał się tłum. Ty pędziłeś w kierunku ciała. Ona leżała na ziemi. Zupełnie nieruchomo. Pochyliłeś się i wziąłeś ją w ramiona. Moje życie. Moje szczęście. Nie żyła. Wiedziałem, co sobie pomyśli policja. Dręczyli mnie za moje zaloty do niej. Wyzywali mnie. Do licha, nawet grozili mi, że wsadzą mnie do więzienia za to, że chciałem się z nią umówić. Co dopiero będzie teraz? Nigdy nie zdołają pojąć tego, co nas łączyło. Wzajemnego pociągu.

— Tak więc uciekłeś — dopowiedział Myron.

— Właśnie. Wróciłem do mieszkania i spakowałem się. Potem pobrałem maksymalną dozwoloną kwotę z bankomatu. Kiedyś widziałem w telewizji, jak policja schwytała faceta, ustaliwszy, gdzie korzystał z karty kredytowej, więc zamierzałem płacić wyłącznie gotówką. Sprytnie, co?

— Pomysłowo — przytaknął Myron. Był przygnębiony. Valerie Simpson nie miała nikogo bliskiego. Była sama. Kiedy groziło jej niebezpieczeństwo, szukała pomocy człowieka, którego nie znała. A wtedy ktoś ją zamordował. Myron miał wyrzuty sumienia.

— Nocowałem w nędznych motelach, w których meldowałem się pod fałszywymi nazwiskami — trajkotał Quincy. — Mimo to chyba ktoś mnie rozpoznał. No cóż, znasz resztę. Kiedy mnie złapali, poprosiłem o widzenie z tobą. Pomyślałem, że ty zdołasz im wyjaśnić, co naprawdę się stało. — Nachylił się jeszcze bardziej i powiedział konspiracyjnym szeptem: — Ten detektyw Dimonte potrafi być naprawdę nieprzyjemny.

— Uhm.

— Uśmiechnął się tylko raz, kiedy wymieniłem twoje nazwisko.

— Ach tak?

— Powiedziałem mu, że jesteśmy przyjaciółmi. Mam nadzieję, że nie masz nic przeciwko temu?

— Ależ skąd — odparł Myron.

24

Myron stawił czoło Dimonte'owi i jego pomagierowi Krinsky'emu w pomieszczeniu sąsiadującym z pokojem przesłuchań. Oba pomieszczenia niczym się od siebie nie różniły. Dimonte wciąż promieniał.

— Chcesz wezwać adwokata? — spytał słodko.

Myron spojrzał na niego.

— Twoja twarz dziś po prostu jaśnieje, Rolly. Nowy krem nawilżający?

Detektyw nie przestał się uśmiechać.

— Rozumiem, że nie.

— Czy jestem aresztowany?

— Oczywiście, że nie. Rozgość się. Masz ochotę na drinka?

— Jasne.

— Czego się napijesz? — Dobry gospodarz z tego Rolly'ego. — Coli? Kawy? Soku pomarańczowego?

— Macie yoo-hoo?

Dimonte spojrzał na Krinsky'ego. Ten wzruszył ramionami i poszedł sprawdzić. Dimonte splótł dłonie i położył je na stole.

— Myronie, dlaczego Roger Quincy zażądał widzenia z tobą?

— Chciał ze mną porozmawiać.

Dimonte uśmiechnął się. Pan Cierpliwy.

— Tak, ale dlaczego akurat z tobą?

— Obawiam się, że nie mogę odpowiedzieć na to pytanie.

— Nie możesz — nalegał Dimonte — czy nie chcesz?

— Nie mogę.

— Dlaczego nie możesz?

— Sądzę, że nie pozwala mi na to tajemnica zawodowa. Będę musiał sprawdzić.

— Kogo?

— Raczej co. Nie kogo, a co. Wyrażenie przyimkowe.

Dimonte kiwnął głową.

— Więc tak chcesz to rozegrać, hm?

— Jak?

Policjant rzucił nieco ostrzejszym tonem:

— Jesteś jednym z podejrzanych, Bolitar. Nie, cofam to. Jesteś głównym podejrzanym.

— A co z Rogerem?

— To on pociągnął za spust. Jestem tego pewien. Jednak jest za bardzo ześwirowany, żeby mógł wszystko wymyślić sam. Tak jak to widzimy, ty za tym stoisz. On tylko wykonał brudną robotę.

— Aha. A jaki miałem motyw?

— Valerie Simpson romansowała z Duane'em Richwoodem. Dlatego miała w notesie jego numer telefonu. Biała dziewczyna z czarnym facetem. Jak zareagowaliby na to sponsorzy?

— Mamy lata dziewięćdziesiąte, Rolly. Nawet wśród członków Sądu Najwyższego trafiają się mieszane małżeństwa.

Dimonte postawił nogę na krześle i oparł dłonie na kolanie.

— Może czasy się zmieniły, Bolitar, ale sponsorzy nadal nie lubią, jak czarni chłopcy rżną białe dziewczynki.

Podrapał się dwoma palcami po brodzie.

— Pozwól, że opowiem ci, jak było, i zobaczymy, jak to wygląda. Duane to niepoprawny podrywacz. I lubi białe mięso. Przespał się z Valerie Simpson, ale ona nie chciała być tylko dziewczyną na jedną noc. Wiemy, że miała źle w głowie i przez jakiś czas siedziała u czubków. Pewnie była napalona jak ta z wanny.

— Z wanny?

— Widziałeś *Fatalne zauroczenie*?

Myron skinął głową.

— Ach. Ta z wanny. Racja.

— A więc, jak już powiedziałem, Valerie Simpson ma świra. Nie po kolei w głowie. A ponadto jest wkurzona. Dzwoni do Duane'a, tak jak zapisała w swoim kalendarzyku, i grozi mu, że ujawni wszystko prasie. Duane jest przerażony. Tak jak wczoraj, kiedy do niego wpadłem. Do kogo dzwoni? Do ciebie. A ty wymyślasz sprytny plan.

Myron kiwnął głową.

— To nie przekona sądu.

— Czemu? Czy chciwość nie jest wystarczającym motywem?

— Chyba zaraz przyznam się do winy.

— Świetnie, spryciarzu. Rozgrywaj to, jak chcesz.

Krinsky wrócił. Pokręcił głową. Nie ma yoo-hoo.

— Może zechcesz mi wyjaśnić, dlaczego Quincy od razu wezwał ciebie? — ciągnął Dimonte.

— Nie.

— Dlaczego, do diabła?

— Ponieważ zraniłeś moje uczucia.

— Nie graj ze mną w kulki, Bolitar. Bo wsadzę cię do celi z dwudziestoma psycholami i powiem im, że molestowałeś dzieci. — Uśmiechnął się. — To by mu się spodobało, no nie, Krinsky?

— Taak — rzekł Krinsky, wiernie naśladując uśmiech Dimonte'a.

Myron pokiwał głową.

— Dobrze. Teraz ja powinienem zapytać, co właściwie macie na myśli? A wy na to, że taki smaczny kąsek jak ja będzie miał powodzenie w kiciu. Na to ja, błagam nie. A wy na to, tylko nie schylaj się, żeby podnieść mydło. A potem obaj poślecie mi ten szyderczy policyjny uśmiech.

— O czym ty, kurwa, gadasz?

— Nie marnuj mojego czasu, Rolly.

— Myślisz, że nie wsadzę cię do pierdla?

Myron wstał.

— Wiem, że tego nie zrobisz. Gdybyś miał podstawy, już założyłbyś mi kajdanki.

— Dokąd się wybierasz, do cholery?

— Aresztuj mnie albo zejdź mi z drogi. Mam pilne zajęcia i umówione spotkania.

— Wiem, że masz nieczyste sumienie, Bolitar. Ten świr nie wezwał cię bez powodu. Myślał, że zdołasz go wyciągnąć. Dlatego zgrywałeś się przed nami na gliniarza. Udawałeś, że prowadzisz własne śledztwo. Chciałeś być blisko i dowiedzieć się, co już wiemy.

— Rozszyfrowałeś mnie, Rolly.

— Będziemy go przypiekać tak długo, aż cię wyda.

— Nie zrobicie tego. Jako jego adwokat zabraniam wam przesłuchiwać mojego klienta.

— Nie możesz go reprezentować. Słyszałeś chyba o konflikcie interesów?

— Dopóki nie znajdę mu innego adwokata, nadal jestem jego obrońcą.

Myron otworzył drzwi i wyszedł na korytarz. Zdziwił się na widok Esperanzy. Gliniarze też. Wszyscy stojący na korytarzu spoglądali na nią pożądliwie. Zapewne okazują w ten sposób przezorność, pomyślał z rozbawieniem Myron. Może obawiali się, że Esperanza może mieć broń ukrytą w ciasnych dżinsach. Tak, na pewno.

— Dzwonił Win — oznajmiła. — Szuka cię.

— Co się stało?

— Śledził Duane'a. Odkrył coś, co jego zdaniem powinieneś zobaczyć.

25

Esperanza i Myron pojechali taksówką do hotelu „Chelsea" przy Dwudziestej Trzeciej Ulicy, pomiędzy Siódmą a Ósmą. W samochodzie śmierdziało jak w tureckim burdelu, tak więc przyjemniej niż w większości taksówek.

— Win będzie siedział w czerwonym fotelu obok aparatów telefonicznych — powiedziała Esperanza, kiedy wysiedli. — Na prawo od recepcji. Będzie czytał gazetę. Jeśli nie będzie jej czytał, horyzont nie jest czysty. Zignoruj go i odejdź. Spotkacie się w klubie bilardowym.

— Win tak powiedział?

— Tak.

— To o horyzoncie również?

— Tak.

Myron potrząsnął głową.

— Chcesz iść ze mną?

— Nie mogę. Muszę iść na wykład.

— Dziękuję za to, że się fatygowałaś.

Skinęła głową.

Win siedział tam, gdzie zapowiadał. Czytał *Wall Street Journal*, a więc horyzont był czysty. O rany. Win wyglądał tak jak zawsze, ale jasne loczki zakrył czarną peruką. Mistrz kamuflażu. Myron usiadł obok niego i szepnął:

— Biały królik robi się żółty, kiedy obsika go czarny pies.
Win nie oderwał oczu od gazety.

— Kazałeś, żebym skontaktował się z tobą, jeśli Duane zrobi coś niezwykłego.

— Taak.

— Przyszedł tutaj jakieś dwie godziny temu. Wjechał windą na trzecie piętro i zapukał do drzwi pokoju pod numerem trzysta dwadzieścia dwa. Otworzyła mu kobieta. Uściskał ją. Potem wszedł. Drzwi się zamknęły.

— Niedobrze — mruknął Myron.

Win przewrócił stronę gazety. Ze znudzeniem.

— Czy wiesz, kim jest ta kobieta? — zapytał Myron.

Win zaprzeczył.

— Czarna. Metr sześćdziesiąt, metr sześćdziesiąt cztery. Szczupła. Pozwoliłem sobie zarezerwować pokój trzysta dwadzieścia trzy. Przez dziurkę od klucza widać drzwi do pokoju Duane'a.

Myron pomyślał o czekającej na niego Jessice. Leżała w wannie z ciepłą wodą. I te egzotyczne olejki.

Do licha.

— Zostanę, jeśli chcesz — zaproponował Win.

— Nie. Sam się tym zajmę.

— Świetnie. — Win wstał. — Zobaczymy się jutro na meczu, jeśli nasz chłopak nie będzie zbyt zmęczony, żeby grać.

Myron wszedł po schodach na trzecie piętro. Zerknął na korytarz. Nikogo. Z kluczem w ręku pośpieszył do pokoju 323 i wszedł do środka. Win, jak zwykle, miał rację. Dziurka od klucza dawała dobry, choć ograniczony widok na drzwi pokoju, w którym zniknął Duane. Teraz musiał zaczekać.

Tylko na co?

Co on tu robił, do diabła? Jessica leżała w wannie z wonnymi olejkami — na samą myśl o tym odczuwał niemal bolesne uniesienie — a on tkwił tutaj, bawiąc się w podglądacza...

I po co?

Czego właściwie szukał? Duane wyjaśnił już swoje powiązania z Valerie Simpson. Przez krótki czas byli kochankami. Cóż w tym takiego niezwykłego? Oboje byli piękni i młodzi, oboje grali w tenisa. No i co z tego, że poszli do łóżka? Przesądy rasowe? Teraz nikt nie widział w tym niczego zdrożnego. Czyż sam nie powiedział tego Dimonte'owi?

Co więc robił w tym pokoju, przyciskając oko do dziurki od klucza? Rany boskie, przecież Duane jest jego klientem, i to bardzo ważnym. Jakie Myron ma prawo wtrącać się jego prywatne sprawy? I z jakiego powodu — dlatego, że jego dziewczynie nie podoba się, że Duane miewa przygody? I co z tego? To nie Myrona sprawa. Nie jest opiekunem Duane'a ani jego kuratorem, spowiednikiem czy psychoanalitykiem. Jest jego agentem. Zadaniem Myrona jest zapewnić klientowi jak największe zyski, a nie osądzać jego moralność.

Co właściwie Duane tutaj robi? Może lubił bawić się w lekarza, no i dobrze. Tylko czemu akurat tego wieczoru? To szaleństwo. Jutrzejszy dzień miał być najważniejszym dniem w jego karierze. Mecz będzie transmitowany na cały kraj. Duane po raz pierwszy zagra w ćwierćfinale US Open. To będzie jego pierwszy mecz z topowym zawodnikiem. I zaczną nadawać reklamę Nike'a, w której Duane wystąpił. Wybrał sobie dość dziwny moment na romantyczną schadzkę w pokoju hotelowym.

Duane Richwood, istny Wilt Chamberlain zawodowego tenisa.

Myronowi się to nie podobało.

Duane zawsze był dla niego zagadką. Prawdę mówiąc, Myron nic nie wiedział o jego przeszłości. Duane uciekł z domu, a przynajmniej tak twierdził, ale czy na pewno? I czemu właściwie uciekł? Gdzie była teraz jego rodzina? Myron poskładał znane mu fakty, tworząc wizerunek Duane'a jako dziecka ulicy, usiłującego wyrwać się z ubóstwa. Tylko czy tak było naprawdę? Duane wydawał się porządnym chłopcem — inteligentnym, wygadanym i dobrze wychowanym — lecz czy nie była to tylko poza? Ten młody człowiek, którego Myron znał, nie spędziłby nocy przed ważnym meczem w pokoju hotelowym z jakąś dziwką. Tak więc Myron ponownie musiał zadać sobie pytanie:

Co właściwie się stało?

Myron był agentem Duane'a. Kropka. Ten dzieciak miał talent i niesamowite wyczucie. Był przystojny i mógł zarobić sporo pieniędzy na reklamach. Nic więcej nie powinno interesować agenta. Na pewno nie życie miłosne zawodnika. Duane świetnie spisywał się na korcie. Kogo obchodzi, co robi poza tym? Myron był zbyt blisko epicentrum wydarzeń. Nie potrafił spojrzeć na tę sprawę z dystansu. Powinien pilnować swoich interesów, a szpiegowanie jednego z najważniejszych klientów i wtrącanie się w jego prywatne sprawy bynajmniej im nie służyło.

Powinien opuścić hotel. Pojechać do Jessiki, opowiedzieć jej o wszystkim i dowiedzieć się, co ona o tym myśli.

Jeszcze dziesięć minut.

Wystarczyły mu tylko dwie. Przyłożył drugie oko do dziurki od klucza akurat w chwili, gdy otworzyły się drzwi pokoju 322. Pojawił się w nich Duane, a przynajmniej jego plecy. Myron ujrzał kobiece ramiona, obejmujące szyję chłopca. Na moment zastygli w uścisku. Myron nie widział twarzy kobiety, tylko jej ręce. Pomyślał o intuicji Wandy. Była tak pewna siebie, nie dopuszczała takiej ewentualności. Myron rozumiał ją. Też to przeżył. Miłość potrafi oślepić.

— Miłość potrafi oślepić — wymamrotał do siebie. — Nie do wiary.

Kobieta puściła Duane'a, który się wyprostował. Ramiona znikły z pola widzenia Myrona. Duane najwyraźniej szykował się do wyjścia. Myron przycisnął oko do dziurki od klucza. Duane obrócił się na pięcie i spojrzał prosto na drzwi jego pokoju. Myron o mało nie odskoczył. Przez moment miał wrażenie, że Duane spogląda na niego, jakby wiedział, że on tam jest.

Myron znowu zaczął się zastanawiać, co właściwie tu robi. Gdyby miał kontrolować moralność każdego sportowca, którego interesy reprezentował, musiałby przez cały czas podglądać ludzi przez dziurkę od klucza. Duane był młody. Dwudziesto-kilkuletni. Nie był żonaty ani nawet oficjalnie zaręczony. To, czego świadkiem był teraz Myron, nie miało jakiegokolwiek związku z morderstwem popełnionym na Valerie Simpson.

Przynajmniej do chwili, gdy Duane w końcu odsunął się od drzwi.

Jeszcze raz uścisnął kobietę na pożegnanie. Myron usłyszał ich stłumione głosy, ale nie zdołał zrozumieć słów. Duane spojrzał w lewo, później w prawo, a potem odszedł. Kobieta już zaczęła zamykać drzwi, ale jeszcze raz spojrzała na od-chodzącego. Wtedy Myron zobaczył jej twarz.

To była Deanna Yeller.

26

Ranek.

Myron zrezygnował z konfrontacji z Duane'em. Nadal był oszołomiony, kiedy dotarł do mieszkania Jessiki. Otworzył drzwi swoim kluczem i powiedział:

— Przepraszam. Musiałem...

Jessica uciszyła go pocałunkiem. A potem następnym. Jeszcze bardziej namiętnym i gorącym. Myron usiłował uwolnić się z jej objęć, choć ktoś mógłby nazwać tę próbę symboliczną.

Teraz obrócił się na drugi bok. Jessica cicho szła przez pokój. Naga. Narzuciła na siebie jedwabny szlafrok. Obserwował to, jak zawsze, zafascynowany.

— Wyglądasz tak apetycznie — powiedział — że leci mi ślinka.

Uśmiechnęła się. Kiedy Jessica spogląda na mężczyznę, dzieje się z nim coś dziwnego. Brakuje mu tchu. Czuje ssanie w dołku. I tęsknotę. A jej uśmiech po prostu potęguje te objawy.

— Dzień dobry — powiedziała. Nachyliła się i delikatnie go pocałowała. — Jak się czujesz?

— Po minionej nocy wciąż mam czerwone uszy.

— Dobrze wiedzieć, że nadal tak na ciebie działam.

Niedopowiedzenie tysiąclecia.

— Opowiedz mi, jak było w Europie.

— Najpierw ty opowiedz mi o tym morderstwie.

Jessica umiała słuchać. Nie przerywała mu, a jeśli już, to tylko zadając właściwe pytania. Nie odrywała od niego oczu, nie kiwała głową z udawanym zrozumieniem i nie uśmiechała się z roztargnieniem. Spoglądała na niego tak, jakby był jedyną osobą na świecie. W tym momencie był beztroski, szczęśliwy i lekko przestraszony.

— Ta Valerie zalazła ci za skórę — powiedziała Jessica, kiedy skończył.

— Nie miała nikogo bliskiego. Była w niebezpieczeństwie i nie miała do kogo zwrócić się o pomoc.

— Miała ciebie.

— Spotkałem ją tylko raz. Nawet nie podpisała z nami umowy.

— To bez znaczenia. Wiedziała, jaki jesteś. Gdybym ja znalazła się w niebezpieczeństwie, przybiegłabym prosto do ciebie. — Przechyliła głowę na bok. — Skąd znałeś numer mojego pokoju i nazwę hotelu?

— Od Aarona. Próbował mnie nastraszyć. Udało mu się.

— Aaron groził, że zrobi mi krzywdę?

— Tobie, mnie, mojej mamie, Esperanzy.

Zastanowiła się.

— Jeśli to już musi być któreś z nas, ja wybrałabym Esperanzę.

— Powiem mu to. — Wziął ją za rękę. — Cieszę się, że wróciłaś.

— Nie będzie przesłuchania trzeciego stopnia?

Przecząco pokręcił głową.

— Jednak jestem ci winna wyjaśnienie.

— Nie chcę go słyszeć — rzekł. — Chcę tylko być z tobą. Kocham cię. Zawsze cię kochałem. Jesteśmy bratnimi duszami.

— Bratnimi duszami?

Skinął głową.

— Kiedy na to wpadłeś?

— Dawno temu.

— To dlaczego mi nie powiedziałeś?

Wzruszył ramionami.

— Nie chciałem cię przestraszyć.

— A teraz?

— Teraz ważniejsze jest to, żebyś wiedziała, co czuję.

Przez chwilę w pokoju było cicho.

— I co mam na to odpowiedzieć? — zapytała.

— Nic.

— Kocham cię, Myronie. Wiesz o tym.

— Wiem.

Zapadła cisza. Długa.

Jessica przeszła przez pokój. Naga. Nie wstydziła się swojego ciała. Nie miała żadnego powodu.

— Mam wrażenie — zaczęła — że wokół tego morderstwa dzieją się różne dziwne rzeczy. A wszystkie mają jeden wspólny mianownik.

Zmiana tematu. W porządku. Dość już sobie powiedzieli jak na jeden dzień.

— Jaki? — spytał Myron.

— Tenis. Alexander Cross został zabity w klubie tenisowym. Valerie Simpson zamordowano podczas turnieju tenisa. Valerie i Duane mają romans — oboje zawodowo grają w tenisa. Ci dwaj chłopcy, którzy podobno zabili Alexandra Crossa... Jak oni się nazywali?

— Errol Swade i Curtis Yeller.

— Swade i Yeller — powtórzyła. — Obaj wtargnęli na teren klubu tenisowego. Bracia Ache i Aaron są powiązani z agencją, która reprezentuje tenisistów. Zostaje jeszcze Deanna Yeller.

— Co z nią?

— To, że sypia z Duane'em. To nie może być przypadek.

— A więc?

— A więc jak poznała Duane'a?

— Nie wiem — odparł Myron.

— Czy ona gra w tenisa?

— A jeśli nawet?

213

— To pasowałoby do pozostałych kawałków łamigłówki. — Zamilkła. — Sama nie wiem. Tak tylko mówię. Chodzi o to, że wszystko kręci się wokół tenisa. Oprócz Deanny Yeller.

Myron zastanawiał się przez chwilę. Na nic nie wpadł, chociaż jakaś niejasna myśl usiłowała wydobyć się z głębi podświadomości.

— Powiedziałam ci, co chodzi mi po głowie.

Usiadł na łóżku.

— Przed chwilą użyłaś sformułowania „podobno zabili Alexandra Crossa". Co chciałaś przez to powiedzieć?

— A jakie masz dowody na to, że Swade i Yeller naprawdę zamordowali młodego Crossa? — zapytała. — Może stali się po prostu kozłami ofiarnymi. Zastanów się chwilę. Yeller ginie na miejscu, zastrzelony przez policjantów. Swade znika, jakby zapadł się pod ziemię. Czy można sobie wyobrazić bardziej dogodną sytuację?

— Myślisz, że ktoś inny zabił Alexandra Crossa? — zapytał.

Wzruszyła ramionami.

— Pewnie zrobili to Swade i Yeller. Kto to wie?

Myron znów zaczął intensywnie myśleć. Nadal nic nie przychodziło mu do głowy. Spojrzał na zegarek. Siódma trzydzieści.

— Śpieszysz się? — spytała.

— Trochę.

— Myślałam, że Duane Richwood gra dopiero o pierwszej — zdziwiła się.

— Staram się podpisać kontrakt z niejakim Eddiem Crane'em. Gra w turnieju juniorów, o dziesiątej.

— Mogę pójść z tobą? — spytała.

— Pewnie.

— Jakie masz szanse na podpisanie tego kontraktu?

— Sądzę, że duże. Chociaż z jego ojcem może być problem.

— Nie lubi cię?

— Myślę, że wolałby większą agencję — odparł Myron.

— Czy mam się do niego słodko uśmiechnąć?

Myron zastanowił się.

— Chyba lepiej będzie, jeśli błyśniesz mu dekoltem. Facet nie grzeszy subtelnością.

— Klient nasz pan.

— Może powinnaś najpierw trochę poćwiczyć — rzekł.

— Co poćwiczyć?

— Błyskanie dekoltem. Mówiono mi, że to prawdziwa sztuka.

— Rozumiem. A przed kim mam ćwiczyć?

Myron rozłożył ręce.

— Jestem gotów zaoferować moje skromne usługi.

— Pomyśleć tylko, jak musisz się poświęcać, żeby zdobyć klientów — zauważyła. — Twoje oddanie pracy graniczy z heroizmem.

— I co na to powiesz?

Jessica posłała mu znaczące spojrzenie. Myron poczuł mrowienie w końcach palców i nie tylko. Nachyliła się.

— Nie.

— Nie?

Przysunęła usta do jego ucha.

— Najpierw wypróbujmy te egzotyczne olejki.

Krótko mówiąc: o rany.

27

Jessica nie musiała błyskać dekoltem.

Natychmiast zauroczyła oboje Crane'ów. Pani Crane gawędziła z nią o jej książkach. Pan Crane wciąż się uśmiechał i wciągał brzuch. Na początku drugiego seta próbował wytargować zmniejszenie prowizji o pół procenta. Bardzo dobry znak. Myron zanotował w myślach, że musi częściej zabierać Jessicę na spotkania z klientami.

Wokół kręcili się inni agenci. Stadami. Przeważnie w garniturach i z wybrylantynowanymi włosami zaczesanymi do tyłu. Byli w rozmaitym wieku, ale najczęściej bardzo młodzi. Kilku próbowało nawiązać rozmowę, lecz pan Crane ich spławił.

— Sępy — szepnęła Jessica do Myrona, gdy jeden z nich zdołał wcisnąć panu Crane'owi wizytówkę.

— Po prostu próbują zrobić interes — rzekł Myron.

— Bronisz ich?

— Ja robię to samo, Jess. Gdyby nie byli agresywni, nie mieliby żadnych szans. Myślisz, że państwo Crane'owie zwróciliby się do któregoś z nich?

— Mimo wszystko. Ty nie rzucasz się na łup tak jak oni.

— A co teraz robię?

Jessica zastanawiała się przez chwilę.

— No może, ale ty jesteś uroczy.

Trudno było się z tym spierać. Eddie zmiażdżył swojego przeciwnika 6:0, 6:0, lecz mecz nie był taki łatwy, jakby wskazywał na to wynik. Temu chłopcu brakowało finezji. Polegał na swojej sile. Tej mu nie brakowało. Jego rakieta ze świstem przecinała powietrze, jak kosa żyto. Piłka odbijała się od naciągu jak wystrzelona z bazooki. Z czasem nauczy się finezji. Na razie zupełnie wystarczała mu siła.

Kiedy zawodnicy uścisnęli sobie dłonie, rodzice Eddiego wyszli na kort.

— Zrób coś dla mnie — powiedział Myron do Jess.

— Co?

— Zajmij rodziców przez kilka minut. Chcę porozmawiać z Eddiem w cztery oczy.

Jessica zrobiła to, zapraszając rodziców chłopca na lunch. Poprowadziła pana i panią Crane w kierunku restauracji „Racquets", z widokiem na lożę honorową. Myron poszedł z chłopcem do szatni. Eddie prawie wcale się nie spocił. Oglądający mecz Myron pewnie był bardziej spocony od niego. Chłopak szedł długimi, nieśpiesznymi krokami, zupełnie odprężony, z ręcznikiem zawieszonym na szyi.

— Powiedziałem TruPro, że nie interesuje mnie ich propozycja — oznajmił.

Myron skinął głową. To wyjaśniało wielkoduszność Aarona, który zgodził się, żeby Myron reprezentował Eddiego.

— Jak na to zareagowali?

— Byli cholernie wkurzeni — odparł Eddie.

— Założę się.

— Myślę, że podpiszę umowę z waszą agencją.

— A co na to twoi rodzice?

— To nie ma znaczenia. Oni wiedzą, że decyzja należy do mnie.

Przeszli jeszcze kilka kroków.

— Eddie, muszę zapytać cię o Valerie.

Chłopiec uśmiechnął się.

— Naprawdę próbuje pan złapać jej zabójcę?

217

— Tak.

— Dlaczego?

— Nie wiem. Po prostu muszę to zrobić.

Eddie skinął głową. Najwidoczniej ta odpowiedź mu wystarczała.

— Niech pan strzela.

— Poznałeś Valerie na obozie Pavela na Florydzie?

— Zgadza się.

— Jak to się stało, że zostaliście przyjaciółmi?

— Był pan kiedyś w szkole Pavela? — zapytał Eddie.

— Nie.

— To może pan tego nie zrozumie. — Eddie Crane zamilkł, odgarnął włosy z czoła i dodał: — Pewnie to wydaje się dziwne, przyjaźń między szesnastoletnią dziewczyną a dziewięcioletnim chłopcem. Jednak wśród tenisistów to normalne. Nie zawiera się przyjaźni z rówieśnikami. To twoi wrogowie. Myślę, że Val i ja byliśmy po prostu samotni. A ze względu na różnicę wieku nie stanowiliśmy dla siebie zagrożenia. Chyba dlatego się zaprzyjaźniliśmy.

— Czy mówiła kiedyś o Alexandrze Crossie?

— Tak, kilka razy. Chodzili ze sobą czy coś takiego.

— Miałeś wrażenie, że to poważny związek?

Wzruszył ramionami. Strażnik sprawdził ich przepustki.

— Raczej nie. Tenis był całym jej życiem. Chłopcy byli tylko dodatkiem.

— Opowiedz mi o szkole Pavela. Jak czuła się w niej Valerie?

— A jak miała się czuć? — Eddie uśmiechnął się ze smutkiem i pokręcił głową. — To jak gra w króla na górze. Każdy usiłuje zrzucić pozostałych i zasiąść na szczycie.

— Valerie to się udało?

Eddie skinął głową.

— Była niekwestionowaną królową.

— Jak układało jej się z Pavelem?

— Dobrze. Przynajmniej z początku. Potrafił mobilizować

ją jak nikt inny. Godzinami ćwiczyła z jego asystentami, a kiedy wydawało się, że nie zrobi już ani kroku więcej, Pavel zjawiał się i bach! — jakby dostała nowych sił. Val była wspaniałą tenisistką, a Pavel wiedział, jak obudzić w niej ducha współzawodnictwa. Kiedy siedział na trybunach, roznosiła w pył przeciwniczki. Nie puściła ani jednej piłki. Była niesamowita.

— A kiedy coś zaczęło się psuć?

Eddie wzruszył ramionami.

— Kiedy zaczęła przegrywać.

Powiedział to tak, jakby to była najzwyczajniejsza rzecz na świecie.

— Co się stało?

— Nie wiem.   Znowu zamilkł, zastanawiając się. — Myślę, że przestało jej zależeć. Tak dzieje się z wieloma zawodnikami. Wypalają się. Za wiele napięć w zbyt krótkim czasie.

— I co zrobił Pavel?

— Próbował wszystkich swoich starych sztuczek. Widzi pan, Pavel uczył swoich zawodników, że gracz graczowi wilkiem. Powiedział mi, że w ten sposób eliminuje słabych. Jednak Valerie przestała na to reagować. Nadal zwyciężała większość dziewcząt. Jednak grając przeciwko najlepszym — takim jak Steffi, Monica, Gabriela, Martina — nie miała już ducha walki, żeby je pokonać.

Eddie siedział na krześle przed swoją szafką. W szatni było tylko kilka osób. Wyłożona brązową wykładziną podłoga była usiana pustymi opakowaniami i kawałkami bandaży. Myron usiadł obok chłopca.

— Mówiłeś mi, że spotkałeś Valerie kilka dni przed jej śmiercią.

— Taak — potwierdził Eddie. — W holu hotelu „Plaza".

Zdjął koszulę. Był chudy. Jego pierś wydawała się lekko zapadnięta.

— Dawno jej nie widziałem.

— I co ci powiedziała?

— Chciała wrócić na kort. Była bardzo podekscytowana tym pomysłem, zupełnie jak dawna Val. Potem podała mi numer pańskiego telefonu i poradziła, żebym trzymał się z daleka od Pavela i TruPro.

— Czy wyjaśniła, dlaczego powinieneś trzymać się od nich z daleka?

— Nie.

— Powiedziała coś jeszcze?

Chłopiec zastanowił się, przypominając sobie tamtą chwilę.

— Raczej nie. Wyglądało na to, że się śpieszyła. Powiedziała, że musi pójść i coś załatwić.

— Co takiego?

— Nie wiem. Nie wyjaśniła.

— Jaki to był dzień? — zapytał Myron.

— Zdaje się, że czwartek.

— Pamiętasz godzinę?

— Chyba około szóstej.

Valerie zadzwoniła do mieszkania Duane'a w czwartek o szóstej piętnaście. Chciała coś załatwić. Co takiego? Unormować stosunki z Duane'em? A może ujawnić ich związek? A co, jeśli zagroziła tym Duane'owi? Czy by ją zabił, żeby do tego nie dopuścić? Myron nie sądził, szczególnie zważywszy na fakt, że w chwili, gdy została zastrzelona, Duane grał na oczach kilku tysięcy widzów.

Eddie zdjął buty i skarpetki.

— Mam dwa bilety na mecz Yankees w środę wieczorem — rzekł Myron. — Chcesz iść?

Eddie uśmiechnął się.

— A myślałem, że pan tego nie robi — powiedział.

— Czego?

— Nie całuje tyłków klientom.

— Ależ robię. Jak każdy agent. Nie jestem ponad to. Jednak w tym przypadku pomyślałem, że możemy się dobrze bawić.

Eddie wstał.

— Czy powinienem sceptycznie traktować pańskie motywy?

— Tylko jeśli jesteś mądry.

Duane lubił przed meczem być sam. Win nauczył go kilku technik medytacji (nieobejmujących korzystania z taśm wideo), więc zazwyczaj można było znaleźć go skulonego w kącie, siedzącego z zamkniętymi oczami w pozycji kwiatu lotosu. Nie lubił, kiedy mu przeszkadzano — i dobrze. Myron nie wiedział, czy ma ochotę z nim teraz rozmawiać. Oczywiście, jego obowiązkiem było dopomóc klientowi jak najlepiej przygotować się do meczu — szczególnie w takim dniu, który miał być najważniejszym w karierze. Rozmowa o nocnym spotkaniu z Deanną Yeller mogłaby wytrącić go z równowagi. I to bardzo.

Trzeba to odłożyć na później.

Na stadionie zebrały się tłumy. Wszyscy czekali na emocjonujący mecz początkującego Amerykanina, Duane'a Richwooda z opanowanym czeskim graczem, Michelem Brishnym, niedawno uważanym za pierwszą rakietę na świecie, a obecnie piątą. Myron i Jessica zajęli miejsca w pierwszym rzędzie. Jess wyglądała niesamowicie w żółtej letniej sukience bez rękawów. Kibice gapili się na nią. Żadna nowość. Niewątpliwie kamerzyści telewizyjni będą dziś często robili zbliżenia loży. Nie zdołają się oprzeć urodzie Jessiki i jej literackiej sławie.

Myron zastanawiał się, czy nie poprosić, żeby pokazała do kamer jedną z jego wizytówek. Nie. Zbyt nachalne.

Świta faworytów już zajęła swoje miejsca. Ned Tunwell i inni ważniacy z Nike'a tłoczyli się w narożnej loży. Ned pomachał Myronowi jak wiatrak naćpany LSD. Myron pozdrowił go, podnosząc rękę. Dwie loże za nimi siedział pulchny Roy O'Connor, nominalny prezes TruPro. Obok niego usadowił się Aaron. Wystawił twarz do słońca, grzejąc się w jego promieniach. Był ubrany tak jak zwykle: w biały garnitur bez koszuli. Myron zauważył także senatora Crossa w loży zapchanej siwowłosymi prawnikami, wśród których jedynym wyjątkiem był Gregory Caufield. Myron wciąż chciał porozmawiać z Gregorym. Może po meczu znajdzie okazję. Piersiasta blondynka siedziała na tym samym miejscu co poprzedniego dnia. Znów pomachała do Myrona. Nie zareagował.

Zerknął na Jessicę. Uśmiechnęła się do niego.

— Jesteś piękna — powiedział.

— Piękniejsza od tej blondyny z wielkimi cycami? — zapytała.

— Której? — zdziwił się Myron.

— Tej silikonowej bestii, która pożera cię wzrokiem.

— Nie wiem, o czym mówisz — rzekł i zaraz dorzucił: — Skąd wiesz, że są silikonowe?

Gracze zaczęli rozgrzewać się na korcie. Dwie minuty później Pavel Menansi wkroczył na trybuny. Rozległy się gromkie oklaski. Pavel wyraził swoją wdzięczność eleganckim gestem ręki. Niemal jak papież. Na nogach miał białe tenisówki, a wokół szyi owinięty zielony sweter. Na ustach promienny uśmiech. Ruszył w kierunku loży TruPro. Aaron wstał, przepuścił go, a potem znów usiadł. Pavel uścisnął dłoń Roya O'Connora.

Nagle Myron poczuł się tak, jakby ktoś rąbnął go w splot słoneczny.

— O nie! — jęknął.

— O co chodzi? — spytała Jessica.

Myron wstał.

— Muszę iść.

— Teraz?

— Zaraz wrócę. Przeproś w moim imieniu.

28

Jadąc samochodem, słuchał radiowej transmisji meczu. WFAN, 66 AM. Sądząc po dźwiękach, Duane grał nie najlepiej. Właśnie przegrał pierwszego seta 6:3, gdy Myron wjechał na parking przy Central Park West na Manhattanie.

Doktor Julie Abramson mieszkała w kamienicy, niecałą przecznicę od gabinetu. Myron nacisnął dzwonek. Usłyszał brzęczenie, a potem jej głos.

— Kto tam?

— Myron Bolitar. To pilne.

Zapadła krótka cisza. Potem usłyszał:

— Pierwsze piętro.

Znowu zabrzmiał dzwonek. Myron pchnął drzwi. Julie Abramson czekała na niego na schodach.

— To pan zadzwonił do mnie i bez słowa odłożył słuchawkę? — zapytała.

— Tak.

— Po co?

— Żeby sprawdzić, czy jest pani w domu.

Dotarł do jej drzwi. Przez chwilę stali, patrząc na siebie. Dzieląca ich różnica wzrostu — ona około metra pięćdziesięciu, on ponad sto dziewięćdziesiąt — nadawała im niemal komiczny wygląd.

Doktor Abramson podniosła głowę. Wysoko.

— Wciąż nie mogę potwierdzić ani zaprzeczyć, że Valerie Simpson kiedykolwiek była moją pacjentką — zauważyła.

— W porządku. Chcę zapytać panią o hipotetyczną sytuację.

— Hipotetyczną?

Kiwnął głową.

— I to nie może zaczekać do poniedziałku?

— Nie.

Doktor Abramson westchnęła.

— Proszę wejść.

Oglądała mecz w telewizji.

— Powinnam się domyślić — zauważyła. — Co chwila pokazywali Jessicę Culver w loży zawodników, a pana ani razu.

— Gdybym stał obok niej, też by mnie nie pokazywali.

— Sprawozdawca powiedział, że jesteście parą. Czy to prawda?

Myron wzruszył ramionami. Wymijająco.

— Jaki jest wynik? — zapytał.

— Pana klient przegrał pierwszego seta sześć do trzech — oznajmiła. — Drugiego przegrywa dwa do zera.

Pilotem wyłączyła telewizor i wskazała gościowi fotel. Oboje usiedli.

— Proszę przedstawić mi tę hipotetyczną sytuację, Myronie.

— Zacznę od młodej dziewczyny. Piętnastoletniej. Ładnej. Z dobrze sytuowanej rodziny, rodzice rozwiedzeni, ojciec nie utrzymuje kontaktów. Dziewczyna chodzi z synem znanego polityka. Jest również wschodzącą gwiazdą tenisa.

— To nie brzmi zbyt hipotetycznie — powiedziała doktor Abramson.

— Niech pani wytrzyma jeszcze chwileczkę. Ta młoda dziewczyna jest taką obiecującą tenisistką, że matka wysyła ją do szkoły prowadzonej przez światowej sławy trenera. Przybywszy tam, dziewczyna wpada w wir zaciętej rywalizacji. Tenis jest jedną z najbardziej indywidualnych dyscyplin sportowych. Nie ma mowy o grze zespołowej. Ani o przyjaźni. Wszyscy tam pragnęli uzyskać aprobatę światowej sławy trenera. Tenis nie ułatwia zawierania przyjaźni. — Myron powtórzył słowa Eddiego. — Raczej izoluje. Czy nie uważa pani, że mam rację, pani doktor?

— Jak na razie, tak.

— Tak więc, kiedy ta młoda dziewczyna nagle została wyrwana ze znanego jej środowiska i umieszczona w nieprzyjaznym otoczeniu, nie spotkała się z miłym przyjęciem. Wprost przeciwnie. Inne dziewczęta postrzegały nową protegowaną jako zagrożenie dla siebie i ich wrogie nastawienie jeszcze się pogłębiło, kiedy uświadomiły sobie, jaką znakomitą jest tenisistką. Była kompletnie osamotniona.

— W porządku.

— A ten światowej sławy trener jest zwolennikiem darwinizmu. Przetrwają najsilniejsi i tak dalej. To w tej opowieści odgrywa niebagatelną rolę. Izolacja zmusza dziewczynę do szukania wyjścia, do ucieczki tam, gdzie może odnosić sukcesy.

— Na kort tenisowy? — podpowiedziała doktor Abramson.

— Właśnie. Dziewczyna zaczyna ćwiczyć jeszcze intensywniej. A światowej sławy trener jest dla niej miły. Podczas gdy wszyscy inni są okrutni, on ją wychwala. Poświęca jej wiele czasu. Skłania do zwiększonego wysiłku.

— A przez to — wtrąciła doktor Abramson — jeszcze bardziej ją wyobcowuje.

— Właśnie. Dziewczyna uzależnia się od trenera. Uważa, że jemu na niej zależy, i jako dobra uczennica pragnie i potrzebuje jego aprobaty. Zaczyna ćwiczyć jeszcze intensywniej. Wie, że pochwały światowej sławy trenera sprawią przyjemność jej matce. Pracuje jeszcze ciężej. Krąg się zamyka.

Doktor Abramson z pewnością wiedziała, do czego zmierza Myron, lecz zachowała nieprzeniknioną minę.

— Proszę mówić dalej — zachęciła.

— Szkoła tenisa nie jest prawdziwym światem. To udzielne królestwo, którym włada światowej sławy trener. Jednak on zachowuje się tak, jakby zależało mu na tej młodej dziewczynie.

Wyróżnia ją. Ona pracuje jeszcze ciężej, zmuszając się do niewiarygodnego wysiłku — nie dla siebie, ale żeby jemu sprawić przyjemność. Może po treningu poklepie ją po plecach. Może rozmasuje jej obolałe ramiona. Może któregoś wieczoru pójdą razem na kolację, żeby porozmawiać o jej grze. Kto wie, jak to się zaczęło?

— Co się zaczęło? — spytała doktor Abramson.

Myron zignorował to pytanie. Na razie.

— Młoda dziewczyna i światowej sławy trener razem jeżdżą na turnieje — ciągnął. — Ona gra przeciwko kobietom, które traktują ją jak groźną przeciwniczkę. Teraz dziewczyna i światowej sławy trener są sami. Wciąż w drodze. Nocują w hotelach.

— To pogłębia izolację — podsunęła Abramson.

— Dziewczyna dobrze gra. Jest piękna i młoda. Wokół niej kręci się rój dziennikarzy. To nagłe zainteresowanie przeraża ją. Jednak światowej sławy trener jest przy niej, żeby ją obronić.

— Ona jeszcze bardziej uzależnia się od niego.

Myron skinął głową.

— Musimy pamiętać, że światowej sławy trener niegdyś też był sławnym zawodnikiem. Jest przyzwyczajony do narcystycznego stylu życia, typowego dla zawodowego sportowca. Przywykł robić to, na co ma ochotę. Także z tą młodą dziewczyną.

Cisza.

— Czy tak nie mogło się stać, pani doktor? Teoretycznie?

Doktor Abramson odkaszlnęła.

— Teoretycznie, owszem. Jeśli mężczyzna ma taką władzę nad kobietą, łatwo może ją wykorzystać. Jednak w pańskim scenariuszu ta władza jest wprost bezgraniczna. Mężczyzna jest znacznie starszy, a kobieta to prawie dziecko. Nauczyciel lub szef może kontrolować swoją ofiarę przez kilka godzin dziennie, natomiast trener z pańskiego scenariusza jest wszechmocny i wszechobecny.

Popatrzyli na siebie.

— Ta dziewczyna z mojego scenariusza — powiedział łagodnie Myron — zaczęłaby gorzej grać, gdyby ją uwiódł?

— Niewątpliwie.

— Co jeszcze mogłoby się z nią stać?

— Każdy taki przypadek jest inny — odparła doktor Abramson, jakby zamierzała wygłosić wykład. — Jednak rezultat zawsze jest katastrofalny. W takim scenariuszu, jaki pan przedstawił, wszystko zaczyna się zupełnie niewinnie. Ten bywały w świecie, doświadczony starszy pan jest miły dla dziewczyny, podczas gdy wszyscy inni są wrogo nastawieni. On ją rozumie i opiekuje się nią. Ona zapewne nawet go nie prowokuje — po prostu tak się dzieje. Ta młoda dziewczyna z początku może go zachęcać lub nie. Może nawet się opierać, ale czuje się zobowiązana. Ma poczucie winy.

Myron nagle poczuł nieprzyjemną pustkę w żołądku.

— A to jeszcze pogarsza sytuację.

— Owszem. Opisał pan, jak ten światowej sławy trener odizolował ją od innych ludzi — ciągnęła doktor Abramson. — Jednak w tym scenariuszu on zrobił coś gorszego. Odczłowieczył ją. Całkowicie odebrał jej młodość, dbając wyłącznie o rozwój jej sportowych umiejętności. Pozbawił ją szkolnych przyjaciół, znajomych i rodziny. Zmienił w maszynę do wygrywania meczów i zarabiania pieniędzy. W towar. Ona wiedziała, że jeśli go zawiedzie, stanie się dla niego bezwartościowa. Ten stan jej umysłu jeszcze bardziej ułatwił mu zadanie.

— Jak to? — spytał Myron.

— Przedmiot znacznie łatwiej wykorzystać niż człowieka.

Zamilkli oboje.

— I co się stało potem? — zapytał Myron. — Kiedy ten światowej sławy trener wykorzystał ją, co się z nią stało?

— Dziewczyna szukała czegoś, lub kogoś, kto mógłby ją uratować.

— Na przykład dawnego chłopca?

— Może.

— Może nawet chciała zaraz się z nim zaręczyć.

— To również jest możliwe. Mogła postrzegać dawnego chłopca jako powrót do niewinności. W głębi duszy uważać go za zbawcę.

— A gdyby ten chłopiec został zamordowany?

— Byłby to ostateczny cios — odparła cicho Abramson. — Ta młoda dziewczyna i tak już wymagała intensywnej terapii. Po takim wypadku załamanie nerwowe byłoby bardzo prawdopodobne. Może nawet nieuniknione.

Myronowi ścisnęło się serce. Doktor Abramson na chwilę odwróciła wzrok.

— Są jednak jeszcze inne aspekty pańskiej teorii, które należałoby zbadać — powiedziała, siląc się na obojętność.

— Na przykład?

— Na przykład, co naprawdę się stało, kiedy ją wykorzystał. Jeśli, jak pan mówi, ten światowej sławy trener był takim egoistą, to myślał tylko o własnej przyjemności. Nie przejmował się dziewczyną. Może nawet nie zabezpieczył się w żaden sposób. A ta dziewczyna, młoda i zapewne seksualnie niedoświadczona, nie zażywała doustnych środków antykoncepcyjnych.

Myron miał wrażenie, że ktoś położył mu ciężki głaz na piersi. Przypomniał sobie krążące plotki.

— Zaszła w ciążę.

— W przedstawionym przez pana scenariuszu — rzekła Abramson — jest to bardzo prawdopodobne.

— I co stało się z...? — Myron urwał. Odpowiedź była oczywista. — Ten światowej sławy trener zmusił ją do aborcji.

— Tak sądzę, owszem.

Zamilkli. Myron czuł narastające przygnębienie.

— Przez co musiała przejść... — Pokręcił głową. — Wszyscy uważali, że Valerie była słaba. A tymczasem...

— Nie Valerie — poprawiła go lekarka — tylko ta młoda dziewczyna. Hipotetyczna dziewczyna w tej hipotetycznej sytuacji.

Myron spojrzał na doktor Abramson.

— Wciąż stara się pani chronić swój tyłek, pani doktor?

— Mów, co chcesz, Myronie. To tylko hipoteza. Nie potwierdzę ani nie zaprzeczę, że Valerie Simpson kiedykolwiek była moją pacjentką.

Pokręcił głową, wstał i ruszył do drzwi. Kiedy do nich doszedł, odwrócił się do lekarki.

— Jeszcze jedno hipotetyczne pytanie — powiedział. — Ten światowej sławy trener. Gdyby zechciał wykorzystać w ten sposób inne dziecko, jakie jest prawdopodobieństwo tego, że znowu by to zrobił?

Doktor Abramson nie spojrzała na niego, tylko powiedziała:

— Bardzo wysokie.

29

Zanim Myron wrócił na stadion, Duane przegrał pierwsze dwa sety 6:3 i 6:1, a w trzecim było 2:2. Myron zajął miejsce między Jessicą a Winem. Natychmiast zauważył, że Pavel Menansi opuścił swoje miejsce. Aaron wciąż tam siedział. Senator Cross i Gregory Caufield również pozostali w swojej loży. Ned Tunwell nadal towarzyszył swoim kolegom z firmy Nike. Już nie machał rękami. Najwyraźniej ronił łzy. Cała loża Nike'a wyglądała jak przekłuty balon. Henry Hobman siedział nieruchomo niczym posąg Rodina.

Myron spojrzał na Jessicę. Wyglądała na zatroskaną, ale nic nie powiedziała. Ujęła jego dłoń i lekko ją uścisnęła. Odpowiedział tym samym i uśmiechem. Zauważył, że teraz miała na głowie jasnoróżową czapeczkę z logo Ray-Ban.

— Skąd wzięłaś tę czapeczkę? — zapytał.

— Jakiś facet zaproponował mi tysiąc dolarów, jeśli ją włożę.

Myron dobrze znał ten stary chwyt reklamowy. Firmy — w tym przypadku Ray-Ban — płaciły ludziom siedzącym w loży graczy za noszenie podczas meczów czapeczek z ich znakiem firmowym, mając nadzieję, że dana osoba — a więc i logo firmy — znajdzie się w telewizji. Tania i skuteczna forma reklamy.

Myron spojrzał na Wina.

— A ty?

— Ja nie noszę czapek — odrzekł Win. — Szkodzą włosom.

— A poza tym — dodała Jessica — ten facet zaproponował mu tylko pięćset dolarów.

Win wzruszył ramionami.

— Jaskrawy przykład dyskryminacji płci. Okropność.

Raczej zwykły interes. Pięćset dolarów było normalną stawką za noszenie czapeczki. Jednak ktoś z Ray-Bana zauważył, że Jesica jest nie tylko atrakcyjna, ale i sławna — stąd dodatkowe pięćset.

Duane stracił kolejnego gema. Przegrywał 3:2, a oddał już dwa pierwsze sety. Niedobrze. Gracze opadli na krzesełka po obu stronach sędziego, odpoczywając przed zmianą. Duane wytarł ręcznikiem rakietę. Zmienił koszulkę. Kilka fanek skwitowało to głośnymi gwizdami. Duane nie uśmiechnął się. Spojrzał na swoją lożę. W przeciwieństwie do niemal wszystkich innych dyscyplin sportu w tenisie zawodnicy podczas meczu nie mogą porozumiewać się ze swoimi trenerami. Jednak Henry poruszył się. Oderwał dłoń od podbródka i zacisnął ją w pięść. Duane skinął głową.

— Czas — powiedział główny sędzia.

W tym momencie Pavel wrócił.

Wszedł przez przejście po prawej stronie trybuny, niosąc butelkę wody Evian. Myron przywarł do niego wzrokiem. Serce zaczęło mu szybciej bić. Pavel Menansi nadal miał na sobie sweter, luźno zarzucony na plecy i zawiązany pod szyją. Zajął miejsce za Aaronem. Uśmiechał się. Szeroko. Popijał zimną wodę mineralną. Oddychał. Żył. Ludzie klepali go po plecach. Ktoś poprosił go o autograf. Jakaś młoda dziewczyna. Pavel powiedział coś do niej. Zachichotała, zasłaniając usta dłonią.

— Burgess Meredith — powiedział Win. Patrzył na kort, nie na Myrona.

— Słucham?

— Burgess Meredith.

Ciąg dalszy gry w *Batmana*.

— Nie teraz — mruknął Myron.

— Teraz. Burgess Meredith.

— Dlaczego?

— Ponieważ gapisz się na niego. Aaron to zauważy. — Win poprawił okulary. — Burgess Meredith.

Miał rację.

— Pingwin.

— Victor Buono.

— Król Tut.

— Bruce Lee.

Jessica nachyliła się do Myrona.

— To podstępne pytanie — powiedziała.

— Nie podpowiadaj — rzekł Win.

— Grał Kato — powiedział Myron. — Pomocnika Zielonego Szerszenia. Wystąpił jako gość w jednym odcinku. Nie wiem, czy można go nazwać przestępcą.

— Zgadza się — przytaknął Win. A potem dodał: — Jest tak źle?

— Gorzej.

— Policja oddała ciało Valerie — rzekł Win. — Pogrzeb odbędzie się jutro.

Myron kiwnął głową. Na korcie Duane zaserwował i wygrał gema. Dopiero trzeciego w tym meczu. Myron powiedział:

— Teraz może być gorąco.

— Jak to?

— Wiem, dlaczego bracia Ache chcieli nas zniechęcić.

— Aha — mruknął Win. — Czy mogę założyć, iż nie życzyliby sobie, abyś podał tę informację do publicznej wiadomości?

— Słuszne założenie.

— Czy mogę również założyć, iż dla zatajenia tej informacji warto było wynająć Aarona i resztę załogi?

— Następne słuszne założenie.

Win rozsiadł się wygodniej. Siedział nieruchomo. Uśmiechał się. Myron zerknął na Jessicę. Wciąż trzymała go za rękę.

— Jeśli dasz się zabić — szepnęła — zamorduję cię, bratnia duszo.

Milczeli.

Na korcie Duane zdobył dwa kolejne punkty, obejmując prowadzenie. Spojrzał na lożę. Słońce odbijało się od jego przeciwsłonecznych okularów, nadając mu wygląd robota. Jednak jego twarz miała teraz inny wyraz. Zacisnął pięść.

Henry odezwał się po raz pierwszy tego dnia:

— Noo, wrócił.

30

Henry Hobman miał rację. Duane szalał. Wygrał trzeciego seta 6:4. Ned Tunwell przestał się mazać. Czwarty set był zacięty i wyrównany, ale Duane wygrał go w tie-breaku 9:7, broniąc trzy meczbole. Ned znów zaczął wymachiwać rękami. Duane wygrał piątego seta 6:2. Ned poszedł zmienić bieliznę.

Długi pojedynek zakończył się zwycięstwem Duane'a 3:6, 1:6, 6:4, 7:6 (9:7) i 6:2. Zawodnicy jeszcze nie zdążyli zejść z boiska, a wokół już powtarzano „klasyczny pojedynek".

Zanim skończyła się konferencja prasowa i wszyscy pogratulowali zwycięzcy, zrobiło się późno. Jess pożyczyła samochód Myrona, żeby odwiedzić matkę. Win podrzucił go do biura. Esperanza jeszcze tam była.

— Piękne zwycięstwo — powiedziała.

— Taak.

— Duane w pierwszych dwóch setach grał jak noga.

— Miał za sobą długą noc — powiedział Myron. — Co się dzieje?

Esperanza podała mu plik papierów.

— Intercyza Jerry'ego Prince'a. Ostateczna wersja.

Ach, ukochane umowy przedślubne. Zło konieczne. Myron niechętnie je rekomendował. Małżeństwo powinno opierać się na romantycznych uczuciach. Tymczasem intercyza, mówiąc

234

bez ogródek, jest równie romantyczna jak lizanie kosza na śmieci. Pomimo to Myron czuł się zobowiązany chronić finansowe interesy swoich klientów. Zbyt wiele tych małżeństw kończyło się szybkim rozwodem. Ich bohaterki nazywano „poszukiwaczkami złota". Niektórzy brali troskę Myrona za przejaw seksizmu. Mylili się. To samo robił dla sportsmenek, z którymi jego agencja miała podpisane umowy.

— Co poza tym? — zapytał.

— Emmett Roberts prosi, żebyś do niego zadzwonił. Chce usłyszeć twoją opinię na temat samochodu, który zamierza kupić.

Myron jeździł fordem taurusem, co raczej nie czyniło go kandydatem na kierowcę roku magazynu *MotorTrend*.

Emmett był drugorzędnym koszykarzem, który z ławki rezerwowych w NBA przeszedł do występów w meczach Continental Basketball Association — czegoś w rodzaju koszykarskiej drugiej ligi, której zawodnicy usiłowali zrobić dobre wrażenie na selekcjonerach NBA. Niewielu się to udawało. Chociaż trafiały się wyjątki. Można wymienić choćby dwa: Johna Starksa i Anthony'ego Masona z Knicksów. Jednak przeważnie hale CBA były po prostu składnicą niespełnionych nadziei, najniższym szczeblem drabiny przed odejściem w kompletne zapomnienie.

Myron przekartkował kołonotatnik. Esperanza na bieżąco uaktualniała zapiski i utrzymywała je w alfabetycznym porządku. Raston. Ratner. Rextell. Rippard. Roberts. Jest. Emmett Roberts.

Myron wyprostował się.

— Gdzie jest kartka Duane'a? — zapytał.

— Co?

Myron szybko przejrzał pozostałe wpisy pod „R".

— W notatniku nie ma Duane'a Richwooda. Czy mogłaś umieścić jego kartę w innym miejscu?

Gniewnym spojrzeniem odrzuciła taką ewentualność.

— Rozejrzyj się wokół. Pewnie leży gdzieś na twoim biurku.

Na biurku nie było kartki. Myron sprawdził pod „D". Nic.

— Wypiszę ci nową — powiedziała, zmierzając do drzwi. — Tym razem postaraj się jej nie zgubić.

— Wielkie dzięki — powiedział. Mimo to był lekko zaniepokojony. Kolejny zbieg okoliczności związany z Duane'em? Wybrał numer Emmetta Robertsa.

— Cześć, Myron. Jak leci?

— Dobrze, Emmett. O co chodzi z tym nowym samochodem?

— Oglądałem dziś porsche. Czerwonego. Pełny wypas. Siedemdziesiąt patyków. Zastanawiałem się, czy nie kupić go za premię za zwycięstwo w lidze.

— Jeśli tego chcesz — rzekł Myron.

— Człowieku, mówisz jak moja matka. Chciałem usłyszeć twoje zdanie.

— Kup coś tańszego — poradził Myron. — Znacznie tańszego.

— Ale ten wózek jest taki fajny, Myronie. Gdybyś go zobaczył...

— No to go kup, Emmett. Jesteś dorosły. Nie potrzebujesz mojego pozwolenia. — Myron zawahał się. — Czy opowiadałem ci kiedyś o Normie Bookerze?

— O kim?

Jak szybko zapominają.

— Miałem wtedy piętnaście lub szesnaście lat — zaczął Myron — i ćwiczyłem na letnim obozie w Massachusetts. To był obóz Celtics. Wypróbowywali na nim nowych. W zasadzie byłem tam chłopcem od ręczników. Poznałem wielu zawodowych graczy. Cedrica Maxwella. Larry'ego Birda. Kiedy tam byłem, Celtics zwerbowali niejakiego Norma Bookera. Zdaje się, że był z Iowa.

— Tak, no i co?

— Norm był świetnym graczem. Dwa metry dziesięć, zwinne ruchy, talent. Silny jak muł. I był miłym gościem. Rozmawiał ze mną. Większość zawodników ignorowała chłopców od podawania ręczników, ale Norm nie był taki. Pamiętam, że rzucał wolne, stojąc plecami do kosza. Rzucał przez ramię. Miał taki dar, że w ten sposób uzyskiwał ponad pięćdziesiąt procent trafień.

— I co się z nim stało?

— Jako nowy wysiadywał na ławce. Po roku Celtics pozbyli się go. Przez jakiś czas grał tu i ówdzie, a potem wylądował w Portland Trailblazers. Przeważnie grzał ławkę, czasem wchodził jako zapchajdziura. Kiedy wygrali, dostał premię za udany sezon. Tak się ucieszył, że poszedł i kupił sobie rolls-royce'a. Wydał wszystkie pieniądze na ten samochód. Nie przejmował się tym. Przecież będzie następny rok. I następny. Tylko że wyleciał z Portland. Próbował w paru innych klubach, ale nigdzie go nie chcieli. Później usłyszałem, że musiał sprzedać samochód, żeby wyżywić rodzinę.

W słuchawce zapadła cisza.

Po dłuższej chwili Emmett powiedział:

— Oglądałem też hondę accord. Proponowali mi bardzo korzystną umowę leasingową.

— Skorzystaj z niej, Emmett.

Kilka minut później skończyli rozmowę. Myron już dawno nie wspominał Norma Bookera. Zastanawiał się, co też się z nim stało.

Esperanza wróciła. Wpięła do skoroszytu nową kartkę z danymi Duane'a Richwooda.

— Zadowolony?

— Tak. — Wręczył jej dwie kartki papieru. — To lista gości, którzy byli w klubie tego wieczoru, gdy zamordowano Alexandra Crossa.

— Czego mam szukać?

— Niech mnie licho, jeśli wiem. Znajomego nazwiska. Może coś rzuci ci się w oczy.

Kiwnęła głową.

— Wiesz, że jutro jest pogrzeb?

Myron przytaknął.

— Pójdziesz? — spytała.

— Tak.

— Odnalazłam jedną z nauczycielek wymienionych w artykule o Curtisie Yellerze.

— Którą?

— Panią Lucindę Elright. Jest już na emeryturze, mieszka w Filadelfii. Zobaczy się z tobą jutro po południu. Możesz odwiedzić ją zaraz po pogrzebie.

Myron odchylił się w fotelu.

— Nie jestem pewien, czy to nadal jest konieczne.

— Mam odwołać spotkanie?

Myron zastanawiał się chwilę. W świetle tego, czego się dowiedział o Pavelu Menansim, powiązanie między śmiercią Valerie a tym, co przydarzyło się Curtisowi Yellerowi, wydawało się jeszcze bardziej prawdopodobne. Zamordowanie Alexandra Crossa nie spowodowało załamania Valerie. Nie było nawet decydującym powodem. Pavel Menansi zniszczył ją psychicznie kilka lat wcześniej. I z chłodną rezerwą obserwował jej upadek. Śmierć Alexandra Crossa zakończyła ten długotrwały proces. Zamknęła pewien rozdział. Przekreśliła przeszłość. Nic poza tym. Najwidoczniej śmierć Valerie nie miała żadnego związku z wydarzeniami sprzed sześciu lat. Nie istniało również żadne powiązanie między Duane'em a Valerie, poza przelotnym romansem, do jakiego przyznał się chłopak. Wielkie rzeczy.

Gdyby nie...

Gdyby nie rendez-vous, które poprzedniego wieczoru miał Duane z matką Curtisa Yellera.

Gdyby Myron nie widział ich razem w hotelu, mógłby spokojnie zapomnieć o całej sprawie. Jednak romans Duane'a z Deanną Yeller nie mógł być czystym zbiegiem okoliczności. Musiało istnieć jakieś powiązanie.

— Nie odwołuj — powiedział Myron.

31

Pogrzeb Valerie trudno byłoby nazwać doniosłym wydarzeniem. Wielebny, pulchny jegomość z czerwonym nosem słabo znał zmarłą. Wyliczał jej osiągnięcia, jakby czytał je z kartki. Dodał kilka banałów w rodzaju: ukochana córka, pełna życia, odeszła w tak młodym wieku, niezbadane są wyroki boskie. Organy wydawały dźwięki pełne urazy. Kaplicę zdobiły sztuczne wieńce z rodzaju tych, jakie wiesza się na karku zwycięskiego konia. Z góry surowo spoglądały na to malowane postacie z witraży.

Żałobnicy nie zostali długo. Przystawali przy Helen i Kennecie Van Slyke'ach nie tyle, by złożyć kondolencje, lecz aby upewnić się, że ich zauważono i rozpoznano, ponieważ głównie po to tutaj przyszli. Helen Van Slyke ściskała im ręce, wysoko trzymając głowę. Nie mrugała oczami. Nie uśmiechała się. Nie płakała. Zaciskała zęby. Myron czekał w kolejce razem z Winem. Kiedy podeszli bliżej, usłyszał, że Helen powtarza to samo zdanie: „To ładnie, że przyszliście, bardzo dziękuję, to ładnie, że przyszliście, bardzo dziękuję" — monotonnym głosem jak stewardesa do wysiadających pasażerów.

Kiedy nadeszła jego kolej, Helen mocno uścisnęła jego dłoń.

— Czy pan wie, kto skrzywdził Valerie?

— Tak.

Myron zanotował w pamięci, że powiedziała „skrzywdził", a nie „zabił".

Spojrzała pytająco na Wina. Potwierdził skinieniem głowy.

— Proszę przyjść do naszego domu — powiedziała. — Na stypę.

Odwróciła się do następnego żałobnika i wcisnęła przycisk odtwarzania: „To ładnie, że przyszliście, bardzo dziękuję, to ładnie, że przyszliście, bardzo dziękuję...".

Myron i Win spełnili jej prośbę. W Brentman Hall nie znaleźli ani wisielczego irlandzkiego humoru, ani głębokiej żałoby. Nie przelewano łez, ale i nie śmiano się. Jedno i drugie byłoby lepsze niż ten nastrój całkowitego zobojętnienia. „Żałobnicy" kręcili się wokół, jakby byli na przyjęciu koktajlowym.

— Nikt się nie przejął — powiedział Myron. — Ona nie żyje i nikogo to nie obchodzi.

Win wzruszył ramionami.

— Zawsze tak jest.

Wieczny optymista.

Pierwszą osobą, która do nich podeszła, był Kenneth. Miał na sobie przepisowy czarny garnitur i wypastowane na wysoki połysk buty. Powitał Wina klepnięciem w plecy i mocnym uściskiem dłoni. Zignorował Myrona.

— Jak się trzymasz? — zapytał Win. Jakby go to obchodziło.

— Och, w porządku — odparł z ciężkim westchnieniem Kenneth. Pan Dzielny. — Jednak martwię się o Helen. Musieliśmy podać jej środki uspokajające.

— Przykro mi to słyszeć — powiedział Myron.

Kenneth spojrzał na niego tak, jakby dopiero teraz go zobaczył.

— Naprawdę? — spytał.

Myron i Win wymienili spojrzenia.

— Tak, naprawdę, Kenneth — zapewnił Myron.

— Zatem niech pan zrobi mi tę grzeczność i trzyma się

z daleka od mojej żony. Po pańskiej poprzedniej wizycie była bardzo wzburzona.

— Nie chciałem robić zamieszania.

— Jednak wywołał je pan, mówię panu. Myślę, że już najwyższy czas, panie Bolitar, żeby okazał pan odrobinę szacunku. Niech pan zostawi moją żonę w spokoju. Jesteśmy pogrążeni w żałobie. Ona straciła córkę, a ja pasierbicę.

— Masz moje słowo, Kenneth — obiecał Myron.

Kenneth dostojnie skinął głową i odszedł.

— Jego pasierbica — rzekł z obrzydzeniem Win. — Ba!

Myron pochwycił spojrzenie stojącej po drugiej stronie pokoju Helen Van Slyke. Wskazała mu drzwi, które znajdowały się po jej prawej i znikła w nich. Jakby umawiała się z nim na schadzkę.

— Trzymaj Kennetha z daleka ode mnie — powiedział Myron.

Win udał zdziwienie.

— Przecież dałeś mu słowo.

— Ba! — odparł Myron, cokolwiek miało to oznaczać.

Wymknął się z pokoju i poszedł za Helen. Ona też była ubrana na czarno, w garsonkę ze spódniczką na tyle krótką, żeby wyglądać seksownie, a zarazem należycie dostojnie. Dobre nogi, zauważył i natychmiast poczuł wyrzuty sumienia z powodu tego, że w takiej chwili myśli o takich rzeczach. Zaprowadziła go do pokoiku na końcu elegancko umeblowanego korytarza i zamknęła za nimi drzwi. Pokój był miniaturową kopią salonu. Żyrandol był mniejszy. Kanapa również. Tak samo jak kominek oraz wiszący nad nim portret.

— To salonik — wyjaśniła Helen Van Slyke.

— Aha — mruknął Myron. Zawsze chciał wiedzieć, do czego służy salonik. Teraz znalazł się w jednym z nich i nadal nie wiedział.

— Ma pan ochotę na herbatę?

— Nie, dziękuję.

— Będzie pan miał coś przeciwko temu, że ja się napiję?

— Ależ skądże.

Usiadła skromnie i napełniła sobie filiżankę ze srebrnego czajniczka, stojącego na stoliku. Myron zauważył, że stały tam dwie filiżanki. Zastanawiał się, czy to wyjaśnia przeznaczenie saloniku.

— Kenneth mówił mi, że zażywa pani środki uspokajające.

— Kenneth pieprzy głupoty.

Ależ niespodzianka.

— Czy nadal prowadzi pan śledztwo w sprawie śmierci Valerie? — zapytała. Jej głos brzmiał niemal drwiąco. Lekko przeciągała słowa i Myron zaczął podejrzewać, że może naprawdę coś zażyła lub dolała sobie dopalacza do herbaty.

— Owszem — potwierdził.

— Czyżby wciąż kierował się pan rycerskim poczuciem odpowiedzialności za jej los?

— Nigdy tak tego nie odczuwałem.

— Zatem dlaczego pan to robi?

Myron wzruszył ramionami.

— Ktoś powinien.

Przyjrzała mu się uważnie, szukając śladów sarkazmu.

— Rozumiem. Niech więc mi pan powie: co pan odkrył w trakcie swojego śledztwa?

— Pavel Menansi wykorzystał pani córkę.

Myron czekał na jej reakcję. Helen Van Slyke uśmiechnęła się kpiąco i wrzuciła kostkę cukru do herbaty. Niezupełnie takiej reakcji oczekiwał.

— Nie mówi pan poważnie — powiedziała.

— A jednak.

— Co pan rozumie przez „wykorzystał"?

— Seksualnie.

— Zgwałcił?

— Owszem, można to tak nazwać.

Prychnęła drwiąco.

— Niech pan da spokój, panie Bolitar. Czy to nie przesada?

— Nie.

— Przecież Pavel nie zmusił jej do tego, prawda? Mieli romans. Nie ma w tym niczego szczególnego.

— Wiedziała pani o tym?

— Oczywiście. I szczerze mówiąc, byłam niezadowolona. Pavel okazał się nieodpowiedzialny. Jednak moja córka miała wtedy szesnaście lat — a może siedemnaście, nie jestem pewna. Tak czy inaczej, z pewnością nie była już nieletnia. Nazywanie tego gwałtem czy uwiedzeniem to chyba nadmierne dramatyzowanie, nie uważa pan?

Może środki uspokajające i alkohol. Może nawet rozpuściła prochy w wódzie.

— Valerie była młodą dziewczyną, a Pavel Menansi był jej trenerem, mężczyzną mającym prawie pięćdziesiąt lat.

— Czy byłoby lepiej, gdyby miał czterdzieści? Albo trzydzieści?

— Nie.

— Zatem czemu podkreśla pan różnicę wieku? — Odstawiła filiżankę. Na jej ustach znów błąkał się nikły uśmieszek. — Pozwoli pan, że zadam panu pytanie, panie Bolitar. Gdyby Valerie była szesnastoletnim chłopcem i miała romans z piękną trenerką, powiedzmy trzydziestoletnią, czy nazwałby pan to uwiedzeniem? Albo gwałtem?

Myron zawahał się. O ułamek sekundy za długo.

— Tak myślałam — powiedziała triumfalnie. — Ma pan seksistowskie poglądy, panie Bolitar. Valerie miała romans ze starszym mężczyzną. To się zdarza. — Znów ten kpiący uśmiech. — Nawet mnie.

— A czy po zakończeniu tego romansu przeszła pani załamanie nerwowe?

Uniosła brew.

— A więc tak pan to nazywa? Załamaniem nerwowym?

— Powierzyła mu pani opiekę nad córką — przypomniał Myron. — Miał jej pomagać. Tymczasem wykorzystał ją. Skrzywdził. Zniszczył i odrzucił.

— Skrzywdził? Zniszczył? Odrzucił? O jej, panie Bolitar, najwyraźniej to panem wstrząsnęło, co?

— Nie widzi pani niczego złego w tym, co jej zrobił?

Odstawiła filiżankę i wyjęła papierosa. Zapaliła go, głęboko zaciągnęła się, przymykając oczy, a potem wypuściła dym.

— Jeśli chce mnie pan obwiniać o to, co się stało, świetnie, niech mnie pan wini. Byłam kiepską matką. Najgorszą. Tak lepiej?

Myron patrzył, jak spokojnie pali papierosa i popija herbatę. Zbyt spokojnie. Czy naprawdę wierzyła w ten kit, który próbowała mu wciskać? Czy też tylko udawała? Oszukiwała się czy...

— Pavel przekupił panią — powiedział Myron.

— Nie.

— TruPro i Pavel płacą za...

— Wcale nie — przerwała mu.

— Wiem, że pani płacą, pani Van Slyke.

— Nie rozumie pan. Pavel obwinia się o to, co się stało. Postanowił naprawić sytuację w jedyny możliwy sposób.

— Płacąc.

— Przekazując nam część tych pieniędzy, jakie mogłaby zarobić Valerie, gdyby nadal występowała. Nie musiał tego robić. Ich romans wcale nie musiał być powodem...

— To się nazywa przekupstwo.

— Nigdy! — syknęła. — Valerie była moją córką...

— A pani ją sprzedała.

Potrząsnęła głową.

— Zrobiłam to, co moim zdaniem było dla niej najlepsze.

— On ją uwiódł. Pani wzięła od niego pieniądze. Pozwoliła pani, żeby uszło mu to na sucho.

— Nic nie mogłam zrobić. Nie chcieliśmy nagłaśniać tej sprawy. Valeria chciała o wszystkim zapomnieć. Nie chciała rozgłosu. Tak jak my wszyscy.

— Dlaczego? — rzekł Myron. — Przecież to był tylko romans ze starszym mężczyzną. To się zdarza. Nawet pani.

244

Przygryzła wargę. Kiedy znów się odezwała, jej głos brzmiał łagodniej.

— Nic nie mogłam zrobić — powtórzyła. — Wyciszenie tej historii leżało w interesie nas wszystkich.

— Guzik prawda — warknął Myron. Zdawał sobie sprawę z tego, że za bardzo naciska, ale coś nie pozwalało mu ustąpić. — Sprzedała pani córkę.

Milczała przez długą chwilę, spoglądając na papierosa, obserwując, jak wałeczek popiołu robi się coraz dłuższy. W oddali słyszeli ciche głosy żałobników. Brzęk kieliszków. Pogaduszki.

— Grozili Valerie — powiedziała.

— Kto?

— Nie wiem. Ludzie pracujący z Pavelem. Jasno dali do zrozumienia, że jeśli zacznie mówić, umrze. — Spojrzała na niego błagalnie. — Nie rozumie pan? Jakie mieliśmy wyjście? Gdybyśmy nagłośnili tę historię, nic dobrego by z tego nie wyszło. Zabiliby ją. Bałam się o Valerie. Kenneth... no cóż, myślę, że jego bardziej interesowały pieniądze. Być może popełniłam błąd, ale wtedy uważałam, że tak będzie najlepiej.

— Chroniła pani córkę — powiedział Myron.

— Tak.

— Jednak ona nie żyje.

Helen zdziwiła się.

— Nie rozumiem.

— Już nie musi się pani obawiać o jej życie. Ona umarła. Może pani robić, co pani chce.

Otworzyła usta, zamknęła je i znów otworzyła.

— Mam męża.

— To po co było mówić o chronieniu Valerie?

— Ja... próbowałam... — zamilkła.

— Dała się pani przekupić — powiedział Myron. Przypominał sobie, że siedząca przed nim kobieta właśnie pochowała córkę, lecz nawet ten fakt nie zdołał go powstrzymać. Jeśli już, to tylko jeszcze bardziej go podkręcał. — Niech pani nie obwinia męża. To robak bez kręgosłupa. Pani była matką Valerie. Wzięła pani pieniądze od człowieka, który wykorzystał pani córkę. A teraz nadal będzie pani je brać, żeby osłaniać człowieka, który być może ją zabił.

— Nie ma pan żadnego dowodu na to, że Pavel miał coś wspólnego z jej śmiercią.

— Ze śmiercią może nie. Natomiast inne krzywdy, jakie wyrządził Valerie, to zupełnie inna historia.

Zamknęła oczy.

— Jest za późno.

— Nie jest za późno. Pani wie, że on nadal to robi. Tacy faceci jak Pavel nie potrafią przestać. Zawsze znajdują sobie nowe ofiary.

— Nic nie mogę na to poradzić.

— Mam przyjaciółkę — powiedział Myron. — Nazywa się Jessica Culver. Jest pisarką.

— Wiem, kim ona jest.

Wręczył jej wizytówkę Jessie.

— Niech jej pani opowie tę historię. Ona ją opisze. Opublikuje w poczytnym magazynie. Może w *Sports Illustrated*. Artykuł ukaże się, zanim ludzie Pavela się zorientują. To źli ludzie, ale nie głupi. Kiedy artykuł się ukaże, nie będą mieli powodu prześladować pani rodziny. Wszystko się skończy.

— Przykro mi. — Spuściła głowę. — Nie mogę tego zrobić.

Załamała się. Trzęsła się i dygotała. Myron obserwował ją, usiłując wykrzesać z siebie odrobinę współczucia, ale nie zdołał.

— Zostawiła ją pani samą — dodał. — Nie opiekowała się pani córką. A kiedy miała pani okazję jej pomóc, kazała jej pani zapomnieć o wszystkim. Wzięła pani pieniądze.

Zadrżała. Zapewne tłumiąc szloch. Dręczę matkę w dniu pogrzebu jej córki, pomyślał Myron. Co powinienem zrobić teraz? Pójść topić ślepe kocięta w basenie sąsiadów?

— Może — ciągnął — Valerie chciała wyjawić prawdę. Może chciała mieć to już za sobą. I może właśnie dlatego została zamordowana.

Cisza. Nagle Helen Van Slyke podniosła głowę. Wstała i bez słowa opuściła pokój. Myron poszedł za nią. Kiedy wrócił do salonu, wśród gwaru gości usłyszał jej głos.

— To ładnie, że przyszliście. Bardzo dziękuję.

32

Lucinda Elright była potężna i dobroduszna, o szerokich i masywnych ramionach oraz zaraźliwym uśmiechu. Jedna z tych kobiet, których zbyt mocny uścisk budzi lęk małych chłopców i tęskne marzenia dorosłych mężczyzn.

— Proszę wejść — zaprosiła, odganiając kilkoro małych dzieci od drzwi.

— Dziękuję — powiedział Myron.

— Chce pan coś zjeść?

— Nie, dziękuję.

— Może ciasteczko?

W mieszkaniu było co najmniej dziesięcioro dzieci. Wszystkie czarnoskóre i najwyżej siedmio- lub ośmioletnie. Niektóre malowały farbkami. Inne budowały zamek z kostek cukru. Jedno z nich, mniej więcej sześcioletni chłopczyk, pokazywał Myronowi język.

— Nie są domowej roboty. No wie pan, jako kucharka jestem do niczego.

— Właściwie nie miałbym nic przeciwko ciasteczkom.

Uśmiechnęła się.

— Po przejściu na emeryturę prowadzę domowe przedszkole. Mam nadzieję, że to panu nie przeszkadza.

— Wcale nie.

Pani Elright poszła do kuchni. Chłopczyk zaczekał, aż nauczycielka opuści pokój. Wtedy znów wystawił język. Myron pokazał mu swój. Pan Dorosły. Chłopczyk zachichotał.

— Siadaj, Myronie. Tutaj.

Zrzuciła z kanapy kilka zabawek. W drugiej ręce trzymała talerz z różnościami. Babeczki. Chipsy. Figi Newtona.

— Jedz — zachęciła.

Myron sięgnął po ciasteczko. Chłopczyk stanął za plecami pani Elright, tak by nie mogła go widzieć. Znowu pokazał Myronowi język. Nie odwracając głowy, pani Elright powiedziała:

— Geraldzie, jeśli jeszcze raz pokażesz panu język, obetnę ci go sekatorem.

Chłopczyk pośpiesznie schował język.

— Co to jest sekator?

— Nieważne. Teraz idź tam i baw się, dobrze? I bądź już grzeczny.

— Tak, proszę pani.

Kiedy już nie mógł ich usłyszeć, pani Elright zauważyła:

— W tym wieku są najmilsi. Dopiero starsi potrafią złamać serce.

Myron kiwnął głową i wziął babeczkę. Powstrzymał chęć zlizania kremu. W końcu był już duży.

— Twoja przyjaciółka Esperanza — zaczęła pani Elright, biorąc z talerza figę Newtona — powiedziała, że chcesz porozmawiać o Curtisie Yellerze.

— Tak, proszę pani. — Podał jej wycinek z gazety. — Czy w tym artykule poprawnie zacytowano pani słowa?

Podniosła zawieszone na łańcuszku, spoczywające na jej obfitym biuście połówkowe okulary do czytania i przejrzała artykuł.

— Owszem, tak właśnie powiedziałam.

— I tak było?

— To nie była tylko czcza gadanina, jeśli o to ci chodzi. Uczyłam w szkole przez dwadzieścia siedem lat. Widziałam wiele dzieciaków, które kończyły w więzieniu. I równie wiele takich, które ginęły na ulicach. Nigdy o żadnym z nich nie rozmawiałam z dziennikarzami. Widzisz tę bliznę?

Pokazała wielką szramę na bicepsie. Myron kiwnął głową.

— Rana od noża. Zadana przez ucznia. Raz zostałam postrzelona. Skonfiskowałam więcej broni niż jakikolwiek cholerny wykrywacz metalu. — Opuściła rękę. — Właśnie dlatego powiedziałam, że w tym wieku są najmilsi. Zanim staną się niedobrzy.

— A z Curtisem było inaczej?

— Curtis nie tylko był miłym chłopcem — powiedziała. — Był również najlepszym uczniem, jakiego miałam. Zawsze uprzejmy, przyjacielski, nie sprawiał najmniejszych kłopotów. I nie był mięczakiem, jeśli mnie rozumiesz. Inni chłopcy go lubili. Był dobrym sportowcem. Mówię ci, taki chłopak trafia się jeden na milion.

— A jego matka? — spytał Myron. — Jaka ona była?

— Deanna? — Lucinda usiadła wygodniej. — Porządna kobieta. Jak wiele dzisiejszych młodych matek. Samotna. Dumna. Radziła sobie w życiu. I była mądra. Ustaliła zasady. Curtis musiał wracać do domu o wyznaczonej porze. W dzisiejszych czasach dzieciaki nie wiedzą, co to oznacza. Kilka dni temu dziesięcioletni chłopczyk został postrzelony o trzeciej nad ranem. Powiedz mi, Myronie, co dziesięcioletni chłopiec robił na ulicy o trzeciej rano?

— Chciałbym to wiedzieć.

Machnęła ręką.

— No cóż, nie przyszedłeś tu słuchać gadaniny starej baby.

— Mam czas.

— Jesteś uprzejmy, ale przyszedłeś tu w konkretnej sprawie. Sądzę, że miałeś poważny powód.

Spojrzała na Myrona. Skinął głową, ale nic nie powiedział.

— Cóż — ciągnęła, klepnąwszy dłonią w udo — o czym to mówiliśmy?

— O Deannie Yeller.

— No właśnie. Deanna. Wiesz co, często o niej myślę. Była taką dobrą matką. Zawsze przychodziła, kiedy w szkole były otwarte dni. Lubiła chodzić na wywiadówki. Uwielbiała słuchać, jak chwalono jej chłopca.

— Czy rozmawiała pani z nią po jego śmierci?

— Nie. — Energicznie potrząsnęła głową i westchnęła. — Już nigdy potem nie dała mi znaku życia, biedaczka. Nie zawiadomiła o pogrzebie. Nie zadzwoniła. Ja telefonowałam do niej kilka razy, ale nikt nie odbierał. Jakby zapadła się pod ziemię. Rozumiałam to. Zawsze było jej ciężko. Od początku. No wiesz, zaczynała na ulicy.

— Nie wiedziałem. Kiedy?

— Och, dawno temu. Ona nawet nie wie, kto naprawdę był ojcem Curtisa. Jednak skończyła z tym. Wyrwała się z bagna. Harowała jak wół, imając się każdej pracy. Wszystko dla tego chłopca. A potem, nagle... — Pokręciła głową. — Zginął.

— Znała pani Errola Swade'a? — zapytał Myron.

— Dostatecznie dobrze, aby wiedzieć, że oznaczał same kłopoty. Przez całe życie albo siedział, albo wychodził z więzienia. Był siostrzeńcem Deanny. Jej siostra była narkomanką. Umarła z przedawkowania. Deanna musiała zająć się Errolem. Był jej krewnym. Czuła się za niego odpowiedzialna.

— Jak Errol odnosił się do Curtisa?

— Prawdę mówiąc, całkiem nieźle, zważywszy na to, jak bardzo się od siebie różnili.

— No, może nie aż tak bardzo — rzekł Myron.

— Co masz na myśli?

— Errol zdołał go namówić na włamanie do klubu tenisowego.

Lucinda Elright przyglądała mu się przez chwilę, a potem wzięła z talerza ciasteczko i zaczęła je pogryzać.

— Daj spokój, Myronie, przecież dobrze wiesz, że to bzdura — powiedziała. — Jesteś mądrym chłopcem. Tak samo jak Curtis. Co mogliby tam ukraść? Włamywanie się do takiego klubu po nocy nie miałoby żadnego sensu. Zastanów się.

Myron już to zrobił. Był rad z tego, że nie tylko jemu nie podoba się oficjalny scenariusz wydarzeń.

— A pani zdaniem co się tam stało?

— Często o tym myślałam, ale nic nie wymyśliłam. To wszystko nie ma sensu. Wydaje mi się, że Curtis i Errol zostali wrobieni. Nawet gdyby Curtis postanowił coś ukraść i nawet gdyby był taki głupi, żeby włamywać się do tego klubu, nie wierzę, że mógłby strzelić do policjanta. To prawda, że ludzie się zmieniają, lecz w tym wypadku to tak, jakby tygrys zmienił swoje paski. Zbyt niewiarygodne. — Usiadła wygodniej na kanapie. — Podejrzewam, że w tamtym klubie dla bogatych białych ludzi wydarzyło się coś nieprzyjemnego i potrzebowali dwóch czarnych chłopców jako kozłów ofiarnych. Nie, nie jestem rasistką. Nie należę do tych, którzy podejrzewają, że biały człowiek zawsze chce skrzywdzić czarnego. To nie leży w mojej naturze. Jednak w tym wypadku nic innego nie przychodzi mi do głowy.

— Bardzo dziękuję, pani Elright.

— Lucindo. I jeszcze jedno, Myronie. Wyświadcz mi pewną grzeczność.

— Jaką?

— Kiedy dowiesz się, co naprawdę przydarzyło się Curtisowi, opowiedz mi o tym.

33

Myron i Jessica pojechali do New Jersey na kolację do Baumgarta. Jadali tam co najmniej dwa razy w tygodniu. Ten lokal był przedziwnym miejscem. Przez pół wieku był popularną knajpką z rodzaju tych, w których okoliczni mieszkańcy jadają lunch, a Johnny zabiera Mary po lekcjach. Przed ośmioma laty lokal został wykupiony przez chińskiego emigranta, Petera Li, który zrobił z niego najlepszą chińską restaurację w okolicy — nie usuwając fontanny z wodą sodową. Nadal można było zasiąść na wysokim stołku przy ladzie, wśród chromów, mikserów i moczących się w gorącej wodzie łyżek do lodów. Można było zamówić koktajl mleczny za kilka groszy albo frytki z kurczakiem à la generał Tso. Kiedy po raz pierwszy zamieszkali razem, Myron i Jess przychodzili tu co najmniej raz na tydzień. Teraz, gdy znowu byli razem, powrócili do tego zwyczaju.

— Śmierć Alexandra Crossa — powiedział Myron. — Nie mogę przestać o niej myśleć.

Zanim Jessica zdążyła odpowiedzieć, pojawił się Peter Li. Myron i Jess nigdy nie składali zamówienia. Peter wybierał za nich.

— Koralowe krewetki dla pięknej pani — rzekł, stawiając przed nią talerz — i kurczak po seczuańsku Baumgarta z bakłażanem dla mężczyzny niegodnego pełzać u jej stóp.

— To było dobre — zauważył Myron. — Bardzo zabawne.

Peter skłonił się.

— W mojej ojczyźnie uważano mnie za człowieka o ogromnym poczuciu humoru.

— Twoja ojczyzna musi być wesołym miejscem. — Myron spojrzał na swój talerz. — Nienawidzę bakłażanów, Peter.

— Tego zjesz i poprosisz o dokładkę — obiecał Peter. Uśmiechnął się do Jess. — Smacznego.

Odszedł.

— W porządku — powiedziała Jess. — Co z tym Alexandrem Crossem?

— Właściwie nie chodzi o Alexandra, lecz o Curtisa Yellera. Wszyscy mówią, że był wspaniałym chłopakiem. Matka nie widziała za nim świata, kochała go, wręcz uwielbiała. A teraz zachowuje się tak, jakby nic się nie stało.

— Czasem smutku nie da się opisać — powiedziała Jessica. — Czasem ból trwa bez końca.

Myron zastanowił się.

— *Nędznicy*?

Obecnie grali w „zgadnij z czego to cytat".

— Owszem, ale kto to powiedział?

— Valjean?

— Nie, przykro mi. Mariusz.

Myron pokiwał głową.

— Tak czy inaczej — rzekł — to kiepski cytat.

— Wiem. Usłyszałam go w radiu, kiedy jechałam samochodem — powiedziała. — Może jednak pasuje do tej sytuacji.

— Smutek, którego nie da się opisać?

— Właśnie.

Upił łyk wody.

— A więc twoim zdaniem to ma sens, że matka zachowuje się tak, jakby nic się nie stało.

Jessica wzruszyła ramionami.

— Minęło sześć lat. Co według ciebie powinna zrobić?

Załamywać ręce i wybuchać płaczem za każdym razem, kiedy się pojawisz?

— Nie — odparł Myron — ale można by oczekiwać, że zechce wiedzieć, kto zabił jej syna.

Jeszcze nie dotknąwszy swoich krewetek, Jessica wyciągnęła rękę i nabiła na widelec kawałek kurczaka Myrona. Nie bakłażana. Kurczaka.

— Może ona już to wie — powiedziała.

— Co, sądzisz, że ją też przekupili?

Jess wzruszyła ramionami.

— Może. Jednak nie to cię naprawdę męczy.

— Ach tak?

Jess energicznie żuła. Nawet sposób, w jaki przeżuwała, był urzekający.

— Widok Duane'a w pokoju hotelowym z matką Curtisa Yellera — odparła. — O to ci chodzi.

— Musisz przyznać, że to bardzo niezwykły zbieg okoliczności.

— Czy masz jakąś teorię? — zapytała.

Myron zastanawiał się chwilkę.

— Nie.

Jessica nadziała na widelec drugi kawałek kurczaka.

— Mógłbyś zapytać Duane'a — zasugerowała.

— Pewnie. Mógłbym po prostu powiedzieć: „O rany, Duane, śledziłem cię trochę i zauważyłem, że sypiasz ze starszą babką. Zechcesz mi o tym opowiedzieć?".

— No tak, to może być problem — przyznała. — Oczywiście, mógłbyś podejść do tego z innej strony.

— Deanna Yeller?

Jessica skinęła głową. Myron skosztował kurczaka, zanim Jess spałaszowała wszystko.

— Warto spróbować. Chcesz pójść ze mną?

— Spłoszyłabym ją — odparła Jess. — Podrzuć mnie do mojego mieszkania.

Skończyli posiłek. Myron zjadł nawet bakłażana. Był niewiarygodnie smaczny. Peter przyniósł im deser czekoladowy z rodzaju tych, które tuczą od samego patrzenia. Jess pochłonęła go z apetytem. Myron powstrzymał się. Przejechali z powrotem przez most Jerzego Waszyngtona, przez Hudson i zachodnim brzegiem. Podwiózł ją do jej apartamentu przy Spring Street w Soho. Nachyliła się do niego.

— Przyjedziesz później? — zapytała.

— Jasne. Włóż ten kusy strój francuskiej pokojówki i czekaj.

— Nie mam stroju francuskiej pokojówki.

— Och.

— Może kupimy jakiś rano, a do tego czasu znajdę coś odpowiedniego.

— Cudownie — rzekł Myron.

Jess wysiadła z samochodu. Weszła schodami na drugie piętro. Jej apartament zajmował połowę tej kondygnacji. Przekręciła klucz w zamku i otworzyła drzwi. Zapaliła światło i drgnęła na widok wyciągniętego na jej kanapie Aarona.

Zanim zdążyła się poruszyć, drugi mężczyzna — ubrany w siatkową koszulkę — zaszedł ją od tyłu i przyłożył lufę do skroni. Trzeci — czarnoskóry napastnik — zamknął drzwi i zasunął rygiel. On też miał w ręku broń.

Aaron uśmiechnął się.

— Cześć, Jessica.

34

W samochodzie Myrona zadzwonił telefon.

— Halo.

— Bubusiu, tu twoja ciotka Clara. Dzięki za referencje.

Clara właściwie nie była jego ciotką. Ona i wuj Sidney byli po prostu starymi przyjaciółmi jego rodziców. Clara studiowała z matką Myrona. Teraz polecił jej usługi Rogerowi Quincy'emu.

— Jak ci idzie? — zapytał Myron.

— Mój klient prosił, żebym przekazała ci ważną wiadomość — powiedziała Clara. — Nalegał, abym jako jego adwokat potraktowała to polecenie priorytetowo.

— Jaką wiadomość?

— Pan Quincy powiedział, że obiecałeś mu autograf Duane'a Richwooda. Chciałby, żeby to nie był tylko autograf, ale zdjęcie z autografem. Kolorowe, jeśli to nie za duży kłopot. Z jego imieniem. I pięknie ci dziękuje. Nawiasem mówiąc, czy powiedział ci, że jest miłośnikiem tenisa?

— Zdaje się, że o tym wspominał. Zabawny facet, no nie?

— Do upojenia. Do łez. Aż mnie boki bolą ze śmiechu. Jakbym reprezentowała Jackiego Masona.

— I co o tym myślisz? — spytał Myron.

— Jako prawnik? Ten facet to kompletny świr. Jednak to,

czy jest winien morderstwa, a co ważniejsze, czy prokurator potrafi tego dowieść, to inna para kaloszy.

— Co na niego mają?

— Poszlakowe nic. Był na turnieju. Wielkie rzeczy, tak samo jak tysiące innych ludzi. W przeszłości wyprawiał różne dziwne rzeczy. I co z tego? O ile mi wiadomo, nigdy nikomu nie groził. Nikt nie widział, żeby do niej strzelał. Żadne badania nie wykazały jego powiązania z bronią lub tą torbą z dziurą od kuli. Jak już powiedziałam, poszlakowe nic.

— Jeśli to ci coś da — rzekł Myron — ja mu wierzę.

— Uhm. — Clara nie powiedziała, czy ona wierzy mu, czy nie. To nie miało żadnego znaczenia. — Porozmawiamy później, przystojniaku. Uważaj na siebie.

— Ty też.

Rozłączył się i zadzwonił do Jake'a. Szorstki głos oznajmił:

— Biuro szeryfa Courtera.

— To ja, Jake.

— Czego znów, kurwa, chcesz?

— O rany, cóż za czarujące powitanie — powiedział Myron. — Muszę zacząć go używać.

— Jezu, jesteś jak wrzód na dupie.

— Wiesz co — zauważył Myron — za Boga nie mogę zrozumieć, dlaczego częściej nie zapraszają cię na przyjęcia.

Jake wydmuchał nos. Głośno. Stada gęsi w pobliskich trzech stanach rozpierzchły się w popłochu.

— Zanim zupełnie mnie rozpuści twoje kwaśne poczucie humoru — rzekł — powiedz mi, czego chcesz.

— Masz jeszcze swoją kopię akt Crossa? — zapytał Myron.

— Tak.

— Chciałbym porozmawiać z koronerem, który zajmował się tą sprawą i z policjantem, który zastrzelił Yellera — powiedział Myron. — Myślisz, że dałoby się to zrobić?

— Sądziłem, że nie przeprowadzono autopsji.

— Formalnie nie, ale senator powiedział, że ktoś ją dla niego zrobił.

— Taak, w porządku — powiedział Jake. — Znam tego policjanta, który strzelał. To Jimmy Blaine. Porządny gość, ale nie zechce z tobą gadać.

— Nie mam zamiaru go o nic oskarżać.

— Ulżyło mi — mruknął Jake.

— Chcę tylko uzyskać kilka informacji.

— Jimmy nie zechce cię widzieć. Jestem tego pewien. A właściwie to po co ci to?

— Dostrzegam pewne powiązanie między śmiercią Valerie i Alexandra Crossa.

— Jakie powiązanie?

Myron wyjaśnił. Kiedy skończył, Jake powiedział:

— Ja nadal nie widzę związku, ale dam ci znać, jeśli coś będę miał.

Rozłączył się.

Myron miał szczęście: znalazł miejsce do parkowania zaledwie dwie przecznice od hotelu. Pewnym krokiem wszedł do środka i wjechał windą na drugie piętro. Podszedł do drzwi pokoju 322 i zapukał.

— Kto tam? — Głos Deanny Yeller zabrzmiał wesoło, śpiewnie.

— Boy hotelowy — odparł Myron. — Przyniosłem kwiaty.

Otworzyła drzwi z uśmiechem na ustach. Tak jak wtedy, kiedy spotkali się po raz pierwszy. Gdy nie zobaczyła kwiatów i co więcej, kiedy ujrzała Myrona, uśmiech zgasł na jej wargach. Tak samo jak za pierwszym razem.

— Podoba się pani ten hotel? — spytał Myron.

Nawet nie próbowała ukryć niechęci.

— Czego pan chce?

— Nie wierzę, że przyjechała pani do miasta i nie zadzwoniła do mnie. Mniej dojrzały mężczyzna poczułby się obrażony.

— Nie mam panu nic do powiedzenia.

Usiłowała zamknąć drzwi.

— Proszę zgadnąć, z kim przed chwilą rozmawiałem.

— Nie obchodzi mnie to.

— Z Lucindą Elright.

Drzwi zatrzymały się. Myron prześlizgnął się przez nie, obok lekko osłupiałej Deanny. Ta jednak zaraz otrząsnęła się z zaskoczenia.

— Z kim?

— Z Lucindą Elright. Jedną z nauczycielek pani syna.

— Nie pamiętam żadnych jego nauczycielek.

— Och, ale ona pamięta panią. Powiedziała, że była pani cudowną matką dla Curtisa.

— I co z tego?

— Mówiła również, że Curtis był świetnym uczniem, jednym z najlepszych, jakich miała. Powiedziała, że rysowała się przed nim wspaniała przyszłość i że nigdy nie sprawiał kłopotów.

Deanna Yeller podparła się pod boki.

— O co właściwie panu chodzi?

— Pani syn nie był notowany. Miał doskonałe wyniki w szkole i nigdy nie dostał choćby nagany. Był jednym z najlepszych uczniów w klasie, jeśli nie najlepszym. Była pani wspaniałą matką i wychowała wspaniałego syna.

Odwróciła wzrok. Jakby spoglądała przez okno, przez zaciągnięte zasłony. Cicho mruczał telewizor. Gwiazda oper mydlanych reklamowała samochody dostawcze. Gwiazda oper mydlanych, samochody dostawcze — co za geniusz wymyślił coś takiego?

— To nie pańska sprawa — szepnęła.

— Kochała pani syna, pani Yeller?

— Co?

— Czy kochała pani syna?

— Proszę wyjść. Natychmiast.

— Jeśli go pani kochała, proszę pomóc mi wyjaśnić, co się z nim stało.

Przeszyła go gniewnym spojrzeniem.

— Niech mi pan nie wciska kitu. Nic pana nie obchodzi mój chłopiec. Próbuje pan ustalić, kto zabił tę białą dziewczynę.

— Może. Jednak śmierć Valerie Simpson i pani syna są ze sobą powiązane. Właśnie dlatego potrzebuję pani pomocy.

Potrząsnęła głową.

— Pan chyba źle słyszy, co? Powiedziałam już panu. Curtis nie żyje. Nic tego nie zmieni.

— Pani syn nie był typem włamywacza. Nie należał do tych, którzy noszą broń i strzelają do policjantów. Nie mógł zrobić tego chłopiec, którego pani wychowała.

— Nieważne — powiedziała. — On nie żyje. To nie przywróci mu życia.

— Co tamtej nocy robił w klubie tenisowym?

— Nie wiem.

— Skąd nagle wzięła pani tyle pieniędzy?

Bach. Deanna Yeller drgnęła, przestraszona. Stary numer z nagłą zmianą tematu. Zawsze działa.

— Co?

— Pani dom w Cherry Hills — rzekł Myron. — Został kupiony za gotówkę cztery miesiące temu. I ma pani rachunek w oddziale First Bank w Jersey. Przez ostatnie pół roku na pani konto przekazywano spore sumy. Skąd biorą się te pieniądze, Deanno?

To ją rozłościło. Zaraz jednak uspokoiła się i powiedziała z dziwnym uśmiechem:

— Może je ukradłam, tak jak mój syn. Zamierza pan to zgłosić?

— A może to okup.

— Okup? Za co?

— Niech pani mi to wyjaśni.

— Nie — powiedziała. — Niczego nie muszę wyjaśniać. Niech pan się wynosi.

— Po co przyjechała pani do Nowego Jorku?

— Podziwiać widoki. Proszę wyjść.

— Jednym z nich jest Duane Richwood?

Następny cios. Zastygła.

— Co?

— Duane Richwood. Mężczyzna, który poprzednią noc spędził w pani pokoju.

Wytrzeszczyła oczy.

— Śledził nas pan?

— Nie was. Tylko jego.

Deanna Yeller wyglądała na przerażoną.

— Co z pana za człowiek? — wykrztusiła. — Czy podniecają pana takie rzeczy, obserwowanie ludzi i w ogóle? Sprawdzanie ich kont bankowych? Śledzenie ich i podglądanie? — Otworzyła drzwi. — Nie ma pan wstydu?

Ostatnie stwierdzenie było zbyt bliskie prawdy.

— Próbuję zdemaskować mordercę — bronił się Myron, lecz te słowa zabrzmiały niemrawo w jego własnych uszach. — Może także tego, który zabił pani syna.

— I nie obchodzi pana to, kogo przy okazji pan skrzywdzi?

— To nieprawda.

— Jeśli naprawdę chce pan zrobić coś dobrego, to niech pan zapomni o tym wszystkim.

— Co dokładnie ma pani na myśli?

Potrząsnęła głową.

— Curtis nie żyje. Valerie Simpson także. Errol... — Urwała. — Dość tego.

— Czego dość? Co z Errolem?

Ona jednak tylko kręciła głową.

— Niech pan to zostawi, Myronie. Dla dobra nas wszystkich. Niech pan to zostawi.

35

Jessica poczuła zimną lufę pistoletu, przyciśniętą do jej skroni.

— Czego chcecie? — zapytała.

Aaron dał znak. Stojący za nią mężczyzna wolną ręką zakrył jej usta i mocno przycisnął ją do siebie. Poczuła gorącą kroplę śliny, która spadła jej na kark. Nie mogła oddychać. Próbowała poruszyć głową. Daremnie usiłowała zaczerpnąć tchu. Poczuła lęk.

Aaron wstał z kanapy. Czarny mężczyzna zrobił krok w jej kierunku, wciąż celując do niej z pistoletu.

— Wstępy są zbyteczne — rzekł zimno Aaron. Zdjął białą marynarkę. Nie nosił pod nią koszuli. Zobaczyła gładkie, dokładnie wygolone ciało o muskulaturze zapaśnika. Pomachał rękami. Mięśnie brzucha zafalowały jak tłum na stadionie.

— Jeśli nadal będziesz mogła mówić, kiedy z tobą skończę, powiedz Myronowi, że to moja robota. — Strzelił palcami. — Nienawidzę pracować anonimowo.

— Nie powinienem złamać jej szczęki? — zapytał mężczyzna w siatkowej koszulce. — Żeby nie mogła krzyczeć i w ogóle.

Aaron zastanowił się.

— Nie — odparł. — Od czasu do czasu lubię usłyszeć głośny krzyk.

Wszyscy trzej parsknęli śmiechem.

— Ja będę drugi — rzekł czarny.

— Akurat — sprzeciwił się ten w siatkowej koszulce.

— Zawsze jesteś przede mną — poskarżył się czarnoskóry.

— No dobra, rzucimy monetą.

— A masz jakąś? Ja nigdy nie noszę drobnych.

— Zamknijcie się — powiedział Aaron.

Zapadła cisza.

Jessica szamotała się, ale napastnik w siatkowej koszulce był zbyt silny. Zacisnęła szczęki i zdołała ugryźć go w palec. Wrzasnął i wyzwał ją od suk. Potem szarpnął jej głowę do tyłu, aż trzasnęło jej w krzyżu. Oczy wyszły jej na wierzch.

Aaron miał właśnie rozpiąć spodnie, kiedy to się stało.

Padł strzał. A raczej kilka strzałów. Musiało ich paść więcej, choć w uszach Jessiki zlały się w jeden ogłuszający huk. Dłoń zaciśnięta na jej ustach zwiotczała i opadła. Przytknięta do jej skroni broń upadła na podłogę. Jessica obróciła się i zdążyła zauważyć, że stojący za nią mężczyzna nie ma już twarzy, a nawet większej części głowy. Był martwy, zanim jeszcze nogi ugięły się pod nim i runął na podłogę.

W tej samej chwili tył głowy czarnoskórego rozprysnął się po pokoju. Trafiony, padł na podłogę jak kupka zakrwawionych szmat.

Aaron poruszał się niewiarygodnie szybko. Wydawało się, że chwycił za broń, zanim jeszcze pierwsza kula trafiła w cel. Wszystko to — strzały, śmierć tych dwóch napastników, skok Aarona — wydarzyło się w ciągu zaledwie dwóch sekund. Aaron wycelował broń w Wina, który jednocześnie zrobił to samo. Jessica stała jak skamieniała. Win najwidoczniej wszedł do pokoju przez drzwi balkonowe, chociaż nie miała pojęcia, jak się tam dostał ani jak długo tam siedział.

Uśmiechnął się obojętnie i skinął głową.

— O rany, Aaronie, wspaniale wyglądasz.

— Staram się utrzymywać formę — rzekł Aaron. — Miło z twojej strony, że to zauważyłeś.

Obaj nadal celowali do siebie. Żaden nawet nie mrugnął. Uśmiechali się. Jessica nie ruszyła się z miejsca. Drżała jak w febrze. Na twarzy czuła coś lepkiego i zdała sobie sprawę z tego, że to prawdopodobnie kawałki tkanki mózgowej zastrzelonego mężczyzny, który leżał u jej stóp.

— Mam pomysł — powiedział Aaron.

— Pomysł?

— Jak wyjść z tego impasu. Myślę, że ci się spodoba, Win.

— Mów.

— Obaj jednocześnie odłożymy broń.

— Na razie nie brzmi to zbyt zachęcająco — zauważył Win.

— Jeszcze nie skończyłem.

— No tak, jestem nieuprzejmy. Mów, proszę.

— Obaj zabijaliśmy już gołymi rękami — powiedział Aaron. — I obaj wiemy, że lubimy to robić. Bardzo. Wiemy także, że na tym świecie mamy niewielu równych sobie przeciwników. Zdajemy sobie sprawę z tego, że rzadko, jeśli w ogóle, ktoś może rzucić nam wyzwanie.

— A więc?

— A więc proponuję ostateczną próbę. — Aaron uśmiechnął się jeszcze szerzej. — Ty i ja. Jeden na jednego, w walce wręcz. Co ty na to?

Win przygryzł dolną wargę.

— Intrygujące — rzekł.

Jessica próbowała coś powiedzieć, ale język odmówił jej posłuszeństwa. Stała jak skamieniała, a wokół tego czegoś, co przed chwilą było mężczyzną w siatkowej koszulce, rozlewała się kałuża krwi.

— Pod jednym warunkiem — powiedział Win.

— Jakim?

— Obojętnie kto wygra, Jessica odejdzie wolna.

Aaaron wzruszył ramionami.

— To bez znaczenia. Frank dopadnie ją innym razem.

— Może, ale nie dziś wieczór.

— Dobrze — zgodził się Aaron. — Jednak nie opuści mieszkania, dopóki nie będzie po wszystkim.

Win skinął głową.

— Zaczekaj przy drzwiach, Jessico. Kiedy walka się skończy, uciekaj.

— Musisz zaczekać, aż się skończy — dodał Aaron.

Jessika odzyskała głos.

— Skąd będę wiedziała, że się skończyła?

— Jeden z nas będzie martwy — wyjaśnił Win.

Odruchowo skinęła głową. Wciąż się trzęsła. Oni obaj nadal celowali do siebie.

— Wiesz jak? — zapytał Aaron.

— Oczywiście.

Nie wypuszczając broni z rąk, wolne dłonie oparli o podłogę. Jednocześnie skierowali lufy pistoletów w sufit. Potem obaj w tej samej chwili wypuścili je z rąk i jednocześnie wstali. Kopniakami odrzucili broń w kąt pokoju.

Aaron uśmiechnął się.

— Gotowe — powiedział.

Win skinął głową.

Powoli ruszyli ku sobie. Uśmiech Aarona poszerzył się i zmienił w szyderczy grymas. Zabójca przybrał dziwaczną pozę — smoka, konika polnego czy innego podobnego stworzenia — i palcami lewej ręki przyzywał przeciwnika. Ciało miał gładkie i muskularne. Był o głowę wyższy od Wina.

— Zapomniałeś o podstawowej zasadzie sztuki walki — powiedział.

— Jakiej? — zapytał Win.

— Sprawny duży człowiek zawsze pokona sprawnego małego człowieka.

— A ty zapomniałeś o podstawowej zasadzie Windsora Horne'a Lockwooda Trzeciego.

— Aha?

— Zawsze noś drugi pistolet.

Niemal nonszalancko Win sięgnął do kabury na łydce, wyrwał broń i strzelił. Aaron próbował się uchylić, lecz kula i tak trafiła go w czoło. Druga również trafiła w głowę. Jessica odgadła, że trzecia także.

Aaron z łoskotem runął na podłogę. Win podszedł i przyjrzał mu się, odchylając głowę na bok jak pies nasłuchujący jakichś dziwnych dźwięków.

Jessica obserwowała go w milczeniu.

— Jesteś cała? — zapytał.

— Tak.

Win nadal podziwiał swoje dzieło. Potrząsnął głową i cmoknął.

— Co mówisz? — zapytała Jessica.

Win odwrócił się do niej i uśmiechnął z lekkim zawstydzeniem. Potem wzruszył ramionami.

— Chyba nie jestem zwolennikiem uczciwych pojedynków.

Popatrzył na półnagie ciało i parsknął śmiechem.

36

Jessica nie chciała o tym rozmawiać. Chciała się kochać. Myron dobrze ją rozumiał. Śmierć i przemoc czasem tak działa na ludzi. Linia graniczna. Zdecydowanie coś było w tym „cieszeniu się życiem na nowo" po spotkaniu z kostuchą.

Potem Jessica położyła głowę na jego piersi, a jej włosy rozsypały się jak cudowny wachlarz. Przez długą chwilę nic nie mówiła. Myron gładził jej plecy. W końcu przemówiła.

— Jemu sprawia to radość, prawda?

Myron wiedział, że mówiła o Winie.

— Tak.

— A tobie?

— Nie taką jak jemu.

Uniosła głowę.

— To zabrzmiało trochę wymijająco.

— Część mnie nienawidzi tego bardziej, niż możesz sobie wyobrazić.

— A ta druga część? — nalegała.

— Dla niej jest to ostateczna próba. Nie przeczę, że podniecająca. Jednak nie tak jak w przypadku Wina. On tego pragnie. Potrzebuje.

— A ty nie?

— Wolę myśleć, że nie.

— A tak naprawdę?

— Nie wiem — odparł Myron.

— To było przerażające — powiedziała. — Win był przerażający.

— A także uratował ci życie.

— Tak.

— Właśnie tym się zajmuje. I jest w tym dobry, najlepszy jakiego znam. Jego świat jest czarno-biały. Win nie uznaje moralnych kompromisów. Jeśli przekroczysz granicę, nie będzie napomnień, litości ani szansy do wymigania się od kary. Nie żyjesz. Kropka. Ci ludzie chcieli cię skrzywdzić. Win nie miał ochoty ich nawracać. Dokonali wyboru. W chwili gdy weszli do twojego mieszkania, byli zgubieni.

— To brzmi jak zasada zbiorowej odpowiedzialności — powiedziała. — Wy zabijecie jednego z naszych, my zabijemy dziesięciu waszych.

— Owszem, ale stosowana na zimno — rzekł Myron. — Win nie zamierza nikomu dawać nauczki. On patrzy na to jak na tępienie szkodników. Dla niego to tylko dokuczliwe pchły.

— A ty zgadzasz się z nim?

— Nie zawsze. Jednak rozumiem go. Nie akceptuję jego kodeksu moralnego. Obaj od dawna to wiemy. Mimo to jest moim najlepszym przyjacielem i powierzyłbym mu moje życie.

— Albo moje.

— Właśnie.

— A więc jaki jest ten twój kodeks moralny? — zapytała.

— Bardzo elastyczny. Poprzestańmy na tym.

Jessica skinęła głową. Potem znowu położyła ją na jego piersi. Dobrze było czuć ciepło jej ciała przy sercu.

— Ich głowy — szepnęła. — Rozleciały się jak arbuzy.

— Win preparuje kule, żeby zwiększyć skuteczność.

— Dokąd zabrał ciała? — spytała.

— Nie wiem.

— Znajdą ich?

— Tylko jeśli będzie tego chciał.

Kilka minut później Jessica zamknęła oczy i zaczęła miarowo oddychać. Myron patrzył, jak zapada w głęboki sen. Przytulona do niego, wydawała się drobna i krucha. Wiedział, co będzie jutro. Ona nadal będzie w lekkim szoku — nie będzie chciała przyjąć do wiadomości tego, co się stało. Spróbuje udawać, że nic się nie zdarzyło, rozpaczliwie szukając normalności, ale na próżno. Wszystko będzie wydawało się nieco inne niż wczoraj. Nie całkowicie inne, tylko troszeczkę. Jedzenie będzie smakowało trochę inaczej. Powietrze będzie miało nieco inny zapach. Kolory ukażą niemal niedostrzegalne odcienie.

O szóstej rano Myron wstał z łóżka i wziął prysznic. Kiedy wrócił z łazienki, Jessica siedziała na łóżku.

— Dokąd się wybierasz?

— Na spotkanie z Pavelem Menansim.

— Tak wcześnie?

— Oni sądzą, że Aaron wczoraj wieczorem rozwiązał problem. Może uda mi się ich zaskoczyć.

Zakryła się prześcieradłem.

— Zastanawiałam się nad tym, co powiedziałeś przy kolacji. O powiązaniu ze śmiercią Alexandra Crossa.

— I co?

— Załóżmy, że masz rację. Że tamtej nocy przed sześcioma laty wydarzyło się jeszcze coś.

— Na przykład?

Usiadła, opierając się o wezgłowie łóżka.

— Przyjmijmy, że Errol Swade nie zabił Alexandra Crossa — powiedziała.

— Uhm.

— No cóż, powiedzmy, że Valerie widziała, co naprawdę się stało. I załóżmy, że to, co zobaczyła, zupełnie wytrąciło z równowagi jej i tak osłabioną psychikę. Już ciężko przeżyła to, co zrobił jej Pavel Menansi. Może zobaczyła coś, co doprowadziło ją do załamania nerwowego.

Myron kiwnął głową.

— Mów dalej.

— Powiedzmy, że tak było i minęły lata. Valeria doszła do siebie. Wyzdrowiała. A nawet znowu chciała grać w tenisa. Jednak najważniejsze było to, że zamierzała stawić czoło temu, co najbardziej ją przerażało: prawdzie o tym, co wydarzyło się tamtej nocy.

Zrozumiał, do czego zmierza.

— I trzeba ją było uciszyć — powiedział.

— Tak.

Myron wciągnął spodnie. W ciągu kilku minionych miesięcy jego ubrania rozpoczęły powolną migrację do apartamentu Jessiki. Teraz rezydowała tu prawie jedna trzecia jego garderoby.

— Jeśli masz rację — powiedział — to mamy teraz dwie osoby, które chciały uciszyć Valerie: Pavela Menansiego i tego, kto zabił Alexandra Crossa.

— Albo tego, kto próbuje ich osłaniać.

Skończył się ubierać. Jessice nie podobał się jego krawat i kazała mu go zmienić. Usłuchał. Kiedy był już gotowy do wyjścia, rzekł:

— Dziś rano będziesz bezpieczna, ale chciałbym, żebyś na jakiś czas wyjechała z miasta.

— Na jak długo? — zapytała.

— Nie wiem. Kilka dni. Może dłużej. Dopóki nie będę pewien, że panuję nad sytuacją.

— Rozumiem.

— Zamierzasz się spierać?

Wyszła z łóżka i przeszła boso przez pokój. Była naga. Myronowi zaschło w gardle. Patrzył na nią. Mógłby tak patrzeć cały dzień. Poruszała się zwinnie jak kot. Każdy jej ruch był płynny, uroczy i zmysłowy. Narzuciła na siebie jedwabną podomkę.

— Wiem, że teraz powinnam oznajmić urażonym tonem, że nie zamierzam zmieniać mojego życia, ale jestem przerażona. Ponadto jestem pisarką, której przyda się kilka dni samotności. Wyjadę. Nie będę się spierać.

Uściskał ją.

— Zawsze mnie zaskakujesz — powiedział.

— Słucham?

— Okazując rozsądek. Kto by się spodziewał?

— Próbuję uchronić aurę tajemnicy.

Pocałowali się. Namiętnie. Jej skóra była cudownie ciepła.

— Może zostaniesz jeszcze chwilkę? — szepnęła.

Pokręcił głową.

— Chcę dopaść Pavela, zanim bracia Ache zorientują się, co zaszło.

— A więc jeszcze jeden pocałunek.

Cofnął się.

— Nie, chyba że chcesz wsadzić mnie do lodówki.

Przesłał jej całusa i opuścił sypialnię. Na ceglanej ścianie obok drzwi zostały bryzgi zaschniętej krwi. Pamiątka po Lee Siatkowej Koszulce.

Na zewnątrz nigdzie nie było widać Wina, ale Myron wiedział, że przyjaciel tam jest. Będzie ubezpieczał Jessie do czasu jej wyjazdu.

Pavel Menansi zatrzymał się w Omni Park Central przy Siódmej Alei, naprzeciw Carnegie Hall. Myron wolałby pójść tam ze wsparciem, ale lepiej było nie zabierać Wina. Między Winem a Valerie istniała mocna więź — mocniejsza niż między przyjaciółmi. Myron nie miał pojęcia, na czym to polegało. Win miał niewielu przyjaciół, lecz dla tych nielicznych był gotowy zrobić wszystko. Reszta ludzkości wcale go nie obchodziła. Valerie w jakiś sposób weszła do tego wąskiego kręgu. A Myron i tak z trudem będzie powstrzymywał wściekłość. Gdyby Win przyszedł razem z nim i miał wypytywać Pavela o jego „romans" z Valerie, nie byłby to przyjemny widok.

Pavel zajmował pokój numer 719. Myron spojrzał na zegarek. Szósta trzydzieści. W holu było tylko kilka osób. Sprzątaczki wycierały podłogę. Zmęczona rodzina stała przy recepcji. Z trójką wyjących dzieciaków. Ich rodzice sprawiali wrażenie, że przydałyby im się wakacje. Myron zdecydowanym krokiem poszedł do windy, jakby był mieszkańcem hotelu. Nacisnął guzik siódmego piętra.

Korytarz był pusty. Myron doszedł do drzwi pokoju Pavela i zapukał. Nic. Zastukał ponownie. Nadal nikt nie odpowiadał. Spróbował jeszcze raz. Nic. Już miał zjechać na dół i spróbować zadzwonić, kiedy usłyszał stłumiony dźwięk. Nadstawił ucha. Odgłos był ledwie słyszalny. Myron przycisnął ucho do drzwi.

— Jest tam kto? — zawołał.

Płacz. Najpierw cichy, potem głośniejszy. Płacz małej dziewczynki.

Myron rąbnął pięścią w drzwi. Płacz przybrał na sile, zmieniając się w łkanie.

— Co ci jest? — zapytał Myron.

Odpowiedział mu jeszcze głośniejszy szloch. Po chwili Myron zaczął się rozglądać, szukając znajomego widoku wózka i pokojówki z uniwersalnym kluczem. Jednak była dopiero szósta trzydzieści. Pokojówka jeszcze nie rozpoczęła pracy.

Forsowanie zamków nie było specjalnością Myrona. Win był w tym znacznie lepszy. Ponadto Myron nie miał przy sobie narzędzi. Z pokoju znów nadleciał szloch.

— Otwórz drzwi! — zawołał Myron.

Jedyną odpowiedzią był jeszcze głośniejszy płacz.

Do diabła z tym, pomyślał.

Cofnął się o krok i całym ciężarem ciała rąbnął w drzwi. Zabolało go ramię, ale zamek ustąpił. Wciąż słyszał stłumiony płacz, ale natychmiast o nim zapomniał. Pavel Menansi leżał na łóżku. Patrzył w sufit szeroko otwartymi, niewidzącymi oczami. Jego usta zastygły w grymasie zdziwienia. Czarna, zaschnięta krew pokrywała jego pierś w miejscu, gdzie weszła kula.

Był nagi.

Myron gapił się na niego przez chwilę, aż kolejna seria szlochów wyrwała go z transu. Obrócił się w prawo. Dźwięki dochodziły zza drzwi łazienki. Myron podszedł do nich. Na podłodze leżała plastikowa reklamówka Ferona. Taka sama jak na stadionie. Identyczna jak ta znaleziona przy ciele Valerie.

W torbie była dziura po kuli.

Przed drzwiami łazienki stało krzesło, wepchnięte pod klamkę. Myron kopniakiem odrzucił je na bok i otworzył drzwi. Na kafelkach siedziała dziewczynka z kolanami podciągniętymi pod brodę. Wcisnęła się w kąt obok toalety. Myron natychmiast ją rozpoznał. Janet Koffman, najnowsza protegowana Pavela Menansi. Czternastoletnia.

Ona też była naga.

Spojrzała na niego. Oczy miała wielkie, czerwone i podpuchnięte. Drżały jej wargi.

— My tylko rozmawialiśmy o tenisie — powiedziała głuchym głosem. — On był moim trenerem. My tylko rozmawialiśmy o tenisie. To wszystko.

Myron kiwnął głową. Janet znów zaczęła płakać. Pochylił się i okrył ją ręcznikiem. Chciał ją przytulić, ale odsunęła się.

— Już w porządku — rzekł, nie wiedząc, co powiedzieć. — Wszystko będzie dobrze.

37

Janet Koffman przestała płakać. Siedziała na kozetce pod oknem. Plecami do łóżka i zwłok Pavela Menansiego. Z tego, co Myron zdołał z niej wyciągnąć, wynikało, że była w łazience, kiedy ktoś zablokował drzwi krzesłem i zabił Pavela. Niczego nie widziała. I wciąż upierała się przy swojej bajeczce, że ona i jej trener rozmawiali o tenisie. Myron starał się nie wgłębiać w szczegóły — na przykład nie pytał, dlaczego musieli omawiać ten temat nago.

Wezwał policję. Miała przyjechać za kilka minut. Zastanawiał się, co począć z Janet. Z jednej strony chciał oszczędzić jej tego wszystkiego, a z drugiej wiedział, że dziewczyna musi uporać się z tym, co się wydarzyło, i nie może udawać, że nic się nie stało. Co powinien zrobić: utrudnić policji śledztwo czy też narazić ją na brutalność policyjnych przesłuchań i jeszcze gorszą napastliwość dziennikarzy? Na jakie rozterki ją skaże, ukrywając prawdę? Albo co się stanie z młodą dziewczyną, jeśli ta historia trafi do środków przekazu?

Myron nie wiedział, co robić.

— Był dobrym trenerem — powiedziała cicho Janet.

— Ty nie zrobiłaś niczego złego — odrzekł Myron, zdając sobie sprawę z tego, jak niezręcznie to brzmi. — Cokolwiek się zdarzy, pamiętaj o tym. Nie zrobiłaś nic złego.

Powoli pokiwała głową, ale Myron nie wiedział, czy w ogóle go słyszała.

Dziesięć minut później przybyła policja pod dowództwem Dimonte'a. Rolly wyglądał jak coś, czego pozbył się przysłowiowy kot. Był nieogolony. Krzywo zapięta koszula wychodziła mu ze spodni. Był rozczochrany. W kącikach oczu miał żółte śpiochy. Mimo to jego buty lśniły jak lustro. Rzucił się na Myrona.

— Wróciłeś na miejsce zbrodni, dupku?

— Taak — odparł Myron. — Jak zawsze.

Dziennikarze wypadli zza rogu. Zaczęły błyskać flesze.

— Trzymajcie tych dupków na dole! — wrzasnął Dimonte. Kilku mundurowych policjantów zaczęło przeganiać dziennikarzy. — Na dół, powiedziałem! Żadnego nie chcę widzieć na piętrze.

Dimonte znów odwrócił się do Myrona. Krinsky stanął obok niego. W ręku trzymał notes.

— Cześć, Krinsky — powiedział Myron.

Krinsky kiwnął głową.

— I co się tu stało, do diabła? — zapytał Dimonte.

— Przyszedłem się z nim zobaczyć. Znalazłem go w tym stanie.

— Przestań robić ze mnie wała, dupku.

Myron nie raczył na to odpowiedzieć. Wszędzie roiło się od gliniarzy. Koroner chirurgicznym skalpelem nacinał tułów Pavela. Myron wiedział, że próbuje dostać się do wątroby. Zmierzyć jej temperaturę, by ustalić czas zgonu.

Dimonte zauważył leżącą na podłodze torbę.

— Dotykałeś tego?

Myron zaprzeczył. Dimonte pochylił się i obejrzał dziurę po kuli.

— Ładnie — powiedział.

— Wypuścisz teraz Rogera Quincy'ego?

— Dlaczego?

— Już przedtem nic na niego nie miałeś. A teraz masz mniej niż nic.

Dimonte wzruszył ramionami.

— Może ktoś go naśladuje. Albo — pstryknął palcami — ktoś w ten sposób chce uwolnić go od podejrzeń. — Uśmiechnął się. — Ktoś taki jak ty, Bolitar.

— Taak — powtórzył Myron. — Jak zawsze.

Dimonte podszedł bliżej. Znów zmierzył go tym spojrzeniem twardego gliny. Potem, jakby nagle sobie o tym przypomniał, wyjął wykałaczkę i włożył ją do ust. Wściekle błyskając oczami, zaczął ją żuć.

— Myliłem się — powiedział Myron.

— Co?

— Co do tej wykałaczki. Nie jest banalna, ale przygnębiająca.

— Wsadź ją sobie, dowcipnisiu.

— Jest na to trochę za wcześnie, Rolly.

— Słuchaj, dupku, chcę wiedzieć, co tutaj robiłeś.

— Powiedziałem ci. Przyszedłem zobaczyć się z Pavelem.

— Po co?

— Porozmawiać z nim o szkoleniu jednego z moich zawodników.

— O szóstej trzydzieści rano?

— Jestem rannym ptaszkiem. To dlatego wszyscy nazywają mnie Promykiem Słońca.

— A powinni nazywać cię Kłamliwym Skurwielem.

— Och — jęknął Myron. — To mnie zabolało.

Dimonte ze zdwojoną energią zaczął żuć wykałaczkę. Niemal dało się słyszeć, jak trybiki obracają się w jego głowie.

— A więc mówisz mi, Bolitar — rzekł z namiastką krzywego uśmiechu — że przyszedłeś do tego hotelu porozmawiać o interesach. Wjechałeś windą na górę, żeby zobaczyć się z ofiarą. Zapukałeś do drzwi. Nikt nie odpowiedział. Na razie się zgadza?

— Tak.

— I wtedy kopniakiem wywaliłeś drzwi, tak?

Myron nie odpowiedział. Dimonte zwrócił się do Krinsky'ego.

— To ma dla ciebie sens, Krinsky? Takie wyważanie drzwi?

Krinsky oderwał wzrok od notesu i potrząsnął głową.

— Zawsze tak robisz, kiedy nie otwierają ci drzwi, dupku? Wywalasz je kopniakiem?

— Nie kopałem w nie. Wyważyłem je ramieniem.

— Nie wciskaj mi kitu, Bolitar. Nie przyszedłeś tu gadać o interesach. I nie wykopałeś tych drzwi tylko dlatego, że ci nie otworzył.

Koroner klepnął Dimonte'a w ramię.

— Kula w serce. Jeden strzał. Śmierć nastąpiła natychmiast.

— Czas zgonu? — spytał Rolly.

— Nie żyje od sześciu, może siedmiu godzin.

Dimonte spojrzał na zegarek.

— Jest siódma. To oznacza, że został zabity między dwunastą a pierwszą w nocy.

Myron z podziwem rzekł do Krinsky'ego:

— I nawet nie musiał liczyć na palcach.

Krinsky prawie się uśmiechnął. Dimonte posłał Myronowi kolejne ponure spojrzenie.

— Masz alibi, Bolitar?

— Byłem z przyjaciółką.

— Tą Jessicą Culver?

— Zgadza się. — Myron zaczekał, aż Krinsky na niego spojrzy. Kiedy to zrobił, Myron powiedział: — Jej numer telefonu to pięć-pięć-pięć-osiem-cztery-dwa-zero.

Krinsky zanotował.

— No dobra, Bolitar, przestań drzeć ze mnie łacha. Dlaczego wykopałeś drzwi?

Myron zawahał się. Spojrzał na Dimonte'a. Ten popatrzył na niego i rzekł:

— No?

— Chodź ze mną — powiedział cicho Myron. Ruszył do drzwi.

— Hej, dokąd to się wybierasz?

— Chociaż raz nie bądź dupkiem, Rolly. Zamknij się i chodź ze mną.

Ku zdziwieniu Myrona Dimonte zamknął się. W milczeniu przeszli korytarzem. Krinsky pozostał na miejscu zbrodni. Myron zatrzymał się przed drzwiami jednego z pokoi, wyjął klucz i otworzył je. Janet Koffman siedziała na łóżku. Miała na sobie hotelowy szlafrok. Jeśli zdawała sobie sprawę z ich obecności, to nie dała tego po sobie poznać. Kołysała się do przodu i do tyłu, mamrocząc coś pod nosem.

Dimonte pytająco spojrzał na Myrona.

— Nazywa się Janet Koffman.

— Ta tenisistka?

Myron skinął głową.

— Zabójca zamknął ją w łazience, zanim zastrzelił Pavela Menansiego. Kiedy zapukałem do drzwi, usłyszałem jej płacz. Dlatego je wyważyłem.

Dimonte spojrzał na Myrona.

— Chcesz powiedzieć, że ona i Menansi...?

Myron kiwnął głową.

— Chryste, ile ona ma lat?

— Myślę, że czternaście.

Dimone na moment zamknął oczy.

— Na posterunku mamy kogoś — rzekł cicho. — Lekarka. Jest dobra w takich przypadkach. Porozmawiam z naszymi z Manhattanu, którzy tutaj dowodzą. Może uda się cichcem wyprowadzić ją stąd tak, żeby nie zauważyli jej dziennikarze. Spróbuję na kilka godzin ukryć przed nimi nazwisko ofiary.

— Dziękuję.

— Widywałem już takie przypadki, Bolitar. Ta dziewczyna potrzebuje pomocy.

— Wiem.

— Czy ona sama mogła go załatwić? Prawdę mówiąc, nie wierzę w to, ale...

Myron przecząco pokręcił głową.

— Była zamknięta w łazience, a drzwi podparte krzesłem. Ona nie mogła tego zrobić.

Dimonte przez chwilę żuł zapałkę.

— Uprzejmy morderca — zauważył.

— Co masz na myśli?

— Nie chciał, żeby dziewczyna zobaczyła, co robi. Zapewnił jej alibi, zamykając ją w łazience. A przede wszystkim uratował ją przed tym potworem Menansim. — Popatrzył na Myrona. — Chętnie przypiąłbym temu facetowi order, gdyby wcześniej nie zabił Valerie Simpson.

— Ja również — powiedział Myron.

Miał jednak pewne wątpliwości.

38

Biuro znajdowało się zaledwie kilka przecznic dalej. Myron postanowił udać się tam pieszo. Na Szóstej Alei samochody stały, chociaż paliły się zielone światła i nigdzie nie prowadzono robót drogowych. Wszyscy kierowcy naciskali klaksony. Jakby to mogło w czymś pomóc. Porządnie ubrany mężczyzna wysiadł z taksówki. Miał garnitur w prążki, złoty zegarek Tag Heuer i buty od Gucciego. A ponadto kapelusz z wiatraczkiem i plastikowe uszy Spocka. Nowy Jork — moje miasto.

Myron nie zważał na spaliny, skupiony na sprawie. Powszechnie przyjęta teoria — jedyna istniejąca teoria, jeśli wolicie — głosiła co następuje: Valerie Simpson została uwiedziona przez Pavela Menansiego. Wróciwszy do psychicznej równowagi, zamierzała ujawnić jego postępek. Zagroziłoby to finansom TruPro i braci Ache. Dlatego wyeliminowali ją, zanim zdążyła wyrządzić im jakąś szkodę. Wszystko się zgadzało. I miało sens.

Aż do tego ranka.

Ktoś wrzucił klucz francuski w tryby tej dobrze naoliwionej machiny, mordując Pavela Menansiego w taki sam sposób, w jaki zamordowano Valerie Simpson. Śmierć Menansiego przekreślała sens zabójstwa Valerie Simpson. Jeśli Valerie zamordowano, żeby chronić trenera, to dlaczego teraz zabito

281

i jego? To nie trzymało się kupy. Nie mogło przynieść żadnych korzyści TruPro i braciom Ache.

Oczywiście, było możliwe, że Frank Ache uznał, iż Pavel Menansi stanowi zbyt wielkie zagrożenie, gdyż jego wpadka jest nieunikniona, a tym samym może przynieść poważne straty agencji. Jednak gdyby Frank chciał śmierci Pevela, kazałby go zabić Aaronowi. Pavel został zastrzelony między dwunastą a pierwszą w nocy. W tym czasie Aaron już nie żył. Martwy Aaron raczej nie mógł być zabójcą. Co więcej, gdyby Frank zamierzał zabić Pavela, nie próbowałby zastraszyć Myrona atakiem na Jessicę.

Na ulicy blada kobieta z megafonem wykrzykiwała, że niedawno spotkała się oko w oko z Jezusem. Wcisnęła Myronowi do ręki ulotkę.

— Jezus przysłał mnie z tą wiadomością — powiedziała.

Myron kiwnął głową i zerknął na rozmazany tusz.

— Szkoda, że nie dał ci porządnej drukarki.

Spojrzała na niego z urazą i znów zajęła się swoim megafonem. Myron wepchnął ulotkę do kieszeni i poszedł dalej. Wrócił myślami do największego problemu.

To nie Frank Ache stał za śmiercią Pavela, uznał. Wprost przeciwnie. Ache pragnął zachować trenera w dobrym zdrowiu, ponieważ przynosił on spore korzyści TruPro. Frank Ache ściągnął nawet Aarona, żeby go chronić. I kazał mu napaść na Jessicę. Nie miał żadnego powodu, aby zabijać kurę znoszącą złote jajka.

Co z tego wynikało?

Były dwie możliwości. Pierwsza zakładała istnienie dwóch różnych zabójców, kierujących się różnymi motywami. Morderca Pavela wykorzystał okazję i zostawił reklamówkę z dziurą po kuli, żeby skierować podejrzenia na zabójcę Valerie. Druga, to że istniało jakieś inne, dotychczas nieznane powiązanie między Valerie a Menansim. Myron wolał to wyjaśnienie, które — oczywiście — podtrzymywało jego wcześniejsze wątpliwości dotyczące zamordowania Alexandra Crossa.

Zarówno Valerie Simpson, jak i Pavel Menansi byli w klubie tenisowym „Old Oaks" tamtej nocy przed sześcioma laty. Oboje brali udział w przyjęciu wydanym na cześć Alexandra Crossa. I co z tego? Załóżmy, że Jessica miała dziś rano rację. Przyjmijmy, że Valerie Simpson zobaczyła coś tamtej nocy, może nawet zidentyfikowała prawdziwego mordercę i po latach chciała ujawnić prawdę. Powiedzmy, że dlatego została zabita. W jaki sposób łączył się z tym Pavel Menansi? Nawet jeśli widział to samo co ona, przez kilka lat trzymał język za zębami. Dlaczego miałby zacząć mówić akurat teraz? Na pewno nie po to, żeby pomóc biednej Valerie. A więc gdzie tu powiązanie? A co z Duane'em Richwoodem? Jaka była jego rola w tej historii, jeśli w ogóle jakąś odegrał? A Deanna Yeller? I gdzie się podział Errol Swade? Czy jeszcze żyje?

Myron przeszedł trzy przecznice na wschód, a potem skręcił w Park Avenue. Przed nim wznosił się majestatyczny (jeśli nie ostentacyjny) Helmsley Palace, albo Helmsley Castle czy też Helmsley Coś-tam, zdający się sterczeć na środku ulicy. Gmach MetLife górował nad nim jak opiekuńczy rodzic. Budynek MetLife, powszechnie znany jako wieżowiec Pan Am, był czymś w rodzaju znaku rozpoznawczego Nowego Jorku. Myron nie mógł przyzwyczaić się do zmiany. Za każdym razem gdy skręcał za róg, spodziewał się ujrzeć znak firmowy Pan Am.

Przed budynkiem, w którym mieściło się jego biuro, panował ożywiony ruch. Myron minął nowoczesną rzeźbę zdobiącą wejście. Była odrażająca. Przypominała wierną kopię gigantycznego przewodu pokarmowego. Myron próbował kiedyś poznać nazwę tego dzieła, ale w typowo nowojorski sposób jakiś wandal oderwał tabliczkę od postumentu. Trudno sobie wyobrazić, do czego mogła się komuś przydać taka tabliczka. Może ją sprzedał. Może istniał czarny rynek tabliczek z nazwami dzieł sztuki, nabywanych przez tych, których nie było stać na kradzione dzieła i zadowalali się plakietkami.

Ciekawa teoria.

Wszedł do holu. Trzy hostessy Lock-Horne'a siedziały na wysokich stołkach za kontuarem recepcji, uśmiechając się sztucznie. Ich twarze były pokryte tak grubą warstwą makijażu, że mogłyby dorabiać sobie jako ekspedientki w dziale kosmetyków u Bloomingdale'a. Oczywiście, nie nosiły białych fartuchów tak jak prawdziwe ekspedientki, od razu więc było wiadomo, że nie reklamują zawodowo kosmetyków. Mimo to wszystkie trzy były atrakcyjne — niedoszłe modelki, które uznały to zajęcie za przyjemniejsze (i umożliwiające kontakt z grubymi rybami) niż praca kelnerki. Żadna nie zwróciła na niego uwagi. Hm. Pewnie wiedziały, że jest zakochany w Jessice. Taak, na pewno dlatego.

Kiedy drzwi windy otworzyły się na jego piętrze, podszedł do Esperanzy. Jej biała bluzka stanowiła przyjemny kontrast ze smagłą, nieskazitelną skórą. Mogłaby występować w reklamach Bain de Soleil. Opalenizna z Santa Fe bez wystawiania się na słońce.

— Cześć — powiedział.

Esperanza przycisnęła słuchawkę do ramienia.

— To Jake. Chcesz z nim mówić?

Skinął głową. Podała mu słuchawkę.

— Jak się masz, Jake.

— Pewna dziewczyna wykonała częściową sekcję Curtisa Yellera — powiedział Jake. — Porozmawia z tobą.

— Dziewczyna? — powtórzył Myron.

— *Mea culpa*. Nie dbam o polityczną poprawność — rzekł Jake. — Czasem wciąż mówię o sobie czarny.

— To dlatego, że jesteś zbyt leniwy, aby wymówić Afroamerykanin — powiedział Myron.

— A nie Afrykanin czy Afro?

— Teraz Afroamerykanin — odparł Myron.

— Kiedy masz wątpliwości, zapytaj papugę.

— Papugę — powtórzył Myron. — Teraz nieczęsto tak nazywają prawnika.

— A szkoda. W każdym razie tą asystentką koronera jest Amanda West. Wygląda na to, że nie może się doczekać rozmowy.

Jake podał mu adres.

— A co z tym policjantem? — spytał Myron. — Jimmym Blaine'em?

— Nic z tego.

— Nadal w policji?

— Nie. Na emeryturze.

— Masz jego adres?

— Tak — odrzekł Jake.

Zapadła cisza. Esperanza nie odrywała oczu od monitora.

— Możesz mi go podać?

— Nie.

— Nie będę go męczył, Jake.

— Powiedziałem nie.

— Wiesz, że sam mogę ustalić jego adres.

— To dobrze, ale ja ci go nie podam. Jimmy to porządny facet, Myronie.

— Ja też.

— Może. Jednak czasem podczas tych twoich krucjat cierpią niewinni.

— Co chcesz przez to powiedzieć?

— Nic. Po prostu zostaw go w spokoju.

— Dlaczego tak go bronisz? — zdziwił się Myron. — Chcę tylko zadać mu kilka pytań.

Milczenie. Esperanza nadal nie odrywała oczu od monitora. Myron dodał:

— Chyba że zrobił coś, czego nie powinien robić.

— To bez znaczenia — rzekł Jake.

— Nawet jeśli on...

— Nawet. Do widzenia, Myron.

Szeryf rozłączył się. Myron przez moment patrzył na słuchawkę.

— Dziwne.

— Uhm. — Esperanza wciąż wpatrywała się w ekran. — Na biurku masz listy. Mnóstwo.

— Widziałaś Wina?

Esperanza przecząco pokręciła głową.

— Pavel Menansi nie żyje. Ktoś zamordował go zeszłej nocy.

— To ten facet, który molestował Valerie Simpson?

— Taa.

— O rany, łamiesz mi serce. Chyba nie będę mogła dziś zasnąć ze wzruszenia. — Esperanza w końcu zerknęła na Myrona. — Wiedziałeś, że on był na tej liście gości, którą mi dałeś?

— Owszem. Znalazłaś jeszcze jakieś interesujące nazwiska?

Prawie się uśmiechnęła.

— Jedno.

— Czyje?

— Pomyśl o wesołym szczeniaczku.

Myron pokręcił głową.

— Pomyśl o firmie Nike — dodała. — O kontaktach Duane'a z tą firmą.

Myron zamarł.

— Ned Tunwell?

— Poprawna odpowiedź.

Najwyraźniej wszyscy w otoczeniu Myrona grali z nim w jakąś grę.

— Na liście figuruje jako E. Tunwell. Naprawdę ma na imię Edward. Tak więc trochę poszperałam. Zgadnij, kto podpisał pierwszą umowę Valerie Simpson z firmą Nike.

— Ned Tunwell.

— I zgadnij, kto wpadł jak śliwka w kompot, kiedy jej karierę diabli wzięli.

— Ned Tunwell.

— O jej — powiedziała sucho. — Chyba jesteś jasnowidzem.

Znów wpatrzyła się w ekran monitora i zaczęła stukać w klawiaturę. Myron zaczekał chwilę.

— Masz coś jeszcze?

— Tylko niepotwierdzoną plotkę.

— Jaką?

— Typową w takiej sytuacji — powiedziała Esperanza, wpatrując się w ekran. — Ned Tunwell i Valerie Simpson byli nie tylko przyjaciółmi.

— Połącz mnie z Nedem — polecił Myron. — Powiedz mu, że chcę...

— Już cię z nim umówiłam. Przyjdzie tu wieczorem, o siódmej.

39

Doktor Amanda West pracowała obecnie jako główny patolog w St. Joseph Medical Center w Doylestown, niedaleko Filadelfii. Myron zostawił samochód na szpitalnym parkingu. W radiu nadawali klasyczny przebój Doobie Brothers — *China Grove*. Myron śpiewał razem z chórkiem, co w zasadzie ograniczało się do powtarzania: „Och, och, China Grove". Teraz zaśpiewał jeszcze głośniej, zastanawiając się — nie pierwszy raz — co też takiego to „China Grove".

Kiedy brał bilet od parkingowego, zadzwonił telefon w samochodzie.

— Jessica jest bezpieczna — powiedział Win.

— Dzięki.

— Zobaczymy się jutro na meczu.

Trzask odkładanej słuchawki. Bardzo krótka rozmowa, nawet jak na Wina.

Myron wszedł do szpitala i zapytał recepcjonistkę, gdzie jest kostnica. Spojrzała na niego jak na wariata i powiedziała:

— W piwnicy, oczywiście.

— No tak. Jak w *Quincym*.

Zjechał windą na dół. Wokół nie było nikogo. Znalazł drzwi z napisem „Prosektorium" i ponownie posłużywszy się metodą dedukcji, doszedł do wniosku, że to prawdopodobnie jest kost-

288

nica. Myron Holmes. Przygotował się na najgorsze i zapukał.

Przyjazny kobiecy głos zawołał:

— Proszę wejść.

Pomieszczenie było małe i śmierdziało płynem do czyszczenia naczyń. Całe umeblowanie było tu z metalu. Dwa stojące obok siebie metalowe biurka zajmowały pół pokoju. Metalowe regały. Metalowe krzesła. Wszędzie mnóstwo tac i pojemników z nierdzewnej stali. Nigdzie nie dostrzegł śladu krwi. Ani organów. Wszystko czyste i lśniące. Myron aż nazbyt często widywał krew, ale nigdy nie przyzwyczaił się do tego widoku. Nie lubił używać przemocy, chociaż nie wyznał tego nawet Jessice. Był w tym dobry, bez dwóch zdań, ale tego nie lubił. Owszem, można twierdzić, że stosując przemoc, współczesny człowiek powraca do swych pierwotnych cech i zbliża się do natury, czy też do ideału Locke'a. I owszem, przemoc jest największym wyzwaniem dla człowieka, najtrudniejszą próbą jego siły fizycznej i zwierzęcego sprytu. Pomimo to jest obrzydliwa. Człowiek — przynajmniej teoretycznie — w trakcie ewolucji rozwijał głównie swój umysł. Oczywiście, nie można zaprzeczyć, że przemoc może dostarczyć niezwykle silnych doznań. Tak samo jak skok z samolotu bez spadochronu.

— W czym mogę panu pomóc? — zapytała kobieta o przyjaznym głosie.

— Szukam doktor West — powiedział.

— Znalazł ją pan. — Wstała i wyciągnęła do niego rękę. — Zapewne pan Myron Bolitar.

Amanda West posłała mu promienny, zaraźliwy uśmiech, który rozjaśnił nawet ten pokój. Była filigranową blondynką z lekko zadartym noskiem — zupełnie niepodobną do kobiety, jaką sobie wyobraził. Myron nie miał skłonności do stereotypowego myślenia, ale wydała mu się zbyt promienna, za bardzo rozluźniona jak na kogoś, kto przez cały dzień zajmuje się gnijącymi zwłokami. Próbował wyobrazić sobie jej miłą twarzyczkę nad rozciętą klatką piersiową trupa. Nie udało mu się.

— Chciał pan zapytać o Curtisa Yellera? — zapytała.

— Tak.

— Czekałam sześć lat, aż ktoś o to zapyta — powiedziała. — Proszę za mną. Na tyłach jest więcej miejsca.

Otworzyła drzwi za swoimi plecami.

— Jest pan wrażliwy?

— Hm, nie.

Pan Twardziel. Amanda West uśmiechnęła się.

— Niczego pan nie zobaczy. Jednak niektórzy ludzie źle znoszą widok tylu metalowych szuflad.

Poszedł za nią. Szuflady. Była ich cała ściana. Od podłogi po sufit. Pięć w pionie, osiem w poziomie. To daje czterdzieści. Pan Matematyk. Można tu było zmieścić czterdzieści ciał. Czterdzieści gnijących trupów, które miały krewnych i przyjaciół, które kochały i były kochane, które kiedyś miały troski, klęski i marzenia. Źle znosić taki widok? Paru metalowych szuflad? Chyba pani żartuje.

— Jake mówił, że pamięta pani Curtisa Yellera.

— Jasne. To była moja największa sprawa.

— Przepraszam, że to powiem — rzekł Myron — ale wygląda pani za młodo na to, żeby być głównym patologiem już sześć lat temu.

— Nie ma pan za co przepraszać — odparła, wciąż ze słodkim uśmiechem. Myron uśmiechnął się do niej równie przyjaźnie. — Właśnie skończyłam staż i pracowałam tutaj dwie noce w tygodniu. Główny patolog zajął się zwłokami Alexandra Crossa. Oba ciała przywieziono prawie jednocześnie. Tak więc ja wykonałam wstępne badania Curtisa Yellera. Nie miałam okazji przeprowadzić kompletnej sekcji, ale nie potrzebowałam jej, żeby stwierdzić przyczynę zgonu.

— Co było przyczyną?

— Rana od kuli. Został dwukrotnie postrzelony. Raz w dolną

290

lewą część klatki piersiowej... — Odchyliła się na bok i pokazała palcem na swoje żebra. — I raz w głowę.

— Czy wie pani, która rana była śmiertelna?

— Postrzał w bok nie był ciężki — odparła. Myron doszedł do wniosku, że Amanada West rzeczywiście jest urocza. Mówiąc, często przechylała głowę. Jess też to robiła. — Natomiast kula, która trafiła Yellera w głowę, zupełnie zmasakrowała mu twarz. Nie miał nosa. Z obu kości policzkowych zostały tylko odłamki. Okropny widok. Strzał oddano z bardzo bliskiej odległości. Nie miałam okazji przeprowadzić wszystkich badań, ale moim zdaniem strzał padł z broni przystawionej do jego twarzy albo znajdującej się nie dalej niż pół metra.

Myron o mało nie cofnął się z wrażenia.

— Chce pani powiedzieć, że policjant strzelił mu w twarz z takiej niewielkiej odległości?

Z kranu nad zlewem z nierdzewnej stali kapała woda. Dźwięk padających kropel odbijał się echem w pustym pomieszczeniu.

— Ja tylko przedstawiam panu fakty — powiedziała stanowczo Amanda West. — Sam wyciągnie pan z nich wnioski.

— Kto jeszcze o tym wie?

— Nie jestem pewna. Tamtej nocy był straszny młyn. Zwykle pracuję sama, ale wtedy było tu ze mną chyba z pół tuzina facetów. Żaden z nich nie pracował w biurze koronera.

— Kim byli?

— Z policji i jakiejś rządowej agencji — odparła.

— Rządowej agencji?

Skinęła głową.

— Tak mi powiedziano. Pracowali dla senatora Crossa. Tajne służby albo coś w tym rodzaju. Skonfiskowali wszystko: próbki tkanek, wyjęte z jego ciała pociski, wszystko. Powiedzieli mi, że to sprawa bezpieczeństwa narodowego. Cała ta noc była zwariowana. Matka Yellera też zdołała się tu wedrzeć. Zaczęła na mnie wrzeszczeć.

— O co jej chodziło?

— Upierała się, żeby nie robić sekcji zwłok. Chciała natychmiast zabrać stąd syna. I udało jej się. Policja spełniła jej żądanie. Nie chcieli, żeby ktoś zbyt dokładnie przyglądał się tej sprawie, więc to leżało także w ich interesie. — Znowu uśmiechnęła się. — Dziwne, nie uważa pan?

— To że matka nie chciała sekcji zwłok?

— Tak.

Myron wzruszył ramionami.

— Słyszałem już o takich przypadkach, że rodzice nie życzą sobie, by kroić ich dzieci.

— Owszem, ponieważ chcą zapewnić im godny pochówek. Jednak ten dzieciak nie został pogrzebany. Skremowano ciało.

Znów obdarzyła go słodkim uśmiechem, tym razem nieco przesłodzonym.

— Rozumiem — powiedział Myron. — Zatem wszelkie ewentualne dowody przeciwko policji spłonęły razem z ciałem Curtisa Yellera.

— Zgadza się.

— A więc sądzi pani, że ktoś ją przekupił?

Amanada West rozłożyła ręce.

— Hej, powiedziałam tylko, że to dziwne. Reszta należy do pana. Ja jestem tylko patologiem.

Myron skinął głową.

— Odkryła pani coś jeszcze?

— Tak — potwierdziła. — I to także wydało mi się dziwne. Bardzo dziwne.

— Zabawne czy podejrzane?

— Niech pan sam zdecyduje — odparła. Wygładziła fartuch. — Nie jestem ekspertem od balistyki, ale wiem co nieco o kulach. Z ciała Yellera wyjęłam dwa pociski. Jeden z klatki piersiowej, drugi z głowy.

— I co?

— Były różnego kalibru. — Amanada West uniosła wskazujący palec. Uśmiech znikł z jej ust. Jej twarz była teraz skupiona i zdecydowana. — Niech pan dobrze zrozumie, co chcę panu powiedzieć, panie Bolitar. Mówię, że nie tylko

292

strzelano z dwóch różnych egzemplarzy broni, ale w dodatku była to broń różnego kalibru. A teraz najdziwniejsze z tego wszystkiego: policjanci w Filadelfii noszą broń tego samego kalibru.

Zimny dreszcz przeszedł po plecach Myrona.

— Zatem jedną z tych kul wystrzelił ktoś, kto nie był policjantem.

— A wszyscy ci tajniacy z rządowej agencji byli uzbrojeni.

Zapadła cisza.

— No więc — spytała po chwili doktor West — to zabawne czy podejrzane?

Myron spojrzał na nią.

— Jakoś mnie to nie rozbawiło.

40

Myron postanowił zignorować radę Jake'a. Szczególnie po wysłuchaniu Amandy West.

Ustalenie obecnego adresu Jimmy'ego Blaine'a nie było łatwe. Przeszedł na emeryturę przed dwoma laty. Mimo to Esperanza odkryła, że mieszka sam nad jakimś małym jeziorem w Poconos. Myron przez dwie godziny jechał przez las, zanim skręcił w boczną drogę. Miał nadzieję, że we właściwą. Spojrzał na zegarek. Wciąż miał dość czasu, żeby zobaczyć się z Jimmym Blaine'em i wrócić do biura na spotkanie z Nedem Tunwellem. Domek był prymitywny i malowniczy, mniej więcej taki, jakiego można było oczekiwać w Poconos. Żwirowy podjazd. Dziesiątki drewnianych figurek strzegły ganku. Powietrze było ciężkie i nieruchome. Wszystko tutaj: wiatrowskaz, amerykańska flaga, bujak, liście drzew i źdźbła traw, zastygło w przestraszonym bezruchu, jakby przedmioty martwe umiały wstrzymywać oddech. Wchodząc po schodkach na ganek, Myron zauważył dobudowany z boku wjazd dla wózków, wiodący do frontowych drzwi. Ten dodatkowy element wydawał się tu nie na miejscu, niczym pączek w sklepie ze zdrową żywnością. Nie było dzwonka, więc Myron zapukał.

Nikt mu nie odpowiedział. A przecież zadzwonił tu dziesięć minut temu i odłożył słuchawkę, kiedy usłyszał, że ktoś odebrał telefon. Może właściciel jest na tyłach. Myron poszedł za dom. Ujrzał przed sobą jezioro. Był to niezwykły widok. Słońce odbijało się od zastygłej — przerażająco nieruchomej — tafli wody, zmuszając go do zmrużenia oczu. Spokój. Cisza. Myron poczuł, że bezwiednie rozluźnia mięśnie ramion.

Mężczyzna siedział na wózku inwalidzkim, twarzą do jeziora. U jego stóp leżał bernardyn. Pies również był przerażająco nieruchomy. Kiedy Myron podszedł bliżej, zobaczył, że mężczyzna struga kawałek drewna.

— Cześć — zawołał Myron.

Mężczyzna ledwie na niego spojrzał. Miał na sobie czerwony podkoszulek i czapeczkę naciągniętą na pomarszczone czoło. Pomimo upału jego nogi okrywał koc. W zasięgu ręki leżał telefon.

— Czcść — odpowiedział i strugał dalej. Jeśli był zaskoczony czy zdenerwowany wizytą, to niczego nie dawał po sobie poznać.

— Piękny dzień — powiedział Myron Uprzejmy Sąsiad.

— Ta.

— Pan jest Jimmy Blaine?

— Ta.

Nawet nie patrząc na wózek inwalidzki, trudno było sobie wyobrazić, że ten facet przez osiemnaście lat pracował w ciemnych zaułkach Filadelfii. Choć prawdę mówiąc, będąc tutaj, trudno było sobie wyobrazić te ciemne zaułki.

Cisza. Nie było słychać ptaków, świerszczy ani niczego innego — tylko odgłos strugania.

Po chwili Myron zapytał:

— Często padało tutaj w tym roku?

Myron Bolitar, Sól Ziemi, Almanach farmera.

— Czasem.

— To pana pies?

— Ta. Wabi się Fred.

— Cześć, Fred.

Myron podrapał psa za uszami. Bernardyn machnął ogonem,

295

nie poruszając żadną inną częścią ciała. Potem głośno puścił bąka.

— Ładnie tutaj — próbował Myron. Ta, dwóch starych przyjaciół gawędzących sobie o tym i owym. Eb i pan Haney z *Zielonych akrów*. Myron miał wrażenie, że jego ubranie zaraz zmieni się w dżinsowy kombinezon.

— Uhm.

Gadatliwy facet.

— Proszę posłuchać, panie Blaine, nazywam się...

— Myron Bolitar — dokończył za niego Blaine. — Wiem, kim pan jest. Oczekiwałem pana.

Nie powinno go to dziwić.

— Jake dzwonił do pana?

Blaine kiwnął głową, nie podnosząc jej znad rzeźby.

— Powiedział, że jest pan uparty. Mówił, że nie posłucha go pan.

— Chcę tylko zadać panu kilka pytań.

— Na temat, o którym wolałbym nie rozmawiać.

— Nie przyjechałem tu pana dręczyć, panie Blaine.

Kaleka znów kiwnął głową.

— Jake mnie o tym uprzedził. Mówił, że jest pan w porządku. Powiedział, że lubi pan naprawiać krzywdy, to wszystko.

— Co jeszcze panu powiedział?

— Że nie potrafi pan pilnować własnego nosa. Że jest pan sprytny. A także, że jest pan jak wrzód na dupie.

— Zapomniał dodać, że dobrze tańczę — mruknął Myron.

Jimmy Blaine dopiero teraz przerwał struganie.

— Usiłuje pan naprawić krzywdę wyrządzoną Curtisowi Yellerowi?

— Próbuję ustalić, kto go zabił.

— To proste — rzekł Blaine. — Ja.

— Nie, nie sądzę.

Kaleka zastygł na moment. Zmierzył Myrona uważnym spojrzeniem, a potem znów zaczął rzeźbić.

— Może mi pan opowiedzieć, co stało się tamtej nocy? — poprosił Myron.

— Ten chłopak wyciągnął broń. Zastrzeliłem go. To wszystko.

— Z jakiej odległości oddał pan strzał?

Wzruszył ramionami, strugając.

— Dziewięciu metrów. Może trzynastu.

— Ile razy pan strzelił?

— Dwa.

— I on upadł?

— Nie. Zniknął za rogiem razem z tym drugim chłopakiem... chyba ze Swade'em. Straciłem ich z oczu.

— Postrzelił go pan w głowę i tułów, a on uciekł?

— Nie powiedziałem, że uciekli. Byli tuż przy narożniku budynku. Znikli za nim. Wtedy o tym nie wiedziałem, ale ten Yeller mieszkał tuż obok. Pewnie weszli przez okno.

— Z kulą w głowie?

Jimmy Blaine znowu wzruszył ramionami.

— Pewnie ten Swade pomógł mu wejść.

— Nic podobnego — rzekł Myron. — Pan go nie zabił.

Blaine zmierzył go wzrokiem i znów zajął się rzeźbą.

— Mówi pan to już drugi raz — zauważył. — Zechce pan wyjaśnić, co ma pan na myśli?

— Yellera trafiły dwie kule.

— Przecież powiedziałem, że strzeliłem dwa razy.

— Tylko że z jego ciała wyjęto kule różnego kalibru. Jeden strzał, ten, który trafił go w głowę, oddano z bliskiej odległości. Mniejszej niż pół metra.

Jimmy Blaine nic nie powiedział. Skupił się na struganiu kawałka drewna. Wyglądało na to, że rzeźbi jakieś zwierzę, jedno z takich, jakie stały na ganku.

— Różnego kalibru, powiada pan? — rzekł, siląc się na nonszalancję, ale nie bardzo mu to wyszło.

— Tak.

— Ten chłopiec, którego zastrzeliłem, nie był notowany —

297

ciągnął Blaine. — Czy pan wie, jakie jest prawdopodobieństwo czegoś takiego? W tamtej dzielnicy?

Myron skinął głową.

— Sprawdziłem go — ciągnął Blaine. — Przeprowadziłem własne śledztwo. Nazywał się Curtis Yeller. Miał szesnaście lat. Dobrze się uczył. Był grzecznym chłopcem. Aż do tamtej nocy miał wszelkie szanse na to, żeby wyrosnąć na porządnego człowieka.

— Pan go nie zabił — powtórzył Myron.

Blaine zaczął nieco energiczniej strugać drewno.

— Jak dowiedział się pan o tych dwóch kulach?

— Powiedziała mi o tym asystentka patologa — odparł Myron. — Nie wiedział pan o tym?

Kaleka potrząsnął głową.

— To chyba ma sens — rzekł. — Zrzucili na mnie winę. Czemu nie? Tak było łatwiej. Wszystko legalnie. Nikt nie zadawał żadnych pytań. Wydział Spraw Wewnętrznych nawet nie kiwnął palcem. Ta sprawa wcale mi nie zaszkodziła. Ani nikomu innemu. Pewnie uznali, że tak będzie najlepiej.

Myron czekał, aż Blaine powie coś jeszcze, ale kaleka milczał. W struganym przez niego drewnie było już widać parę uszu. Może rzeźbił królika.

— Czy pan wie, kto naprawdę zabił Curtisa Yellera? — zapytał Myron.

Zapadła cisza, przerywana tylko odgłosem strugania. Fred znów puścił bąka i machnął ogonem. Spojrzenie Myrona co chwila biegło w kierunku jeziora. Patrzył na wysrebrzoną wodę. Ten widok działał hipnotycznie.

— Nic się nie stało — powtórzył Jimmy Blaine. — Pewnie tak sobie myśleli. Zacny stary Jimmy. Nie zrobimy mu krzywdy. Sprawa nie znajdzie się w jego aktach. Nikt nie będzie wiedział. Do licha, niektórzy chłopcy będą go nawet podziwiać za tę strzelaninę. Powiedzą, że uratował życie partnerowi. Zacny stary Jimmy jeszcze wyjdzie na bohatera. Tylko nie pomyśleli o jednym.

Myron już chciał zapytać, ale wyczuł, że zaraz usłyszy wyjaśnienie.

— Widziałem tego chłopca nieżywego — ciągnął Blaine. — Zobaczyłem Curtisa Yellera leżącego w kałuży krwi. Widziałem, jak matka trzymała go w ramionach i płakała. Szesnastoletni chłopiec. Gdyby był ulicznikiem, narkomanem albo... — Urwał. — Jednak on nie był przestępcą. Nie ten dzieciak. Był porządnym człowiekiem. Później dowiedziałem się, że nawet nie tknął syna senatora. To ten drugi, ten łobuz Swade, pchnął Crossa nożem.

Dwie kaczki przez chwilę pluskały się w wodzie jak szalone, a potem przestały. Blaine odłożył strugany kawałek drewna, lecz po namyśle znów wziął go do ręki.

— Wiele razy odtwarzałem w myślach tamtą noc. Wie pan, było ciemno. Prawie nigdzie nie paliły się światła. Może ten Yeller wcale nie chciał strzelić. Może trzymał w ręku coś innego, a nie broń. A może to wszystko nie miało żadnego znaczenia. Może zasadnie go zastrzeliłem, ale kawałki tej łamigłówki jakoś do siebie nie pasowały. Wciąż słyszałem krzyki jego matki. Widziałem, jak tuli do piersi zakrwawioną twarz martwego chłopca. I wciąż o tym myślałem, wie pan, a takie rozmyślania to niedobra rzecz dla gliniarza. Cztery lata później, kiedy znów jakiś chłopiec wycelował we mnie broń, pomyślałem o tej płaczącej matce. I zawahałem się. Trochę za długo.

Wskazał na swoje nogi.

— I oto skutek. — Zmienił narzędzia i strugał dalej. — Pewnie, nic się nie stało.

Zapadła cisza. Teraz Myron zrozumiał, dlaczego Jake nie chciał podać mu adresu Jimmy'ego Blaine'a. Ten dosyć już wycierpiał. Jeżeli naprawdę bezzasadnie zastrzelił Curtisa Yellera, zapłacił za to straszliwą cenę. Rzecz w tym, że Jimmy Blaine niczego złego nie zrobił. Nie zabił Curtisa Yellera — słusznie czy nie. Tak więc Jimmy Blaine był kolejną ofiarą tamtej nocy.

Po długiej chwili Myron spróbował jeszcze raz.

— Czy pan wie, kto zabił Curtisa Yellera?

— Nie, nie mam pojęcia.

— Jednak domyśla się pan.

— Może.

— Zechciałby mi pan powiedzieć?

Blaine popatrzył na Freda, jakby szukał u niego odpowiedzi. Pies nadal leżał w pozie niedźwiedziej skóry przed kominkiem.

— Henry, mój partner, przyjął wezwanie trochę po północy. Dwaj podejrzani ukradli samochód z podjazdu trzy przecznice od klubu tenisowego „Old Oaks". Ciemnoniebieskiego cadillaca seville'a. Dwadzieścia minut później zauważyliśmy pojazd odpowiadający podanemu opisowi, nadjeżdżający Roosevelt Expressway. Kiedy się zbliżyliśmy, podejrzany samochód przyśpieszył. Rozpoczęliśmy pościg.

Jego głos uległ wyraźnej przemianie. Znowu był policjantem i mówił, jakby czytał z notesu, z którego w przeszłości korzystał aż nazbyt chętnie.

— Wjechaliśmy z Henrym w ślepą uliczkę niedaleko Hunting Park Avenue i Broadwayu. Stamtąd kontynuowaliśmy pościg pieszo. W tym momencie nie dysponowaliśmy rysopisem obu podejrzanych ani ich adresami. Mieliśmy tylko ich samochód. Goniliśmy ich przez kilka przecznic. Gdy minęliśmy kolejny narożnik, ten, który kierował samochodem, wyjął rewolwer. Mój partner kazał mu nie ruszać się i rzucić broń. Yeller w odpowiedzi wycelował w Henry'ego. Wtedy oddałem dwa strzały. Chłopiec zatoczył się lub upadł, znikając za narożnikiem. Zanim dobiegliśmy z Henrym do tego narożnika, po obu podejrzanych nie było już ani śladu. Pomyśleliśmy, że ukryli się gdzieś w pobliżu, i wezwaliśmy posiłki. Staraliśmy się jak najlepiej zabezpieczyć teren. Jednak pierwsi nie zjawili się policjanci, tylko faceci z tak zwanych tajnych służb.

— Ludzie senatora Crossa?

Blaine skinął głową.

— Mówili, że są jego ochroną, ale pewnie byli to ludzie mafii.

— Senator Cross mówił mi, że nie ma żadnych powiązań z mafią — rzekł Myron.

Jimmy Blaine podniósł brwi.

— Poważnie?

— Tak.

— Bradley Cross jest własnością mafii — rzekł Blaine. — Ściśle mówiąc, rodziny Perretti. Cross jest nałogowym hazardzistą. Wiem też, że co najmniej dwukrotnie został aresztowany z prostytutkami. Jeden z jego pierwszych przeciwników politycznych skończył podczas wyborów wstępnych w rzece.

— Czy ślady wiodły do Crossa?

— Nikt niczego nie mógł mu udowodnić. Jednak wszyscy wiedzieli.

Myron zastanowił się nad tym. Najwyraźniej szanowny senator kłamał. Też mi nowina. Robił Myrona w konia. To również nic nowego. Win miał rację. Ilekroć Myron usiłował wierzyć ludziom, za każdym razem doznawał zawodu.

— I co było potem?

— Goryle senatora niemal natychmiast wkroczyli do akcji. Podsłuchiwali nasze rozmowy radiowe. Kazano nam w pełni z nimi współpracować. Prawdziwy zbiorowy wysiłek społeczeństwa. Dziwię się, że to my pierwsi znaleźliśmy tych chłopców. Cyngle z mafii zwykle są szybsi od nas, no nie?

Myron dobrze o tym wiedział. Mafia ma ogromną przewagę nad policją. Przede wszystkim lepiej orientuje się w mrocznych zakamarkach miasta. Może więcej zapłacić. Nie musi przejmować się regulaminami, przepisami czy prawami konstytucyjnymi. Budzi strach.

— I co się stało? — zapytał Myron.

— Zaczęliśmy z latarkami przeczesywać teren, sprawdzając pojemniki na śmieci i tak dalej. Gliniarze i mafiosi, ramię w ramię. Z początku nie mogliśmy wpaść na żaden ślad. Potem usłyszeliśmy strzały. Wbiegliśmy z Henrym do mieszkania w domu przylegającym do miejsca, gdzie postrzeliłem Yellera. Jednak ludzie senatora Crossa już tam byli.

Blaine zamilkł. Nachylił się i podrapał Freda za uszami. Pies nie poruszył się, tylko machnął ogonem. Wciąż drapiąc go, Blaine dodał:

— No cóż, wie pan, co znaleźliśmy — powiedział cichym głosem. — Yeller nie żył. Matka trzymała go w ramionach. Przeszła przez wszystkie fazy. Najpierw w kółko powtarzała jego imię. Czasem czule. Jakby próbowała go obudzić i wysłać do szkoły. Potem gładziła go po głowie, kołysała i mówiła, żeby spał spokojnie. My staliśmy wokół i patrzyliśmy. Nawet mafiosi jej nie przeszkadzali.

— A co z tymi strzałami? — zapytał Myron.

— Co z nimi?

— Nie zastanawiał się pan, kto strzelał?

— Chyba zastanawiałem się — odparł Blaine — ale myślałem, że to ci faceci strzelali do uciekającego Swade'a. Nie sądziłem, że będą tacy głupi, żeby się do tego przyznać, ale tak pomyślałem.

— I nigdy nie przyszło panu do głowy, że to oni mogli zastrzelić Yellera?

— Nie.

— Dlaczego?

— Mówiłem panu, że matka przeszła przez wszystkie fazy.

— Owszem.

— Kiedy zrozumiała, że jej chłopiec się nie obudzi, zaczęła na nas wrzeszczeć. Chciała wiedzieć, kto zastrzelił jej syna. Chciała spojrzeć w oczy zabójcy, zobaczyć mordercę, który z zimną krwią zastrzelił jej dziecko. Powiedziała, że Swade wciągnął go do mieszkania. Już nieżywego.

— Tak powiedziała? Że Swade wciągnął go do mieszkania martwego?

— Tak.

Było cicho. Najlżejszy podmuch nie marszczył tafli jeziora. Ptaki nie śpiewały. Blaine nie strugał drewna. Po kilku minutach podniósł głowę i zmrużył oczy. Potem rzekł:

— Opanowana.

— Co? — zdziwił się Myron.

— Jego matka. Jeśli kłamała co do tego, kto zabił jej syna. Zawsze zastanawiałem się, dlaczego ta sprawa nie miała żadnych reperkusji. Matka nie robiła zamieszania. Nie poszła z tym do prasy. Nie wysunęła oskarżeń. Nie domagała się wyjaśnień. — Potrząsnął głową. — Co mogło sprawić, że tak potraktowała swojego rodzonego syna? I w jaki sposób tak błyskawicznie ją do tego skłonili? Pieniędzmi? Groźbami? Czym?

— Nie wiem — rzekł Myron.

Jimmy Blaine skończył rzeźbę. Zrobił królika. W dodatku bardzo ładnego. W końcu odezwał się jakiś ptak, ale nie był to miły dźwięk. Raczej wrzask niż śpiew. Blaine okręcił wózek w miejscu.

— Chce pan coś zjeść? — zapytał. — Zaraz będę szykował sobie lunch.

Myron spojrzał na zegarek. Zrobiło się późno. Musiał wrócić do biura i spotkać się z Nedem Tunwellem.

— Dziękuję, ale naprawdę muszę już jechać.

— No to może innym razem. Kiedy zakończy pan tę sprawę.

— Dobrze — obiecał Myron.

Blaine zdmuchnął strużyny z królika.

— Nadal tego nie rozumiem — rzekł.

— Czego?

Oglądał skończone dzieło, obracając królika w ręku, przyglądając mu się ze wszystkich stron.

— Czy matka naprawdę może być taka wyrachowana? — zapytał. — Ile zaproponowali jej pieniędzy? Albo czym tak bardzo ją przestraszyli? Do diabła, czy jakiekolwiek pieniądze lub groźby mogą skłonić matkę do zrobienia czegoś takiego?

Potrząsnął głową i upuścił królika na kolana.

— Po prostu nie rozumiem.

Myron też tego nie pojmował.

41

Myron wsiadł do swojego forda taurusa i pojechał na wschód. Przejechał kilka kilometrów, nie napotkawszy innego samochodu. Przeważnie widział drzewa. Mnóstwo drzew. Tak, wspaniałe widoki. Myron nie był amatorem świeżego powietrza. Nie polował, nie wędkował ani nie robił niczego podobnego. Rozumiał, że takie czynności mogą komuś sprawiać przyjemność, ale on za nimi nie przepadał. Kiedy był sam w lesie, zawsze przypominał mu się Ned Beatty z *Wybawienia*. Potrzebował ludzi. Ruchu. Hałasu. Miejskiego gwaru, a nie pochrząkiwania świń.

Teraz wiedział o śmierci Alexandra Crossa i Curtisa Yellera znacznie więcej niż przed dwudziestoma czterema godzinami, lecz nadal nie miał pojęcia, czy wszystkie te fakty miały coś wspólnego z zabójstwem Valerie Simpson. A przecież właśnie to chciał wyjaśnić. Grzebanie w sprawie sensacyjnego morderstwa sprzed sześciu lat mogło być ciekawym, ale jałowym zajęciem. Chciał dopaść mordercę Valerie Simpson. Zamierzał znaleźć osobę, która postanowiła odebrać życie tej młodej, udręczonej dziewczynie. Nazwijcie to poszukiwaniem sprawiedliwości. Albo kompleksem zbawcy lub bohatera. Nazywajcie to, jak chcecie. To bez znaczenia. Dla Myrona było to znacznie prostsze. Valerie zasługiwała na coś lepszego.

Na drodze wciąż było pusto. Liście po obu stronach drogi zlewały się w zielone ściany. Zaczął składać znane mu fakty. Errol Swade i Curtis Yeller zostali zauważeni przez Jimmy'ego Blaine'a i jego partnera. Policjanci gonili chłopców. Obojętnie, czy Jimmy Blaine postąpił regulaminowo, czy nie, strzelał do Curtisa Yellera. Jedna z wystrzelonych przez niego kul zapewne trafiła chłopca w bok, ale najważniejsze było to, że ktoś z bardzo bliskiej odległości strzelił Curtisowi w głowę. Ktoś, kto używał broni innego kalibru. Ktoś, kto nie był policjantem.

Kto więc zabił Curtisa Yellera?

Odpowiedź była teraz zupełnie oczywista. Ludzie senatora Crossa — z mafii, tajnych służb czy innej organizacji — byli uzbrojeni. Mówiła o tym Amanda West, a Jimmy Blaine to potwierdził. Goryle z pewnością mieli okazję to zrobić. A także motyw. Nie miało znaczenia, czy senator Cross okłamał Myrona, czy nie. Tak czy inaczej, śmierć Curtisa Yellera i Errola Swade'a leżała w interesie senatora. Żywi podejrzani mogliby mówić. Żywi mogliby opowiedzieć o zażywaniu narkotyków. Mogliby podważyć historyjkę o bohaterskiej śmierci Alexandra Crossa. A martwi nie mówią. Co więcej, martwi nie mogą spierać się z rzecznikami prasowymi.

Natomiast co do Errola Swade'a, tajemniczo „zbiegłego", to niemal na pewno został zabity, prawdopodobnie w tej strzelaninie, którą słyszał Jimmy Blaine. Ludzie senatora mogli ukryć ciało i pozbyć się go później. Nie było to pewne, ale bardzo prawdopodobne. Errol Swade nie miał żadnych szans. Nie był geniuszem. Miał dopiero szesnaście lat. Myron wiedział z własnego doświadczenia, jak trudno dobrze się ukryć, kiedy jest się w tym wieku. Szanse na to, że Swade przez tak długi czas zdołał wymykać się policji, nie wspominając już o podziemnej armii mafii, były statystycznie bliskie zera.

Słońce powoli opadało za horyzont. Teraz znajdowało się w takim położeniu, że świeciło mu prosto w oczy i opuszczanie osłony przeciwsłonecznej nic nie pomagało. Myron zmrużył oczy i zwolnił. Znów pogrążył się w rozmyślaniach, tym razem o skutkach strzelaniny z policją. Curtis Yeller skończył martwy w ramionach matki, którą ktoś zdołał skutecznie uciszyć. Pieniędzmi lub groźbami — zapewne jednym i drugim — skłoniono Deannę Yeller, aby nie robiła zamieszania z powodu śmierci syna.

Oczywiście, ten scenariusz miał luki. Na przykład kwestia pieniędzy. Syn Deanny Yeller został zabity przed sześcioma laty, a tymczasem pierwszy duży przekaz na jej konto wpłynął dopiero pięć miesięcy temu. Dlaczego po tak długim czasie? Może chowała te pieniądze pod materacem albo w jakiejś skrytce. Jednak wydawało się to mało prawdopodobne. Z drugiej strony, jeśli otrzymała je dopiero niedawno, to rodziło się pytanie, dlaczego Deanna dostała je właśnie teraz? Dlaczego została zamordowana Valerie? I w jaki sposób był w to zamieszany Pavel?

Dobre pytania. Jeszcze nie miał na nie odpowiedzi, ale były dobre. Może Ned Tunwell powie mu coś użytecznego.

Myron zauważył coś kątem oka. We wstecznym lusterku nagle pojawił się samochód. Duży. Czarny z przyciemnionymi szybami, przez które nie było widać wnętrza. Z nowojorską tablicą rejestracyjną.

Czarny samochód odbił w prawo, znikając ze wstecznego lusterka i pojawiając się w bocznym po stronie pasażera. Myron obserwował wóz. Napis wyryty w szkle ostrzegał, że widoczny w lusterku obiekt może znajdować się bliżej, niż się zdaje. Dzięki za informację. Czarny samochód lekko przyśpieszył. Kiedy dogonił jego forda, Myron zobaczył, że to czarna limuzyna lincoln continental. Bardzo długi wóz. Boczne szyby również były przyciemnione, tak by nie można było zajrzeć do środka. Jakbyś spoglądał na wielkie okulary przeciwsłoneczne. Myron widział w szybie swoje odbicie. Uśmiechnął się i pomachał ręką. Jego odbicie uśmiechnęło się i pomachało w odpowiedzi. Przystojniak.

Czarna limuzyna zrównała się teraz z fordem. Tylna szyba po stronie kierowcy zaczęła opadać. Myron niemal spodziewał się, że zaraz jakiś staruszek wystawi głowę przez okienko i zapyta o drogę. Wyobraźcie sobie jego zdziwienie, gdy zamiast siwej głowy w okienku pojawiła się lufa.

Padły dwa strzały. Kule trafiły w przednią i tylną oponę forda, od strony pasażera. Samochód gwałtownie zarzucił. Myron kręcił kierownicą, usiłując nie wylecieć z szosy. Nie udało mu się. Gwałtownym skrętem ledwie zdołał ominąć drzewo. Ford zatrzymał się.

Z limuzyny wyskoczyli dwaj mężczyźni i ruszyli w jego kierunku. Obaj nosili granatowe garnitury. Jeden miał na głowie baseballową czapeczkę Yankees. Garnitur i baseballowa czapeczka — ciekawe połączenie. Obaj trzymali pistolety. Wyglądali na czujnych i zdecydowanych. Serce podeszło mu do gardła. Był nieuzbrojony. Nie lubił nosić broni nie z powodu jakichś moralnych zastrzeżeń, ale po prostu dlatego, że broń jest ciężka i niewygodna do noszenia. Win ostrzegał go, ale kto by go słuchał. Myron okazał brak rozwagi. Wkurzył paru ważniaków, więc powinien być lepiej przygotowany. Przynajmniej trzymać broń w schowku na rękawiczki.

Trochę za późno na rachunek sumienia. A może już nie będzie miał okazji, żeby go zrobić.

Tamci dwaj zbliżali się. Nie wiedząc, co począć, Myron schylił się i chwycił telefon.

— Wypieprzaj z samochodu — warknął jeden z napastników.

— Jeszcze krok, a odstrzelę wam łby! — odkrzyknął Myron, mistrz blefu.

Zapadła cisza. Myron pośpiesznie wybrał numer i nacisnął guzik. W tym samym momencie usłyszał dźwięk przypominający trzask łamanej gałęzi i szum w słuchawce. Goryl w czapeczce Yankees odłamał antenę. Niedobrze. Myron nadal chował się za fotelem. Otworzył schowek na rękawiczki i sięgnął do środka. Nie znalazł niczego poza mapami i dowodem rejestracyjnym. Pośpiesznie rozejrzał się wokół, szukając czegoś, co mogłoby posłużyć za broń. Jedyne co znalazł, to samochodowa zapalniczka. Nie wiedzieć czemu wątpił, aby okazała się skutecznym orężem przeciwko dwom uzbrojonym mafiosom. Mapy, dowód rejestracyjny, zapalniczka. Jeśli Myron nie zmieni się niespodziewanie w MacGyvera, będzie miał poważny problem.

Usłyszał oddalające się kroki. Gorączkowo szukał jakiegoś wytłumaczenia tego faktu. Nic nie przychodziło mu do głowy. Potem znów usłyszał trzask otwieranych drzwi limuzyny. I stłumione przekleństwo. Zabrzmiało jak coś w rodzaju „kurwa mać". Później głośne westchnienie.

— Bolitar, nie przyjechałem tu bawić się w chowanego.

Na dźwięk tego głosu zimny dreszcz przebiegł Myronowi po plecach. Zaparło mu dech. Nowojorski akcent. Ściśle mówiąc, Bensonhurst. Frank Ache.

Naprawdę niedobrze.

— Do cholery, wysiadaj z tego wozu, dupku. Nie zamierzam cię zabić.

— Twoi ludzie właśnie przestrzelili mi opony! — odkrzyknął Myron.

— Zgadza się, a gdybym chciał cię załatwić, odstrzeliliby ci twój pieprzony łeb!

Myron zastanowił się nad tym.

— Coś w tym jest — przyznał.

— Pewnie, a co powiesz na to? Mam w bagażniku dwa kałasznikowy. Gdybym chciał cię skasować, kazałbym Billy'emu i Tony'emu, żeby przerobili tę twoją gównianą brykę na durszlak.

— W tym też coś jest — zgodził się Myron.

— No to wypieprzaj z wozu — polecił Frank. — Nie będę tkwił tutaj cały dzień. Dupku.

Myron nie miał innego wyjścia. Otworzył drzwiczki i wysiadł. Frank Ache zniknął we wnętrzu limuzyny. Billy i Tony robili groźne miny.

— Wsiadaj! — zawołał Frank.

Myron podszedł do samochodu. Billy i Tony zastąpili mu drogę.

— Oddaj mi broń — powiedział ten w czapeczce Yankees.

— Jesteś Billy czy Tony?

— Broń. Już.

Myron spojrzał na czapeczkę baseballową.

— Chwileczkę, już rozumiem. Przeszczep, no nie?

— Co?

— Nosisz czapkę baseballową do garnituru. Zakrywasz implanty włosów.

Tamci dwaj popatrzyli po sobie. Trafiłem w dziesiątkę, pomyślał Myron.

— Już, dupku — powiedział ten w czapce. — Dawaj broń.

Dupku. Najwyraźniej mieli dość ubogie słownictwo.

— Nie powiedziałeś: proszę.

Frank krzyknął z samochodu:

— Jezu Chryste, Billy, przecież on nie ma broni. Robił sobie z was jaja.

Billy zrobił jeszcze groźniejszą minę. Myron uśmiechnął się, rozłożył ręce i wzruszył ramionami. Tony otworzył drzwi. Myron usiadł na tylnej kanapie. Tony i Billy zajęli miejsca na przednich fotelach. Frank nacisnął guzik i szyba podjechała w górę, oddzielając ich od obu goryli. W limuzynie był barek, telewizor i magnetowid. Tapicerka miała szkarłatny, a właściwie krwistoczerwony kolor — co ze względu na zwyczaje Franka zapewne zmniejszało koszty czyszczenia.

— Ładna bryczka, Frank — zauważył Myron.

Frank był ubrany tak jak zwykle: w zamszowe wdzianko, o parę numerów za małe. To było zielone z żółtymi wstawkami. Zamek błyskawiczny rozpięty do połowy, zgodnie z modą obowiązującą na dyskotekach w latach siedemdziesiątych. Ogromne brzuszysko wzdęte, jakby miał urodzić ośmioraczki. Łysy łeb. Przez kilka sekund gapił się na Myrona, po czym powiedział:

— Lubisz dobierać mi się do dupy, Bolitar?

Myron zamrugał oczami.

— Rany, Frank, cóż to za pociągająca perspektywa.

— Jesteś zupełnie popieprzony, wiesz? Dlaczego zawsze usiłujesz mnie wkurzyć? Co?

— Hej, to nie ja wysłałem goryli, żeby zgwałcili twoją przyjaciółkę — powiedział Myron.

Frank wycelował palec w jego pierś.

— A czego się spodziewałeś? Może sam się o to nie prosiłeś?

Myron nie odpowiedział. Wspominanie temu facetowi o Jessice było głupotą. Chociaż wydawało się to niewykonalne, nie powinien traktować tego osobiście. Powinien podejść do tego na zimno i nie myśleć o Franku jako o tym, który próbował wyrządzić krzywdę jego ukochanej. Inne podejście byłoby bezproduktywne. W najgorszym razie samobójcze.

— Ostrzegałem cię — mówił Frank. — Nawet posłałem do ciebie Aarona, byś wiedział, że nie żartuję. Czy wiesz, ile on sobie liczy za dzień pracy?

— Teraz już niewiele — powiedział Myron.

— Ha, ha, umrę ze śmiechu — odparł Frank, ale jakoś się nie śmiał. — Usiłowałem przemówić ci do rozumu. Odpuściłem ci tego małego Crane'a. A ty jak mi za to podziękowałeś? Wpieprzając się w moje interesy.

— Próbuję znaleźć mordercę — powiedział Myron.

— A co mnie to obchodzi? Chcesz się bawić w pieprzonego Batmana, to się baw, tylko niech mnie to nic nie kosztuje. Jeśli przez ciebie tracę pieniądze, to koniec zabawy. A Pavel zarabiał dla mnie pieniądze.

— I sypiał z nieletnimi dziewczynami — przypomniał Myron.

Frank rozłożył ręce.

— Nie obchodzi mnie, co facet robi w swojej sypialni.

— Jesteś taki postępowy, Frank. Teraz głosujesz na demokratów?

— Posłuchaj, dupku, chcesz usłyszeć, czy wiedziałem o Pavelu? No dobrze, wiedziałem, co robił. Wiedziałem, że pieprzy małolaty. I co z tego? Pracuję z facetami, przy których Pavel Menansi wyglądałby jak Matka Teresa. W mojej robocie nie mogę być wybredny. Tak więc zadaję sobie tylko jedne proste pytanie: czy ten gość przynosi mi zyski? Jeśli odpowiedź brzmi „tak", nie ma problemu. Taką mam zasadę. Pavel zarabiał dla mnie pieniądze. Koniec gadki.

Myron nic nie powiedział. Czekał, aż Ache przejdzie do konkretów. Miał tylko nadzieję, że tym konkretem nie będzie kula wpakowana w jego czaszkę.

Frank wyjął paczkę gumy do żucia. Odświeżającej oddech. Wrzucił jedną do ust.

— Nie przyjechałem tutaj, żeby toczyć z tobą filozoficzne dyskusje. Pavel nie żyje, to fakt. Już nie przyniesie mi żadnych zysków, więc moja zasada już go nie dotyczy. Rozumiesz?

— Tak.

— Jestem człowiekiem interesu — ciągnął Frank. — Z Pavela już nie będę miał żadnych korzyści. To oznacza, że ty i ja nie mamy się o co kłócić. Dlatego pozwolę ci żyć. Skasowanie ciebie nie przyniosłoby mi teraz żadnego zysku. Rozumiesz?

Myron skinął głową.

— Czyżby nagle zebrało ci się na czułości, Frank?

Ache nachylił się do niego. Oczy miał małe i czarne.

— Nie, dupku. Następnym razem nie będę się z tobą pieprzył. Nie zdołasz ukryć przede mną przyjaciółki. Znajdę ją. Albo zamiast niej załatwię kogoś innego. Twoją mamusię, tatusia, przyjaciół... hej, może nawet twojego pieprzonego fryzjera.

— Ma na imię Pierre. I woli jak nazywają go „technikiem piękności".

Frank spojrzał mu prosto w oczy.

— Robisz sobie ze mnie jaja?

— Właśnie zagroziłeś moim rodzicom — powiedział Myron. — Jak twoim zdaniem powinienem zareagować?

Frank powoli skinął głową i usiadł wygodnie.

— To już koniec. Na razie.

Nacisnął guzik i szyba opuściła się.

— Tak, panie Ache? — zapytał Billy.

— Zamów holowanie wozu Bolitara.

— Tak, panie Ache.

Frank obrócił się do Myrona.

— Wypieprzaj z mojego samochodu.

— Nie uściskasz mnie?

— Wynocha.

— Mogę zadać ci jedno pytanie?

— Jakie?

— Czy kazałeś zabić Valerie, żeby osłonić Pavela?

Frank wyszczerzył popsute zęby, podobne do kłów łasicy.

— Wysiadaj — powiedział — albo urwę ci jaja.

— Dobra, dzięki. Miło się gawędziło. To na razie, Frank.

Myron otworzył drzwi i wysiadł.

Frank przesunął się na tylnym siedzeniu i wychylił głowę przez otwarte drzwi.

— Powiedz Winowi, że rozmawialiśmy, dobrze?

— Po co?

— Nie twój interes po co. Powiedz mu. Kapujesz?

— Kapuję — powiedział Myron.

Frank zamknął drzwi. Limuzyna odjechała.

42

Pomoc drogowa przyjechała bardzo szybko. Myron dotarł do biura o szóstej trzydzieści. Neda jeszcze nie było. Esperanza wręczyła mu kartki z wiadomościami. Poszedł do swojego gabinetu i pozałatwiał telefony.

Esperanza zgłosiła przez interkom:

— Suka na trzeciej linii.

— Nie nazywaj jej tak. — Myron podniósł słuchawkę. — Wróciłaś do swojego mieszkania?

— Tak — odparła Jessica. — To nie trwało długo.

— Szybko działam.

— A ja nigdy nie narzekam.

— Uch.

— Co się stało? — spytała.

— Ktoś zamordował Pavela Menansiego. Ache nie ma już kogo ochraniać.

— Tak po prostu?

— To interes. Dla tych facetów liczy się tylko forsa.

— Nie ma zysku, nie ma zabijania.

— Podstawowa zasada — potwierdził Myron.

— Przyjdziesz dzisiaj wieczorem?

— Tak.

— Jednak my też przyjmiemy jedną zasadę, dobrze?

313

— Jaką?

— Nie będziemy rozmawiać o Valerie Simpson, morderstwach i tym podobnych sprawach.

— A co będziemy robili?

— Pieprzyli się jak szaleni.

— Chyba jakoś się z tym pogodzę.

Esperanza wetknęła głowę do gabinetu i zawołała:

— On jest tuuu!

Skinął jej głową i powiedział do Jessiki:

— Zadzwonię do ciebie później.

Myron odłożył słuchawkę na widełki. Wstał i czekał. Wieczór sam na sam z Jessicą. Przyjemna perspektywa. A także lekko zatrważająca. Wszystko toczyło się zbyt szybko. Nie panował nad sytuacją. Jess wróciła i wszystko układało się lepiej niż kiedykolwiek. Myron zastanawiał się nad tym. Najczęściej zadawał sobie pytanie, czy przeżyje następną taką katastrofę jak ta ostatnia, czy zdoła znów znieść taką udrękę. Rozmyślał również o tym, jak mógłby się przed tym zabezpieczyć, ale zdawał sobie sprawę z tego, że to niewykonalne. Żałował, że nie potrafi lepiej się bronić.

Ned Tunwell dosłownie wpadł do jego gabinetu, wyciągając rękę jak rozentuzjazmowany gość nocnego show, wychodzący zza kurtyny. Myron niemal oczekiwał, że Ned zaraz pomacha ręką do tłumu. Zamiast tego uścisnął dłoń Myrona.

— Cześć, Myron!

— Cześć, Ned. Siadaj.

Słysząc ton jego głosu, Ned przestał się uśmiechać.

— Hej, chyba nic złego nie stało się Duane'owi, co?

— Nie.

Ned jeszcze nie zemdlał, ale już był bliski paniki.

— Nie odniósł jakiejś kontuzji?

— Nie, z Duane'em wszystko w porządku.

— Świetnie. — Uśmiech powrócił na jego wargi. Takiego twardziela nie da się rozłożyć na łopatki. — Ten wczorajszy mecz... był fantastyczny. Po prostu fantastyczny, Myronie.

Mówię ci, ten jego nagły powrót formy... Wszyscy tylko o tym mówią. Dał wspaniały pokaz. Wspaniały. Nie da się tego nazwać inaczej. O mało się nie posikałem.

— Uhm. Siadaj, Ned.

— Jasne.

Ned usiadł. Myron miał nadzieję, że nie poplami mu fotela.

— Zostało jeszcze tylko kilka godzin, Myronie. To będzie wielki dzień. Sobotnie półfinały. Wielki tłum na żywo, ogromna widownia. Myślisz, że Duane ma szanse w pojedynku z Craigiem? Dziennikarze są innego zdania.

Thomas Craig, uważany za drugą rakietę tego turnieju, dysponujący zabójczym serwem i wolejem, był obecnie w szczytowej formie.

— Owszem — rzekł Myron. — Myślę, że ma szansę.

W oczach Neda pojawił się radosny błysk.

— Ou! Gdyby zdołał wygrać...

Zamilkł, potrząsnął głową i uśmiechnął się.

— Ned?

Spojrzał na Myrona szeroko otwartymi oczami.

— Tak?

— Jak dobrze znałeś Valerie Simpson?

Ned zawahał się. Błysk w jego oczach przygasł.

— Ja?

Myron skinął głową.

— Chyba trochę.

— Tylko trochę?

— Taak. — Błysnął zębami w nerwowym uśmiechu, starając się utrzymać go na ustach. — A bo co?

— Słyszałem coś innego.

— Och?

— Słyszałem, że to ty podpisałeś z nią umowę na reklamowanie Nike'a. I zajmowałeś się jej rozliczeniami.

Ned niespokojnie wiercił się na krześle.

— Taak, chyba tak.

— A zatem musiałeś znać ją całkiem dobrze.

— Może i tak. Dlaczego o to pytasz, Myronie? O co chodzi?

— Ufasz mi, Ned?

— Bezgranicznie, Myronie Przecież wiesz. Jednak to dla mnie bolesny temat. Rozumiesz to?

— Mówisz o jej śmierci i w ogóle?

Ned skrzywił się, jakby ugryzł cytrynę.

— Nie — powiedział. — Mówię o jej przerwanej karierze. Była pierwszą osobą, z którą podpisałem kontrakt na reklamowanie Nike'a. Myślałem, że to wyniesie mnie na szczyt. Zamiast tego straciłem pięć lat. To była klęska.

Następny pan Wrażliwy.

— Kiedy jej odbiło — ciągnął Ned — zgadnij, kto okazał się winny? No już, zgaduj.

Myron sądził, że to retoryczne pytanie, lecz Ned najwyraźniej czekał na odpowiedź. W końcu Myron rzekł:

— Czyżbyś to był ty, Ned?

— Cholerna racja, ja. Spadłem na dno. To była kompletna klapa. Musiałem z trudem piąć się z powrotem na szczyt. Wszystko przez Valerie i jej załamanie nerwowe. Nie zrozum mnie źle, Myronie. Teraz nieźle sobie radzę... Odpukać w niemalowane drewno.

Postukał knykciami w biurko. Myron również. Ned nie wyczuł sarkazmu.

— Znałeś Alexandra Crossa? — zapytał Myron.

Ned gwałtownie uniósł brwi.

— Hej, o co ci właściwie chodzi?

— Zaufaj mi, Ned.

— Ufam ci, Myronie, ale to trochę...

— To proste pytanie: czy znałeś Alexandra Crossa?

— Może spotkałem go kiedyś, nie pamiętam. Przez Valerie, oczywiście. Byli jakby parą.

— A ty i Valerie?

— Co ja i Valerie?

— Czy wy byliście parą?

316

Zaprotestował, podnosząc rękę.

— Hej, daj spokój. Posłuchaj, Myron, lubię cię, naprawdę cię lubię. Jesteś porządny gość. Taka szczera dusza jak ja...

— Nie, Ned, ty nie jesteś szczery. Wciskasz mi kit. Znałeś Alexandra Crossa. A nawet byłeś w klubie tenisowym „Old Oaks" tamtej nocy, kiedy go zamordowano.

Ned otworzył usta, ale nie wydobył z nich żadnego dźwięku. Zdołał tylko przecząco pokręcić głową.

— Patrz. — Myron wstał i podał mu spis gości. — Podkreślone na żółto. E. Tunwell. Edward, czyli Ned.

Ned spojrzał na kartkę, podniósł głowę i znowu ją opuścił.

— To było tak dawno temu — powiedział. — Co to ma wspólnego z tym wszystkim?

— Dlaczego mnie okłamujesz?

— Nie okłamuję cię.

— Ty coś ukrywasz, Ned.

— Nie, nic podobnego.

Myron zmierzył go wzrokiem. Ned umknął spojrzeniem w bok, szukając i nie znajdując bezpiecznego miejsca.

— Posłuchaj, Myronie, to nie jest tak, jak sądzisz.

— Ja nic nie sądzę. Spałeś z nią?

— Nie! — Ned w końcu spojrzał na niego i nic odwrócił wzroku. — Ta przeklęta plotka o mało nie złamała mi kariery. Parszywe kłamstwo, które rozpowszechniał ten oślizgły drań, Menansi. To nieprawda, Myronie, przysięgam.

— Pavel Menansi rozpowiadał coś takiego?

Ned kiwnął głową.

— On jest chorym sukinsynem.

— Był.

— Co?

— Pavel Menansi nie żyje. Ktoś zabił go zeszłej nocy. Strzałem w pierś. W podobny sposób, jak zabito Valerie. — Myron odczekał chwilę, po czym wycelował palec w Neda. — Gdzie byłeś zeszłej nocy?

Oczy Neda zmieniły się w dwie piłki golfowe.

— Chyba nie myślisz...

Myron wzruszył ramionami.

— Jeśli nie masz nic do ukrycia...

— Nie mam!

— To powiedz mi, co się wtedy stało.

— Nic się nie stało.

— Czego mi nie mówisz, Ned?

— To nic takiego. Przysięgam...

Myron westchnął.

— Przyznałeś, że Valerie Simpson bardzo negatywnie wpłynęła na twoją karierę. Wyznałeś, że to dla ciebie wciąż „bolesny temat". Wspomniałeś mi również, że Pavel Menansi rozpowszechniał plotki o tobie. A nawet nazwałeś go, zacytuję: „chorym sukinsynem".

— Hej, daj spokój, Myronie, tak tylko powiedziałem. — Ned próbował obrócić to w żart, ale Myron nie uśmiechnął się. — Nie miałem niczego złego na myśli.

— Może tak, a może nie. Zastanawiam się jednak, jak twoi zwierzchnicy z Nike'a zareagują na taką nieoczekiwaną popularność.

Uśmiech pozostał na ustach Neda, ale teraz bardziej przypominał grymas.

— Słuchaj, chyba nie mówisz poważnie. Nie możesz rozpowszechniać takich plotek.

— A co, mnie też zabijesz?

— Nikogo nie zabiłem! — wrzasnął Ned.

Myron udał przestrach.

— Sam nie wiem...

— Posłuchaj, no dobrze, Valerie wyszła ze mną na zewnątrz tamtego wieczoru, nic poza tym. Pocałowaliśmy się, ale nic więcej, przysięgam.

— Oo, zaczekaj chwilkę — rzekł Myron. — Od początku. Byłeś na przyjęciu.

Ned przesunął się na samą krawędź krzesła i mówił coraz szybciej.

— W porządku, byłem na tym przyjęciu, i co z tego? Valerie też tam była. Przyszliśmy razem. Była bardzo podekscytowana, ponieważ Alexander zamierzał ogłosić ich zaręczyny. A kiedy stchórzył, ona strasznie się wściekła.

— Dlaczego stchórzył?

— Przez ojca. To on kazał Alexandrowi odwołać zaręczyny.

— Senator Cross?

— Uhm.

— Dlaczego? — zapytał Myron.

— Skąd mam to wiedzieć, do diabła? Valerie powiedziała mi, że ten facet to kutas. Nienawidziła go. A kiedy Alexander ugiął się przed nim, dostała szału. Chciała się zemścić. Odpłacić mu.

— A ty byłeś pod ręką?

Ned pstryknął palcami.

— No właśnie. Byłem pod ręką. To wszystko. To nie była moja wina, Myronie. Znalazłem się w niewłaściwym miejscu w nieodpowiednim czasie. Rozumiesz to, prawda?

— A więc wyszliście we dwoje na zewnątrz — zachęcił go Myron.

— Wyszliśmy na zewnątrz i znaleźliśmy ustronne miejsce za szopą. Tylko się całowaliśmy, przysięgam. Nic więcej. To był tylko pocałunek. Nagle usłyszeliśmy jakieś dźwięki i przestaliśmy.

Myron usiadł.

— Co za dźwięki?

— Z początku jakby ktoś odbijał piłkę do tenisa. Jednak potem usłyszeliśmy podniesione głosy. Jeden z nich należał do Alexandra. Później usłyszeliśmy przeraźliwy krzyk.

— I co zrobiłeś? — zapytał Myron.

— Ja? Z początku nic. Valerie też krzyknęła. Potem pobiegła. Ja za nią. Na moment znikła mi z oczu. W następnej chwili wybiegłem za róg szopy i zobaczyłem ją. Stała jak skamieniała. Kiedy dobiegłem do niej, zobaczyłem, na co patrzyła. Alexander leżał na murawie i krwawił. Jego przyjaciele rzucili się do ucieczki. Ten wielki czarny chłopak stał nad rannym. W jednej ręce trzymał rakietę tenisową, a w drugiej długi nóż.

Myron pochylił się.

— Widziałeś mordercę?

Ned kiwnął głową.

— Z bliska i na własne oczy.

— Był wielki i czarnoskóry?

— Taak.

— Ilu ich tam było?

— Dwóch. Obaj czarni.

Diabli wzięli teorię o kozłach ofiarnych. Chyba że Ned kłamał, w co Myron wątpił.

— I co zdarzyło się potem?

Ned zawahał się.

— Widziałeś kiedyś Valerie w jej szczytowej formie? Na korcie?

— Tak.

— Widziałeś ten błysk w jej oczach?

— Jaki błysk?

— Mają go niektórzy sportowcy. Miał go Larry Bird. Joe Montana. Michael Jordan. Może ty też go miałeś. No cóż, Val miała go... również wtedy. Ten niższy facet zaczął krzyczeć na tego dużego, powtarzając: „patrz, co narobiłeś", „jesteś stuknięty" i tym podobne rzeczy. A potem obaj rzucili się do ucieczki. Pobiegli prosto na nas. Ja chciałem się wycofać. Nie jestem głupi. Ale Val po prostu stała tam i czekała. Kiedy podbiegli blisko, wrzasnęła i skoczyła na tego mniejszego. Nie mogłem uwierzyć własnym oczom. Złapała go jak na meczu rugby. Oboje runęli na ziemię. Ten mały rąbnął ją rakietą tenisową i zdołał się wyrwać.

— Dobrze się im przyjrzałeś?

— Myślę, że bardzo dobrze.

— Widziałeś kiedyś zdjęcia Errola Swade'a?

— Tak, pewnie, przez jakiś czas były we wszystkich gazetach.

— Czy to był ten sam facet, którego widziałeś?

— Z całą pewnością — odparł bez wahania Ned. — Nie ma co do tego cienia wątpliwości.

Myrron przetrawił tę informację. A zatem byli tam owej nocy. W klubie tenisowym „Old Oaks". Myron mylił się. Lucinda Elright też się myliła. Swade i Yeller nie byli kozłami ofiarnymi.

— I co wy dwoje zrobiliście potem? — zapytał.

— No wiesz, ona i tak miała już dość problemów. Nie potrzebowała tego rodzaju rozgłosu. Zaprowadziłem ją z powrotem na przyjęcie. Nikomu nic nie powiedzieliśmy. Val i tak była półprzytomna, zaszokowana — i nic dziwnego. No, sam pomyśl. Wychodzi ze mną, żeby odegrać się na swoim chłopcu, a w tym czasie on zostaje zamordowany. Upiorne, no nie?

Myron skinął głową.

— Bardzo.

I właśnie coś takiego, pomyślał Myron, mogło być bezpośrednim powodem załamania tej i tak już wykończonej nerwowo dziewczyny.

43

Myron i Jessica dotrzymali obietnicy. Nie rozmawiali o morderstwach. Tulili się i oglądali w telewizji *Nieznajomych w pociągu*, jedząc dania na wynos z tajskiej restauracji. Kochali się. Znów się tulili, oglądali *Okno na podwórze* i pili HäagenDazs. Znowu się kochali.

Myron czuł przyjemne oszołomienie. Na chwilę zapomniał o świecie Valerie Simpson, Alexandra Crossa, Curtisa Yellera, Errola Swade'a i Franka Ache'a. To było dobre. Zbyt dobre. Zaczął rozmyślać o przedmieściach, domku z podjazdem, ale zaraz odepchnął te myśli od siebie.

Kilka godzin później blask wschodzącego słońca przywrócił go do rzeczywistości. Przez chwilę korciło go, żeby znów od niej uciec. Leżąc obok Jessiki, miał ochotę objąć ją i nie ruszać się z łóżka. Bo i po co? Czy było tam coś, co mogłoby się równać z tym rajem?

Nie znalazł odpowiedzi na to pytanie. Jessica mocniej przytuliła się do niego, jakby czytała w jego myślach, ale nie trwało to długo. W milczeniu ubrali się i pojechali na stadion. Czekały ich wielkie emocje. Ostatni wtorek turnieju US Open. Finałowe pojedynki kobiet i półfinałowe mężczyzn. W pierwszym meczu dnia druga rakieta turnieju, Thomas Craig, grał z największą niespodzianką tych zawodów, Duane'em Richwoodem.

Kiedy przeszli przez bramę stadionu, Myron oddał Jessice przedarty bilet.

— Spotkamy się na trybunie. Muszę porozmawiać z Duane'em.

— Teraz? — spytała. — Przed najważniejszym meczem w jego karierze?

— Tylko chwilkę.

Wzruszyła ramionami, obrzuciła go sceptycznym spojrzeniem i wzięła bilet.

Pośpieszył do kwater graczy, pokazał strażnikowi przy wejściu swój identyfikator i wszedł do środka. Pomieszczenie było dość skromne jak na kwaterę zawodników biorących udział w turnieju Wielkiego Szlema. Pachniało pudrem dla niemowlaków. Duane siedział samotnie w kącie. Miał na uszach słuchawki walkmana, odchylił głowę. Myron nie wiedział, czy oczy ma zamknięte, czy otwarte, ponieważ Duane jak zwykle nosił przeciwsłoneczne okulary.

Gdy do niego podszedł, Duane nacisnął palcem wyłącznik walkmana. Obrócił głowę w kierunku nadchodzącego. Myron widział swoje odbicie w jego okularach. Przypomniały mu się okna limuzyny Franka.

Twarz Duane'a była nieruchoma jak maska. Powoli zdjął słuchawki z uszu i zawiesił je sobie na szyi, jak chomąto.

— Odeszła — powiedział powoli. — Wanda mnie rzuciła.

— Kiedy? — zapytał Myron. Pytanie było głupie i bezsensowne, ale nie wiedział, jak zareagować.

— Dziś rano. Co jej powiedziałeś?

— Nic.

— Słyszałem, że była u ciebie — rzekł Duane.

Myron milczał.

— Powiedziałeś jej, że widziałeś mnie w hotelu?

— Nie.

Duane zmienił kasetę w walkmanie.

— Wynoś się.

— Jej na tobie zależy, Duane.

— W ciekawy sposób to okazuje.

— Po prostu chciała wiedzieć, co się stało.

— Nic się nie stało.

Te okulary były irytujące. Twarz Duane'a była zwrócona do Myrona i wydawało się, że chłopak na niego patrzy, ale kto wie?

— Ten mecz jest ważny — powiedział Myron — ale nie tak jak Wanda.

— Myślisz, że o tym nie wiem?

— Zatem powiedz jej prawdę.

Nieruchoma twarz Duane'a rozciągnęła się w uśmiechu.

— Nic nie rozumiesz.

— No to mi wyjaśnij.

Chłopak bawił się walkmanem, wkładając i wyciągając kasetę.

— Myślisz, że jak powiem prawdę, to wszystko będzie dobrze, ale nie znasz tej prawdy. Mówisz jak ci, którzy głoszą, że prawda cię wyzwoli, ale nie masz o tym pojęcia. Prawda nie zawsze czyni wolnym, Myronie. Czasem może zabić.

— Nie uda ci się jej ukryć — powiedział Myron.

— Udałoby się, gdybyś zostawił to w spokoju.

— Ktoś został zamordowany. Tego nie można tak zostawić.

Duane znów założył słuchawki na uszy.

— Może należało — rzekł.

Zapadła cisza. Spoglądali na siebie. Myron słyszał cichy szum muzyki w słuchawkach walkmana. Powiedział do Duane'a:

— Byłeś przy tym, jak zamordowano Alexandra Crossa. Byłeś w klubie z Yellerem i Swade'em.

Wciąż patrzyli na siebie. Nieco dalej, przy drzwiach pojawił się Thomas Craig. Niósł kilka rakiet tenisowych i sporą torbę. Obok niego wyrósł strażnik z krótkofalówką. Skinęli głowami Duane'owi.

— Czas wyjść na boisko, panie Richwood.

Duane wstał.

— Przepraszam — powiedział do Myrona. — Zaraz zaczynam mecz.

Przeszedł obok Thomasa Craiga. Ten uśmiechnął się uprzejmie. Duane zrobił to samo. Elegancki sport, tenis. Myron odprowadził ich wzrokiem. Przez kilka minut siedział w pustej szatni. W oddali usłyszał oklaski, gdy gracze wyszli na boisko.

Zaraz zacznie się mecz.

Myron wrócił na trybunę. W trakcie meczu, a dokładnie podczas czwartego seta, w końcu zrozumiał, kto zamordował Valerie Simpson.

44

Kiedy Myron zajął swoje miejsce, stadion był już zapełniony. Duane i Thomas Craig jeszcze się rozgrzewali, posyłając piłki łatwymi lobami, które przeciwnik bez trudu mógł odbić. Kibice kręcili się, zmieniali miejsca, witali i starali się być widoczni. W loży honorowej siedziały te same znakomitości, co zwykle: Johnny Carson, Alan King, David Dinkins, Renee Richards, Barbra Streisand, Ivana Trump.

Jake i jego syn Gerard podeszli do trybuny.

— Widzę, że dostaliście bilety — zauważył Myron.

Jake kiwnął głową.

— Niezłe miejsca.

— Dla moich przyjaciół wszystko co najlepsze.

— Mówiłem o twoich — powiedział Jake.

Wieczny żartowniś.

Jake i Gerard przez chwilę pogawędzili z Jessicą, a potem wrócili na swoje miejsca, których nawet przy dużej dozie wyobraźni nie dałoby się nazwać niezłymi. Myron przyglądał się widzom. Mnóstwo znajomych twarzy. Był tam senator Bradley Cross ze swoją świtą, w skład której wchodził stary kumpel jego syna, Gregory Caufield. Frank Ache pojawił się w tym samym zamszowym wdzianku, w którym Myron widział go poprzedniego dnia. Skinął głową Myronowi. Ten udał, że tego nie zauważył. Kenneth i Helen Van Slyke też tam byli — co za niespodzianka. Siedzieli kilka rzędów wyżej. Myron próbował przechwycić spojrzenie Helen, ale ona bardzo starała się go nie dostrzegać. Ned Tunwell i spółka (nie mylić z Barneyem i spółką, pomimo uderzającego podobieństwa), zajmowali tę samą lożę co zwykle. Ned też udawał, że nie widzi Myrona. Dzisiaj wyglądał na mniej ożywionego.

— Zaraz wrócę — powiedziała Jessica.

Myron usiadł. Henry Hobman już wpadł w swój trans.

— Cześć, Henry — powitał go Myron.

— Przestań mieszać mu w głowie — rzekł Henry. — Masz się starać, żeby był szczęśliwy.

Myron nie zniżył się do odpowiedzi.

W końcu pojawił się Win. Miał na sobie różową koszulę jakiegoś klubu golfowego, jasnozielone spodnie, białe półbuty i żółty sweter luźno zarzucony na ramiona.

— Cześć — powiedział.

Myron pokręcił głową.

— Kto cię ubiera?

— To aktualnie najmodniejszy strój.

— Kopie po oczach.

— Błagam o wybaczenie, monsieur Saint Laurent. — Win usiadł. — Rozmawiałeś z Duane'em?

— Odbyliśmy krótką pogawędkę.

Jessica wróciła. Na powitanie pocałowała Wina w policzek.

— Dziękuję — szepnęła.

Win nic nie powiedział.

Wstali, gdy odegrano hymn. Potem ktoś z wyraźnym angielskim akcentem poprosił wszystkich, by skłonili głowy i minutą ciszy uczcili pamięć wielkiego Pavela Menansiego. Tłum spuścił głowy. Szeptał. Ktoś pociągał nosem. Win wywrócił oczami. Dwie minuty później rozpoczął się mecz.

Było to niesamowite widowisko. Obaj zawodnicy dysponowali potężnym uderzeniem, ale nikt nie spodziewał się czegoś takiego. Grali jak istoty z innej planety. Z planety o znacznie mniejszej sile ciążenia. Wskazania prędkościomierza IBM raz po raz wyrywały przeciągłe „ooo" z ust widzów. Szybka wymiana uderzeń nie trwała długo. Zawodnicy popełniali błędy, ale grali niewiarygodnie dobrze. Był to pojedynek w najlepszym tradycyjnym stylu, tyle że toczony w nieprawdopodobnym tempie. Duane grał jak w transie. Z furią walił w piłkę, jakby mścił się na niej za jakąś zniewagę. Myron nigdy nie widział go grającego lepiej.

Win nachylił się i szepnął mu do ucha:

— To musiała być niezła pogawędka.

— Wanda go rzuciła.

— Aha — kiwnął głową Win. — To wszystko wyjaśnia. Zrzucił okowy.

— Nie sądzę, Win.

— Skoro tak twierdzisz.

Myron nie próbował mu tego wyjaśniać. Równie dobrze mógłby rozmawiać ze ślepym o kolorach.

Duane wygrał pierwszego seta 6:2. Drugi był bardzo wyrównany i w końcu przyniósł zwycięstwo Thomasowi Craigowi. Kiedy rozpoczął się trzeci, Win zapytał:

— I czego się dowiedziałeś?

Myron powiedział mu, starając się jak najbardziej zniżyć głos. W pewnej chwili Ivana Trump próbowała go uciszyć. Win pomachał jej ręką.

— Leci na mnie. Bardzo.

— Zejdź na ziemię — poradził mu Myron.

Podczas zmiany boisk w trzecim secie Win rzekł:

— Zatem z początku uważaliśmy, że Valerie została wyeliminowana, ponieważ znała jakieś fakty obciążające Pavela Menansiego. Teraz sądzimy, że zastrzelono ją, ponieważ zobaczyła coś tamtej nocy, kiedy zginął Alexander Cross.

— To możliwe — przytaknął Myron.

Podczas następnej zmiany boisk ktoś klepnął go w ramię. Spojrzał w dół — bardzo nisko — i zdziwił się.

— Doktor Abramson! — powiedział.

— Cześć, Myron.

— Miło panią widzieć, pani doktor.

— I ciebie też. Twój klient bardzo dobrze gra. Pewnie jesteś zadowolony.

— Przykro mi — odparł Myron. — Nie mogę potwierdzić ani zaprzeczyć, że Duane Richwood jest moim klientem.

Nie uśmiechnęła się.

— Czy to miało być zabawne?

— Chyba nie — odparł Myron. — Nie wiedziałem, że jest pani miłośniczką tenisa.

— Przychodzę tu co roku. — Zauważyła Wina. — Witam, panie Lockwood.

Win skłonił się.

— Doktor Abramson.

— To moja przyjaciółka, Jessica Culver — przedstawił Myron.

Obie kobiety wymieniły uścisk dłoni i uprzejme uśmiechy.

— Miło mi — powiedziała doktor Abramson. — Nie będę pana zatrzymywać. Przyszłam się tylko przywitać.

— Możemy później porozmawiać? — zapytał Myron.

— Nie, nie sądzę. Do widzenia.

— Czy pani wie, że są tu Kenneth i Helen Van Slyke'owie?

— Tak. Wiem również, że na chwilę zeszli z trybun.

Myron spojrzał w kierunku ich loży. Była pusta. Uśmiechnął się.

— Sprytnie. Przyszła pani przywitać się tak, żeby tego nie widzieli.

— I już się żegnam — powiedziała, odwzajemniając uśmiech. Odwróciła się i odeszła. Mecz znów się zaczął. Van Slyke'owie wrócili podczas następnej zmiany boisk. Myron nachylił się do Wina.

— Skąd znasz doktor Abramson?

— Odwiedzałem Valerie — wyjaśnił Win.

— Często?

Win nie odpowiedział. Może wzruszył ramionami, a może

nie. Tak czy inaczej, dał Myronowi do zrozumienia, żeby pilnował własnego nosa. Myron zerknął na Jessicę. Ona też wzruszyła ramionami.

Na korcie Duane grał nieco chaotycznie, ale wciąż zdobywał dość punktów, żeby utrzymać przewagę. Wygrał trzeciego seta 7:5. Tylko jeden, najwyżej dwa sety dzieliły go od finału US Open. W loży Nike'a zapanowało radosne ożywienie. Poklepywano Neda po plecach. Nawet on trochę się rozpromienił. Prawdziwego twardziela nie da się pokonać.

Senator Cross w milczeniu obserwował mecz. Nikt się do niego nie odzywał ani on do nikogo. Nawet podczas przerw. Tylko raz napotkał spojrzenie Myrona. Patrzył na niego przez długą chwilę, ale nawet nie drgnął. Helen i Kenneth Van Slyke'owie gawędzili z otaczającymi ich ludźmi, ale widać było, że czują się nieswojo. Frank Ache podciągał opadające spodnie i rozmawiał z Royem O'Connorem, prezesem TruPro. Miał niewyraźną minę. Roy wyglądał tak, jakby miał puścić pawia. Ivana Trump rozglądała się wokół. Ilekroć spojrzała w kierunku Wina, przesyłał jej całusa.

Właśnie podczas trzeciego seta Myron w końcu przejrzał na oczy. Zaczęło się od drobiazgu, jednej z wypowiedzi Jimmy'ego Blaine'a, która nie pasowała do całości. Wzmianka o pieszym pościgu w Filadelfii. Potem pozostałe kawałki łamigłówki same poukładały się na swoich miejscach. Myron ujrzał cały obraz i zdrętwiał.

Win zamienił spojrzenia z Jessicą. Myron gapił się w dal.

— Co się stało? — spytała Jessica.

Myron powiedział do Wina:

— Muszę porozmawiać z Gregorym Caufieldem.

— Kiedy?

— Jak najszybciej. Podczas następnej przerwy. Możesz odciągnąć go na bok?

Win skinął głową.

— Zrobione.

45

Podczas pierwszych dni turnieju często zdarzało się, że jednocześnie rozgrywano piętnaście lub więcej meczów. Najsławniejsi zawodnicy zazwyczaj występowali na stadionie, podczas gdy mniej ważne mecze odbywały się na bocznych kortach, czasem nawet bez siedzących miejsc dla widzów. Dzisiaj te korty były tak wyludnione, że Myron miał wrażenie, że zaraz zobaczy, jak wiatr toczy po tej pustyni kulę gałęzi szarłatu. Czekał przy szesnastym, niemal najokazalszym z bocznych kortów. Większość ławek, których było tu nie więcej niż w sali gimnastycznej liceum, umieszczono tyłem do stadionu i głównej trybuny.

Usiadł na aluminiowej ławce w pierwszym rzędzie. Słońce zaczęło grzać silniej i znajdowało się teraz w zenicie. Słyszał okrzyki tłumu, zgromadzonego na odległym o mniej więcej pięćdziesiąt metrów stadionie. Chwilami brzmiało to tak, jakby widzowie na widok szczególnie błyskotliwych zagrywek dostawali zbiorowego orgazmu. Z początku słychać było ciche „och, och, och", potem narastające „Och, Och", a w końcu głośne „OCH, OCH", zakończone przeciągłym westchnieniem i brawami.

Dziwna myśl.

I niepokojąca. Usłyszał Gregory'ego Caufielda, zanim go

zobaczył. Głos mówiący z tym irytującym, ociekającym ciężką forsą akcentem, powiedział:

— Dokąd, do licha, idziemy, Windsorze?

— Już niedaleko, Gregory.

— Jesteś pewien, że to nie może zaczekać, stary?

Stary. Żaden z nich nie miał jeszcze trzydziestu pięciu lat, a nazywał Wina „starym".

— Nie, Gregory, nie może.

Wyszli zza rogu. Gregory wytrzeszczył oczy na widok Myrona, ale zaraz otrząsnął się z zaskoczenia. Uśmiechnął się i wyciągnął rękę.

— Cześć, Myronie.

— Cześć, Greg.

Tamten ledwie dostrzegalnie się skrzywił. Przywykł, że nazywano go Gregorym, a nie Gregiem.

— O co w tym wszystkim chodzi, Windsorze? Myślałem, że chcesz mi coś powiedzieć na osobności.

Win wzruszył ramionami.

— Skłamałem — rzekł. — To Myron chciał z tobą porozmawiać. Ma nadzieję, że okażesz się chętny do współpracy.

Gregory obrócił się do Myrona i czekał.

— Chcę porozmawiać z tobą o tamtej nocy, kiedy został zamordowany Alexander Cross.

— Nic o tym nie wiem — powiedział Gregory.

— Bardzo wiele o tym wiesz, ale ja chcę ci zadać tylko jedno pytanie.

— Przykro mi — powiedział Gregory. — Muszę już wracać.

Odwrócił się i chciał odejść. Win zastąpił mu drogę. Gregory zrobił zdziwioną minę.

— Tylko jedno pytanie — nalegał Myron.

Gregory zignorował go.

— Proszę, zejdź mi z drogi, Windsorze.

— Nie — odparł krótko Win.

Gregory najwyraźniej nie wierzył własnym uszom. Uśmiechnął się krzywo i przygładził dłonią niesforne włosy.

— Czyżbyś był gotów użyć siły, żeby mnie tu zatrzymać?

— Tak.

— Proszę, Windsorze, to już nie jest zabawne.

— Myron oczekuje, że wykażesz chęć współpracy.

— A ja nie mam takiego zamiaru. Teraz nalegam, żebyś zszedł mi z drogi.

Win nie ruszył się.

— Chcesz mi powiedzieć, że nie będziesz z nami współpracował, Gregory?

— Dokładnie to chcę wam powiedzieć.

Win błyskawicznie uderzył go usztywnioną dłonią w splot słoneczny. Powietrze uszło ze świstem z płuc Gregory'ego. Osunął się na kolana, blady i wstrząśnięty. Myron pokręcił głową, chociaż doskonale rozumiał, dlaczego Win to zrobił. Dla takich ludzi jak Gregory — właściwie dla większości ludzi — przemoc jest czymś abstrakcyjnym. Czytają o niej. Widzą ją w telewizji i na łamach gazet. Jednak ona nigdy nie dotyczy ich osobiście. Po prostu nie istnieje w ich świecie. Win pokazał Gregory'emu, jak szybko to może się zmienić. Gregory właśnie doznał bólu zadanego ręką swojego bliźniego. To go odmieni. Nie tylko tutaj, nie tylko dziś.

Gregory przyciskał dłoń do piersi. Był bliski łez.

— Nie zmuszaj mnie, żebym uderzył cię jeszcze raz — ostrzegł go Win.

Myron podszedł do niego, ale nie pomógł mu wstać.

— Gregory, my dobrze wiemy, co wydarzyło się tamtej nocy — powiedział. — Mam tylko jedno pytanie. Nie obchodzi mnie, co tam robiliście. Nie dbam o to, czy wąchaliście, czy wstrzykiwaliście sobie niedozwolone substancje. To wcale mnie nie interesuje. To co powiesz, wcale cię nie obciąży, chyba że mnie okłamiesz.

Gregory spojrzał mu w oczy. Był blady jak ściana.

— Ci dwaj wcale nie chcieli okraść klubu, prawda? — zapytał Myron.

Gregory nie odpowiedział.

— Errol Swade i Curtis Yeller nie wtargnęli na teren klubu, żeby go obrobić, ani nie sprzedawali narkotyków. Mam rację? Jeśli ją mam, tylko kiwnij głową.

Gregory spojrzał na Wina i znowu na Myrona. Skinął głową.

— Powiedz mi, co oni tam robili — rzekł Myron.

Gregory milczał.

— Po prostu powiedz to — ciągnął Myron. — Ja już znam odpowiedź. Chcę tylko, żebyś ją potwierdził. Co oni tam robili tamtej nocy?

Gregory oddychał już prawie normalnie. Wyciągnął rękę. Myron podał mu swoją. Gregory wstał i spojrzał mu prosto w oczy.

— Co oni tam robili? — zapytał Myron. — Powiedz mi.

A wtedy Gregory Caufield powiedział dokładnie to, czego Myron oczekiwał.

— Grali w tenisa.

46

Myron pobiegł do samochodu.

Duane prowadził w setach dwa do jednego, a w czwartym 4:2. Tylko dwa gemy dzieliły go od finałów US Open, lecz teraz nie wydawało się to już takie ważne. Teraz Myron wiedział, co się stało. Wiedział, co przydarzyło się Alexandrowi Crossowi, Curtisowi Yellerowi, Errolowi Swade'owi, Valerie Simpson i może nawet Pavelowi Menansiemu.

Podniósł słuchawkę telefonu w samochodzie i zaczął wydzwaniać. Jako drugi wybrał numer mieszkania Esperanzy. Odebrała telefon.

— Jest u mnie Lucy — powiedziała. Esperanza już od kilku miesięcy umawiała się na randki z niejaką Lucy. Najwyraźniej było to coś poważnego. Oczywiście, pomyślał Myron, zaledwie kilka miesięcy wcześniej Esperanza wydawała się poważnie związana z facetem o imieniu Max. Najpierw Max, teraz Lucy. Ani chwili nudy.

— Masz tam terminarz? — zapytał Myron.

— Mam kopię w moim komputerze.

— W dniu, gdy Valerie Simpson po raz ostatni była w naszym biurze, kto był u nas tuż przed nią?

— Zaczekaj chwilkę. — Usłyszał stukanie klawiszy. — Duane.

Tak jak przypuszczał.

— Dzięki.

— Nie jesteś na meczu?

— Nie.

— A gdzie?

— W samochodzie.

— Czy Win jest z tobą? — zapytała.

— Nie.

— A ta czarownica?

— Jestem sam.

— To podjedź po mnie. Lucy i tak zaraz wychodzi.

— Nie.

Rozłączył się i puścił radio. Duane prowadził 5:2. Jeszcze tylko jeden gem. Myron zadzwonił na domowy numer patologa, Amandy West. Potem do Jimmy'ego Blaine'a. Wszystko się zgadzało. Zimny dreszcz przebiegł Myronowi po plecach.

Lekko drżącą ręką wybrał numer Lucindy Elright. Stara nauczycielka odebrała telefon po pierwszym sygnale.

— Możemy się dziś spotkać? — zapytał Myron.

— Tak, oczywiście.

— Powinienem dojechać tam za parę godzin.

— Będę w domu — odparła Lucinda. O nic nie spytała, nie zażądała żadnych wyjaśnień. Powiedziała tylko: — Do zobaczenia.

Duane wygrał ostatniego seta 6:2. Wszedł do finału US Open. Ceremonie po meczu trwały bardzo krótko — z kilku powodów. Po pierwsze, zaraz po imponującym zwycięstwie Duane'a zaczynały się finały kobiet. Po drugie, zwycięski Duane Richwood umknął do szatni, nie udzielając żadnych wywiadów. Sprawozdawcy radiowi byli lekko zaskoczeni.

Myron nie.

Dotarł do mieszkania Lucindy Elright w niecałe dwie godziny. Pozostał tam krócej niż pięć minut, ale ta wizyta potwierdziła jego podejrzenia. Teraz Myron nie miał już żadnych wątpliwości. Wziął książkę i wsiadł z powrotem do samochodu. Pół godziny później zaparkował na podjeździe. Nacisnął guzik dzwonka. Tym razem nie uśmiechała się, otwierając drzwi. Tym razem nie była zaskoczona.

— Wiem już, co się stało z Errolem Swade'em — oznajmił Myron. — Nie żyje.

Deanna Yeller na moment zamknęła oczy.

— Mówiłam to panu już podczas pierwszej wizyty.

— Tylko nie powiedziała mi pani — rzekł Myron — że to pani go zabiła.

47

Myron nie czekał na zaproszenie. Przecisnął się obok niej. Ponownie uderzył go bezosobowy charakter tego wnętrza. Ani jednego zdjęcia. Żadnych pamiątek. Teraz jednak rozumiał powód. Telewizor pokazywał mecz tenisowy. Nic dziwnego. Kobiety były w połowie pierwszego seta.

Deanna Yeller przyszła za nim.

— To musi być dla pani męczące — rzekł.

— Co?

— Oglądanie Duane'a na ekranie. Zamiast osobiście.

— To był tylko skok w bok — powiedziała beznamiętnie. — To nic wielkiego.

— Duane był tylko na jedną noc?

— Coś w tym rodzaju.

— Nie sądzę — rzekł Myron. — Duane Richwood jest pani synem.

— O czym pan mówi? Miałam tylko jednego syna.

— To prawda.

— A on nie żyje. Zabili go, pamięta pan?

— To nieprawda. Zginął Errol Swade. Nie Curtis.

— Nie wiem, o czym pan mówi — powiedziała, lecz bez przekonania. W jej głosie słychać było znużenie, jakby wiedziała, że to na nic. Może zrozumiała, że Myron przejrzał już jej grę.

— Już wszystko wiem. — Myron pokazał jej książkę, którą trzymał w ręku. — Czy pani wie, co to jest?

Obojętnie spojrzała na książkę.

— To kronika liceum Curtisa. Pożyczyłem ją od Lucindy Elright.

Deanna Yeller wyglądała tak krucho, że zdawało się, iż najlżejszy podmuch może rozbić ją o ścianę. Myron otworzył album.

— Od tego czasu Duane przeszedł operację plastyczną nosa. Może nie tylko, nie jestem pewien. Ma inną linię włosów. I jest znacznie lepiej umięśniony, ale w końcu nie jest już szesnastoletnim chłopcem. Ponadto zawsze nosi ciemne okulary. Zawsze. Kto mógłby go rozpoznać? Kto by podejrzewał, że Duane Richwood jest tym podejrzanym o morderstwo chłopcem, który został zastrzelony sześć lat temu?

Deanna chwiejnie podeszła do stołu. Usiadła. Drżącą dłonią wskazała Myronowi krzesło. Myron usiadł naprzeciw niej.

— Curtis był dobrym sportowcem — ciągnął Myron, przewracając kartki. — Był dopiero w drugiej klasie, ale już odnosił sukcesy w piłce nożnej i koszykówce. W liceum, do którego uczęszczał, nie było drużyny tenisowej, ale Lucinda mówiła mi, że to go nie powstrzymało. Grał, kiedy tylko mógł. Uwielbiał ten sport.

Deanna Yeller milczała.

— Widzi pani, od początku nie kupowałem tej wersji o włamaniu — powiedział Myron. — Nazwała pani swojego syna złodziejem, Deanno, ale fakty nie potwierdzały pani słów. Był dobrym chłopcem. Nie był notowany. A ponadto był mądry. W tym klubie nie było co kraść. Potem pomyślałem, że może doszło do sprzeczki przy sprzedaży narkotyków. Ta wersja wydawała się bardziej prawdopodobna. Alexander Cross zażywał narkotyki. Errol Swade je sprzedawał. To jednak nie wyjaśniało, dlaczego pani syn był w tym klubie. Przez pewien czas podejrzewałem, że Curtis i Errol nie byli w klubie i stali się kozłami ofiarnymi. Jednak wiarygodny świadek widział ich tam. Powiedział mi również, że w nocy słyszał odgłosy odbijania piłki tenisowej. Ponadto widział, że Curtis i Errol mieli po jednej rakiecie do tenisa. Jak to? Gdyby chcieli obrabować klub, mieliby ich tyle, ile zdołaliby unieść. A gdyby przyszli tam handlować narkotykami, nie mieliby rakiet. Tak więc wreszcie wszystko stało się jasne: przyszli, żeby sobie pograć. Przeskoczyli przez płot nie po to, żeby się włamać do klubu, ale dlatego, że Curtis chciał pograć w tenisa.

Deanna podniosła głowę. Spojrzała na niego pustym wzrokiem. Powiedziała powoli:

— To stało się na ziemnym korcie. W tym czasie oglądał w telewizji turniej w Wimbledonie. Chciał zagrać na takim ziemnym korcie, to wszystko.

— Niestety, Alexander Cross wyszedł właśnie ze swoimi kolegami na zewnątrz, żeby ćpać — ciągnął Myron. — Usłyszeli Curtisa i Errola. Nie wiadomo, co stało się potem, ale myślę, że możemy przyjąć wersję senatora Crossa. Alexander, naćpany po uszy, wywołał kłótnię. Może nie podobało mu się to, że dwóch czarnych chłopaków gra na jego korcie. A może naprawdę pomyślał, że chcą obrobić klub. Nieważne. Natomiast ważne jest to, że Errol Swade wyjął nóż i go zabił. Być może w samoobronie, chociaż bardzo w to wątpię.

— Zrobił to odruchowo — powiedziała Deanna. — Głupi smarkacz przestraszył się bandy białych chłopaków i wyjął nóż. Errol był po prostu głupi.

Myron skinął głową.

— Potem uciekli, ale w krzakach Curtis wpadł na Valerie Simpson. Szamotali się. Valerie dobrze mu się przyjrzała. Kiedy walczysz z kimś, kto twoim zdaniem zabił ci narzeczonego, nie zapomnisz jego twarzy. Curtis zdołał jej się wyrwać. Razem z Errolem przeskoczyli przez ogrodzenie i pobiegli ulicą. Znaleźli zaparkowany na podjeździe samochód. Errol był kilkakrotnie aresztowany za kradzieże samochodów. Bez trudu włamał się do środka i uruchomił wóz. Właśnie to naprowadziło mnie na trop. Rozmawiałem z policjantem, który miał zastrzelić pani syna. Nazywa się Jimmy Blaine. Powiedział, że zastrzelił kierowcę, a nie pasażera. A przecież Curtis nie mógł prowadzić. To nie miałoby sensu. Kierowcą był doświadczony złodziej samochodów, a nie niewinny chłopak. Wtedy mnie olśniło. Jimmy Blaine nie postrzelił Curtisa Yellera. Zranił Errola Swade'a.

Deanna Yeller siedziała jak skamieniała.

— Kula trafiła Errola w bok. Z pomocą Curtisa zdołał uciec za narożnik budynku i wspiąć się po schodach przeciwpożarowych. Dotarli do waszego mieszkania. Jednak wszędzie słychać było wycie syren. Policja okrążyła teren. Errol i Curtis pewnie wpadli w panikę. To było istne szaleństwo. Powiedzieli pani, co się stało. Pani wiedziała, co to oznacza — śmierć bogatego białego chłopca w ekskluzywnym klubie dla białych. Pani syn był zgubiony. Nawet jeśli był tylko biernym świadkiem, nawet gdyby Errol wziął całą winę na siebie, Curtis był skończony.

— Wiedziałam więcej — wtrąciła Deanna. — Od zabójstwa upłynęły już dwie godziny. Przez radio podali, kim był zabity. Nie tylko bogatym białym chłopcem, ale w dodatku synem senatora.

— I wiedziała pani — ciągnął Myron — że Errol był wielokrotnie notowany przez policję. To wszystko była jego wina. Tym razem miał pójść do więzienia na długo. Był skończony i mógł mieć o to pretensje wyłącznie do siebie. Natomiast Curtis był niewinny. Był dobrym chłopcem. Nie zrobił niczego złego, lecz przez głupotę kuzyna miał zostać spisany na straty.

Deanna spojrzała na niego.

— Bo tak naprawdę było — powiedziała z uporem. — Chyba nie może pan zaprzeczyć, prawda? Prawda?

— Nie — przyznał Myron. — Nie mogę. Zapewne zrobiła pani to wszystko jak w transie. Słyszała pani, że policjanci strzelili dwa razy. W ciele Errola tkwiła tylko jedna kula. Co więcej, Curtis nie był notowany. Nie miał kartoteki ze zdjęciem. Ani rysopisem.. — Zamilkł. Nie odrywała od niego oczu. — Czyja to była broń, Deanno?

— Errola.

— Miał ją przy sobie?

Skinęła głową.

— Zatem wzięła pani broń. Przytknęła lufę do policzka Errola i nacisnęła spust.

Ponownie skinęła głową.

— Odstrzeliła mu pani twarz — ciągnął Myron. — To również mnie dziwiło. Dlaczego ktoś strzelił do niego z tak bliska? Dlaczego nie w tył głowy lub w serce? Po prostu nie chciała pani, żeby ktoś zobaczył jego twarz. Chciała pani, żeby nikt nie mógł go poznać. A potem odegrała pani wspaniałą scenę. Trzymając go w ramionach i płacząc, gdy do mieszkania wpadła policja i zbiry senatora. Wszystko okazało się proste. Spytałem patolog, w jaki sposób zidentyfikowali zabitego. Uznała to za zabawne pytanie. Tak jak zwykle, powiedziała. Okazując ciało najbliższemu krewnemu. Pani, Deanno. Matce. Czy potrzebowali innego dowodu? Dlaczego mieliby podważać pani świadectwo? Policja cieszyła się, że nie chciała pani robić zamieszania, więc nie wnikali zbyt dokładnie w pani motywy. A pani wykazała sporo sprytu i zatarła wszystkie ślady, poddając ciało kremacji. Nawet gdyby ktoś nabrał podejrzeń i próbował dociekać prawdy, nie znalazłby żadnych dowodów. Co do Curtisa, to bez trudu zdołał uciec. Wszędzie poszukiwano Errola Swade'a, wyższego i zupełnie niepodobnego do pani syna. Nikt nie szukał Curtisa Yellera. On nie żył.

— To nie było takie proste — powiedziała Deanna. — Curtis i ja musieliśmy zachować ostrożność. W sprawę byli zamieszani wpływowi ludzie. Oczywiście, bałam się policji, ale nie aż tak jak tych ludzi, którzy pracowali dla senatora. Ponadto gazety zrobiły z młodego Crossa bohatera. Curtis znał prawdę. Gdyby mój syn wpadł kiedyś w ręce ludzi senatora...

Wzruszyła ramionami, nie mówiąc oczywistego. Myron kiwnął głową. On też tak uważał. Martwi milczą.

— Tak więc Curtis ukrywał się przez pięć lat? — zapytał.

— Chyba można tak to nazwać — odparła Deanna. —

Mieszkał na ulicy i z trudem utrzymywał się przy życiu. Kiedy tylko mogłam, posyłałam mu trochę pieniędzy, ale powiedziałam mu, żeby nigdy nie wracał do Filadelfii. Czasem udawało nam się porozmawiać chwilę przez telefon. Wychowywał się sam. Mieszkał na ulicy, ale był inteligentny i zawsze jakoś udawało mu się znaleźć dobrą pracę. Przez trzy lata pracował w klubie tenisowym w pobliżu Bostonu. Przez cały czas grał, czasem nawet występował w turniejach. Zaoszczędziłam dość pieniędzy, żeby mógł zrobić sobie operację plastyczną. Trochę zmienić wygląd na wypadek, gdyby spotkał jakiegoś starego znajomego. Jak już pan powiedział, bardzo zmężniał. Urósł i przybrał na wadze o ponad dziesięć kilogramów. Zawsze nosił ciemne okulary, chociaż uważałam, że to już przesada. Sądziłam, że nikt go nie rozpozna. Nie teraz. Minęło tyle czasu. W najgorszym razie ten ktoś pomyśli, że spotkał kogoś bardzo podobnego do nieżywego chłopca, którego kiedyś znał. No wie pan, upłynęło pięć lat. Myśleliśmy, że jest już bezpieczny.

— To dlatego zaczęła pani ostatnio otrzymywać pieniądze — powiedział Myron. — To nie była zapłata za milczenie. Przesyłał je Duane, kiedy przeszedł na zawodowstwo. To on kupił pani ten dom.

Przytaknęła.

— A kiedy zobaczyłem was tamtej nocy w hotelu, natychmiast doszedłem do wniosku, że jesteście kochankami. Tymczasem to syn przyszedł odwiedzić matkę. Uścisk, którym obdarzył panią, opuszczając pokój, nie był pożegnaniem kochanków, ale matki z synem. W rzeczywistości Duane wcale nie był kobieciarzem. To była tylko zasłona dymna. Wanda miała rację. Nie oszukiwał jej. Kochał ją i jej nie zdradzał. Nie z panią. Nie z Valerie Simpson.

Znowu kiwnęła głową.

— On kocha tę dziewczynę. Tworzą z Wandą ładną parę.

— Wszystko szło dobrze, dopóki Valerie nie spotkała Duane'a w moim biurze — ciągnął Myron. — Bez ciemnych okularów. Zobaczyła go z bliska, a jak już powiedziałem, nie zapominasz twarzy człowieka, którego uważasz za mordercę narzeczonego. Rozpoznała go. Ukradła kartkę z mojego notatnika i zadzwoniła do niego. Co było potem, Deanno? Czy zagroziła, że go wyda?

— Pominęliśmy kilka szczegółów — powiedziała Deanna. — Chcę, żeby wszystko było jasne, dobrze?

Myron przytaknął.

— Curtis nie wiedział, że zamierzam zabić Errola — powiedziała. — Kazałam mu zejść do piwnicy. Był tam właz do nieczynnego kanału. Wiedziałam, że przez jakiś czas będzie tam bezpieczny. Powiedziałam Errolowi, żeby został ze mną, to opatrzę mu bok. Kiedy Curtis opuścił mieszkanie, zastrzeliłam Errola.

— Czy Curtis dowiedział się prawdy?

— Domyślił się później. Jednak z początku o niczym nie wiedział. Nie miał z tym nic wspólnego.

— A Valerie? Chciała go wydać?

— Tak.

Ich spojrzenia spotkały się.

— Dlatego ją zabiłaś — rzekł Myron.

Deanna przez długą chwilę nie odpowiadała. Spoglądała na swoje dłonie, jakby czegoś szukała.

— Nie chciała mnie słuchać — odrzekła cicho. — Duane powiedział mi, że dzwoniła do niego. Usiłował jej wmówić, że się pomyliła, ale ona nie dała się przekonać. Tak więc spotkałam się z nią w hotelu. Ja również próbowałam jej to wyperswadować. Przekonywałam, że on nie zrobił nic złego, ale ona w kółko powtarzała bzdury o tym, że niczego nie będzie już zatajać, że za długo próbowała ukrywać różne sprawki, które w końcu muszą wyjść na jaw. — Deanna Yeller zamknęła oczy i potrząsnęła głową. — Ta dziewczyna nie pozostawiła mi wyboru. Obserwowałam jej hotel. Widziałam, jak wybiega. Zobaczyłam, jak pośpiesznie udała się na stadion. Wiedziałam, że jest przestraszona i zamierza narobić zamieszania... Zrozumiałam, że nie mogę dłużej czekać, że muszę coś zrobić, inaczej...

344

Siedziała nieruchomo. Po chwili zdjęła ręce ze stołu i złożyła je na podołku.

— Nie miałam innego wyjścia.

Myron milczał.

— Zrobiłam to, co musiałam zrobić — powiedziała po chwili. — Jej życie albo życie mojego syna.

— I po raz drugi wybrała pani życie syna.

— Tak. A jeśli mnie pan wyda, wszystko to okaże się daremne. Prawda wyjdzie na jaw i zabiją mojego syna. Wie pan, że to zrobią.

— Ochronię go — obiecał Myron.

— To mój obowiązek.

Na podjeździe zapiszczały opony. Myron wstał i wyjrzał przez okno. To był Duane. Zaparkował samochód i wysiadł.

— Niech go pan zatrzyma — powiedziała Deanna, która nagle zerwała się z krzesła. — Proszę.

— Słucham?

Podbiegła do drzwi i zamknęła je na zasuwę.

— Nie chcę, żeby to widział.

— Co takiego?

Jednak Myron już wiedział. Odwróciła się do niego. W ręku trzymała rewolwer.

— Już dwukrotnie zabiłam, żeby go uratować. Dlaczego nie miałabym zrobić tego po raz trzeci?

Myron gorączkowo szukał jakiejś osłony, lecz już po raz drugi w ciągu tych kilku ostatnich dni okazał brak rozwagi. Nie miał gdzie się schować. Deanna nie mogła chybić.

— Moja śmierć nie rozwiąże problemu — powiedział.

— Wiem — odparła.

Duane zaczął walić pięścią w drzwi i zawołał:

— Otwieraj! Nic mu nie mów!

Znów załomotał.

Deanna miała łzy w oczach.

— Nie mów nikomu, Myronie. Przecież nikt nie musi się o tym dowiedzieć. Wszyscy winni zostaną ukarani.

Przyłożyła lufę do swojej skroni.

— Nie rób tego! — wyszeptał Myron.

Duane krzyknął zza drzwi:

— Mamo! Otwórz, mamo!

Spojrzała w kierunku drzwi. Myron usiłował doskoczyć do niej, ale nie miał żadnych szans. Nacisnęła spust i złożyła jeszcze jedną ofiarę dla dobra swojego syna.

48

Minęło trochę czasu. Myron z trudem zdołał namówić Duane'a, żeby zostawił matkę i odjechał. Właśnie tego chciała, przypomniał mu. Kiedy obaj odeszli wystarczająco daleko, Myron wykonał anonimowy telefon na posterunek policji w Cherry Hill.

— Wydaje mi się, że słyszałem strzał — powiedział.

Podał adres i rozłączył się.

Spotkali się na parkingu przy New Jersey Turnpike. Duane już nie płakał.

— Ujawnisz to? — zapytał Duane.

— Nie — odparł Myron.

— Nawet matce Valerie?

— Nie mam wobec niej żadnych zobowiązań.

Zapadła cisza. Potem Duane znów zaczął płakać.

— Czy prawda uczyniła cię wolnym, Myronie?

Pozostawił to pytanie bez odpowiedzi.

— Powiedz Wandzie — rzekł po chwili. — Jeśli naprawdę ją kochasz, opowiedz jej o wszystkim. To twoja jedyna szansa.

— Nie możesz nadal być moim agentem.

— Wiem — rzekł Myron.

— Ona nie miała innego wyjścia. Musiała mnie chronić.

— Mogła to zrobić inaczej.

— Jak? Co ty byś zrobił, gdybym był twoim synem?

Myron nie potrafił na to odpowiedzieć. Wiedział jednak, że nie zabiłby Valerie Simpson.

— Będziesz jutro grał?

— Tak — odparł Duane. Wsiadł do samochodu. — I wygram.

Myron wcale w to nie wątpił.

Kiedy wrócił do Nowego Jorku, było już późno. Zostawił samochód na parkingu Kinneya i minąwszy obrzydliwą gastrologiczną rzeźbę, wszedł do budynku. Strażnik go pozdrowił. Był sobotni wieczór. W biurach prawie nikogo nie było. Jednak nawet w pomieszczeniach na parterze paliły się światła.

Wjechał windą na trzynaste piętro. Nie słyszał zwykłego gwaru krzątających się pracowników Lock-Horne Securities. Na całym piętrze było ciemno. Większość komputerów wyłączono i zakryto plastikowymi pokrowcami, ale kilka pozostawiono na chodzie. Ich przedziwne wygaszacze ekranu rzucały migotliwe smugi kolorów na blaty biurek. Myron poszedł w kierunku narożnego gabinetu. Win siedział za biurkiem, czytając książkę napisaną w języku koreańskim. Podniósł znad niej głowę i spojrzał na wchodzącego.

— Opowiadaj — zachęcił.

Myron zrobił to. Opowiedział mu wszystko.

— Zabawne — podsumował Win.

— Słucham?

— Zastanawialiśmy się, dlaczego matkę wcale nie obchodzi los jej syna, podczas gdy w rzeczywistości było wprost przeciwnie. Za bardzo ją obchodził.

Myron skinął głową. Milczeli chwilę. Potem Win zapytał:

— Wiesz?

— Tak.

— Jak na to wpadłeś?

— Doktor Abramson — powiedział. — Byłeś z Valerie na tyle blisko, że jej lekarka znała cię z imienia. To dało mi do myślenia.

Win kiwnął głową.

— Zamierzałem ci powiedzieć.

— Nie musiałeś go zabijać — rzekł Myron.

— Czasem mówisz jak dziecko — odparł Win. — Zrobiłem to, co było konieczne.

— Nie musiałeś go zabijać.

— Frank Ache nas by zabił — przypomniał Win. — Zrezygnował z tego tylko dlatego, że Pavel Menansi nie żył, więc nic by na tym nie zyskał. Eliminując Pavela, pozbawiłem go motywu. Mogliśmy walczyć z mafią i w końcu dać się zabić albo pozbyć się kanalii. Poświęcając życie łajdaka, uratowaliśmy nasze.

— Co jeszcze zrobiłeś Frankowi Ache? — zapytał Myron.

— O co ci chodzi?

— Frank nie pojawił się w tym lesie tylko po to, żeby sobie ze mną pogawędzić. Coś go przestraszyło. Nalegał, żebym opowiedział ci o naszym spotkaniu.

— Ach — mruknął Win. — O to chodzi.

Wstał i wziął kij do golfa. Upuścił na podłogę kilka piłeczek.

— Posłałem mu paczuszkę.

— Jaką paczuszkę?

— Z prawym jądrem Aarona. To oraz śmierć Pavela najwyraźniej przekonały go, że dla wszystkich zainteresowanych najlepiej będzie poniechać wszelkich dalszych działań.

Myron pokręcił głową.

— Czy jest jakaś różnica między tobą a Deanną Yeller?

— Tylko jedna — odparł Win. Przymierzył się i wybił piłeczkę. — Nie winię jej za to, co zrobiła tamtej nocy, kiedy zginął Alexander Cross. To było praktyczne rozwiązanie. Miało sens. Nie ufała wymiarowi sprawiedliwości. Nie ufała senatorowi USA. W obu przypadkach niewątpliwie miała rację. I kogo poświęciła? Siostrzeńca nicponia, który zapewne

349

i tak spędziłby resztę życia za kratkami. Na jej miejscu postąpiłbym tak samo.

Przymierzył się do następnego uderzenia.

— Jednakże różni nas to, że za drugim razem zabiła niewinną osobę. Ja nie.

— To dość naciągana argumentacja — zauważył Myron.

— Jak wszystkie na tym świecie, mój przyjacielu. Byłem tam. Co tydzień odwiedzałem Valerie w klinice. Wiedziałeś o tym?

Myron zaprzeczył. Był najlepszym przyjacielem Wina, a mimo to nie miał o tym pojęcia. Nawet nie wiedział, że Win znał Valerie Simpson.

Win ustawił następną piłeczkę.

— Jak tylko zobaczyłem ją w tym okropnym miejscu, chciałem się dowiedzieć, co ją tak odmieniło. Chciałem wiedzieć, jaka potworna krzywda zdołała złamać jej niepokonanego ducha. Ty rozwiązałeś tę zagadkę. Sprawcą był Pavel Menansi i to samo zrobiłby z Janet Koffman, gdybym go nie powstrzymał.

Win spojrzał na Myrona.

— Ty już o tym wiesz, ale powiem to głośno: fakt, że śmierć Pavela uwolniła nas od kłopotów z Frankiem Ache'em, był tylko premią. I tak zabiłbym drania. Nie potrzebowałem dodatkowych uzasadnień.

— Można go było ukarać w inny sposób — upierał się Myron.

— W jaki? — skrzywił się Win. — Aresztować go? Nikt nie wysunąłby przeciwko niemu żadnych oskarżeń. A nawet gdybyś ujawnił całą prawdę, co zamierzałeś zrobić, czy to by cokolwiek zmieniło? Pewnie napisałby książkę i wystąpił w programie Oprah. Opowiadałby światu, jak został uwiedziony przez dziewczynkę lub tym podobne bzdury. Stałby się jeszcze sławniejszy.

Win znów uderzył. Ponownie trafił.

— Nie jesteśmy tacy sami, ty i ja. Obaj o tym wiemy. I dobrze.

— Nie jest dobrze.

— Owszem, jest. Gdybyśmy byli tacy sami, nic by z tego nie wyszło. Obaj bylibyśmy już martwi. Albo szaleni. Uzupełniamy się. Właśnie dlatego jesteś moim najlepszym przyjacielem. Dlatego cię kocham.

Zapadła cisza.

— Nie rób tego więcej — rzekł w końcu Myron.

Win nie odpowiedział. Ustawił następną piłeczkę.

— Słyszysz?

— Było, minęło — zauważył Win. — To już przeszłość. A dobrze wiesz, że nad przyszłością nie można zapanować.

Znowu zamilkli. Win znów trafił.

— Jessica czeka — powiedział po chwili. — Prosiła, żebym ci przypomniał o jej nowych olejkach.

Myron odwrócił się i wyszedł. Czuł się okropnie. Wiedział jednak, że Win ma rację: było, minęło. Wkrótce znowu wszystko powróci do normy. Dojdzie do siebie.

A czy istnieje lepsza kuracja uzdrawiająca, pomyślał Myron, zmierzając do windy, od wonnych olejków Jessiki?

Polecamy najnowszy thriller z Myronem Bolitarem

ZAGINIONA

Bohaterem dziesięciu powieści Cobena jest Myron Bolitar, były pracownik FBI i agent sportowy, który nieustannie wplątuje się w kryminalne kłopoty.

Dawna kochanka Myrona, Terese, dzwoni do niego z Paryża i prosi o pomoc. Nie widzieli się od lat. Po krótkim wahaniu Bolitar decyduje się na lot do Europy. Na miejscu dowiaduje się, że były mąż Terese, reporter śledczy Rick Collins, zaginął bez wieści. Wcześniej, nie podając powodów, usilnie namawiał ją na spotkanie w stolicy Francji. W jakim celu? Chwilę później oboje zabiera na przesłuchanie francuska policja – odnaleziono ciało Ricka. Badanie śladów krwi pozostawionych na miejscu zbrodni ujawnia, iż należy ona do córki Ricka i Terese, która osiem lat wcześniej zginęła w wypadku samochodowym. Gdyby żyła, miałaby teraz 17 lat. A może śmierć została sfingowana? Myron podejmuje prywatne śledztwo, tymczasem intryga zatacza coraz szersze kręgi. Jacyś ludzie próbują go porwać. Jest śledzony przez agentów służb antyterrorystycznych. Giną osoby zamieszane w sprawę. Trop prowadzi do Londynu, Nowego Jorku i pewnego kraju w Afryce, oraz tajemniczej fundacji „Ratuj Aniołki"...